KB051615

명량 한산 노량

각본집

일러두기

- 이 책은 영화 각본 집필형식을 존중해 최대한 원본에 따랐습니다.
- 영화 대사는 글말이 아닌 입말임을 감안하여 한글맞춤법에서 벗어난 표현도 그대로 살렸습니다.
- 이 책은 영화 〈명량〉〈한산: 용의 출현〉〈노량: 죽음의 바다〉 최종 각본으로 영화에 담기지 않은 부분이 포함되어 있습니다.

각본집

21세기북스

김한민 감독

영화 〈노량: 죽음의 바다〉 감독의 말

안녕하세요. 관객 여러분.

감독 김한민입니다.

드디어 10년간의 이순신 3부작 여정을 마무리하는

〈노량: 죽음의 바다〉로 여러분을 만나뵙게 되었습니다.

7년간의 절체절명의 국가적 위기 속에서

영화 〈명량〉은 다시 모두가 빠져든 위기와 패배감 속에서,

그에 굴하지 않고 불같은 뜨거운 의지로 극복해내고야 마는 이순신의 모습을,

그리고 〈한산: 용의 출현〉에서는 철저한 대비와 전략으로

극심한 수세적 국면을 마침내 공세적 국면으로 뒤집어내고 마는

차갑고 냉철한 기운의 이순신의 모습을 표현하고자 했습니다.

그리고 마침내 〈노량: 죽음의 바다〉에서는 그 길고 참혹했던 7년간의 전쟁을

어떻게 올바로 종결하려 죽음까지 불사하며 애쓰셨는지를,

뜨거운 불과 차가운 물과 같은 양면의 모습으로 그분의 대의를 보여주고자 합니다.

그러다 보니 감독 입장에서는 그만큼 더 제대로 보여주고자,
기존에 볼 수 없었던 스케일과 재미가 격렬하게 더해지게 되었습니다.

관객 여러분! 날씨가 많이 추워지고 있습니다.
실제 노량해전도 차가운 겨울에 남해 바다 한복판에서
밤낮을 지새우며 펼쳐졌던 전투입니다.
그 고단한 싸움이 지나고 한 줄기 여명이 밝아왔듯이 관객 여러분의 가슴속에도
이 영화가 고단했던 한 해를 잘 마무리하고 뜻깊은 새해를 기어코 맞이하는
그런 영화가 되기를 염원해봅니다.

그럼 극장에서 뵙겠습니다!

2023년 11월 4일 병인(丙寅)일

감독 김한민 드림

안녕하세요. 관객 여러분.

감독 김한민 입니다.

드디어 10년간의 이순신 3부작 여정을 마무리하는

노량-죽음의 바다로 여러분을 만나뵙게 되었습니다.

7년간의 절체절명의 국가적 위기 속에서

영화 명량은 다시 모두가 빠져든 위기와

패배감 속에서, 그에 굴하지 않고 불같은 뜨거운

의지로 극복해내고야 마는 이순신의 모습을,

그리고 한산에서는 철저한 대비와 전략으로

극심한 수세적 국면을 마침내 공세적 국면으로

뒤집어 내고마는 차갑고 냉철한 기운의 이순신의

모습을 표현하고자 했습니다.

그리고 마침내 노량·죽음의 바다에서는 그 길고

참혹했던 7년간의 전쟁을 어떻게 올바로

종결하려 죽음까지 불사하며 애쓰셨는지를,

뜨거운 불과 차가운 물과 같은 양면의 모습으로

그분의 대의를 보여주고자 합니다.

그러다보니 감독 입장에서는 그 만큼 더 제대로
보여주고자, 기존에 볼 수 없었던 스케일과
재미가 격렬하게 더해지게 되었습니다.

관객 여러분! 날씨가 많이 추워지고 있습니다.
실제 노량 해전도 차가운 겨울의 남해바다
한 복판에서 밤 낮을 지새우며 펼쳐졌던
전투입니다. 그 고단한 세월이 지나고
한 줄기 여명이 밝아왔듯이
관객 여러분의 가슴 속에도 이 영화가
고단했던 한 해를 잘 마무리하고
뜻깊은 새해를 기어코 맞이하는 그런
영화가 되기를 염원해봅니다.

그럼 극장에서 뵙겠습니다!

2023년 11월 4일 丙寅日
감독 김한민 드림.

목차

2부 한산 용의 출현

3부

죽음의 바다

조선의 구국 영웅, 충무공 이순신 참전 목록

1592년 선조 25년, 이순신 48살

4월 12일	거북선을 완성하다.
5월 7일	옥포해전, 합포해전
5월 8일	적진포해전, 적선 40여 척을 격파하다.
5월 29일	사천해전, 거북선을 끌고 바다에 나가다.
6월 2일	당포해전
6월 5일	당항포해전
6월 7일	율포해전, 왼쪽 어깨에 총탄을 맞다.
7월 8일	견내량해전(한산대첩)
7월 10일	안골포해전, 적선 60여 척을 격파하다.
9월 1일	부산포해전, 적선 130여 척을 격파하다.

1593년 선조 26년, 이순신 49살

2월 15~22일	웅포해전

1594년 선조 27년, 이순신 50살

3월 4일	당항포해전, 적선 30여 척을 격파하다.
9월 29일	장문포해전
10월 1일	영등포해전
10월 4일	제2차 장문포해전

1597년 선조 30년, 이순신 53살

3월 4일	감옥에 갇히다.
4월 1일	감옥에서 나오다.
7월 23일	삼도수군통제사로 재임명되다.
9월 16일	명량해전

1598년 선조 31년, 이순신 54살

3월	고금도에서 왜선 16척을 격멸하다.
11월 19일	새벽 노량해전에서 전사하다.

1부

명량

제작 ㈜빅스톤픽처스

감독 김한민

각본 전철홍, 김한민

기획의도

1597년 임진왜란 6년,
오랜 전쟁으로 인해 혼란이 극에 달한 조선.
무서운 속도로 한양으로 북상하는 왜군에 의해 국가 존망의 위기에 처하자
누명을 쓰고 파면당했던 이순신 장군(최민식)이 삼도수군통제사로 재임명된다.

하지만 그에게 남은 건 전의를 상실한 병사와 두려움에 가득 찬 백성,
그리고 12척의 배뿐.
마지막 희망이었던 거북선마저 불타고
잔혹한 성격과 뛰어난 지략을 지닌 용병 구루지마(류승룡)가 왜군 수장으로 나서자
조선은 더욱 술렁인다.

330척에 달하는 왜군의 배가 속속 집결하고
압도적인 수의 열세에 모두가 패배를 직감하는 순간,
이순신 장군은 단 12척의 배를 이끌고 명량 바다를 향해 나서는데…!

12척의 조선 對 330척의 왜군
역사를 바꾼 위대한 전쟁이 시작된다!

무삭제 각본

초점이 나간 발간 불빛 하나가 누군가의 몸으로 파고든다. 인두다. 몸부림……. 봉두난발의 이순신이다. 그의 핏발 선 눈에서 바다로 오버랩. 부서지고 불타는 판옥선과 죽은 병사들의 잔해들…… 칠천량 바다, 그 위로…….

1597년 정유재란.

음력 7월, 임진왜란 발발 6년째, 거제도 앞바다 칠천량,

원균이 이끄는 조선 수군이 전멸한다.

S#1. 회령포 앞 언덕 / 낮 / F.I.

모진 비바람 속,
잔뜩 비에 젖은 도롱이를 입은 채 말을 탄 한 남자와 그를 수행하는 대여섯의 사람들이 언덕을 올라서고 있다.
언덕 너머 바닷가,
밧줄에 대충 묶인 판옥선(조선의 주력 목선)들이 버려진 듯 출렁대고 있다.

자막

음력 8월, 전라도 장흥 회령포

장군! 언덕 아래에서 장수 옷차림의 두 사람(안위와 김응함)이 도롱이의 한 남자(이순신)에게 다가와 엎어질 듯 무릎을 꿇는다.

장수 안위 어이하오리까 장군! 우리 조선 수군이 전멸했사옵니다. 저희를 부디 베어 죽여주소서. 장군!

장군! 하염없이 통곡하는 두 장수…….
망자(어머니)의 위패를 든 채 한없이 무표정한 이순신, 바다를 바라본다.
절벽 끝, 당장이라도 판옥선들을 집어삼킬 듯 바다가 크게 요동치고 있다. 그 위로 타이틀,

명량 — 회오리 바다

F. O.

자막(Rolling). 긴박한 음악 시작.

먹물처럼 번져가는 조선 지도와 함께 이미지 몽타주들.

원균의 조선 수군을 괴멸시킨 일본군은 남해안으로 대거 상륙.

급기야 임진년 이후 처음으로 전라도 땅을 휩쓸며,

8월 16일 요충지 남원성을 함락.

8월 25일 전주성마저 함락.

일본 육군은 파죽지세로 수도 한양을 향해서 북상하고

일본 수군은 남해와 서해를 거쳐 직접 수도 한양을 공략하려 한다.

조선은 임진년 이후 또다시 국가 존망의 위기에 처하고 마는데,

이때 모진 고문 후 백의종군 중이던 이순신은 수군통제사로 급거 재임명되어 남해안 서쪽 끝 진도 벽파진에서 겨우

12척의 배로 진을 친다. 그로부터 겨우 50리 밖, 3백 척이 넘는 일본 수군이

해남 땅 어란진으로 속속 집결하고 있었다.

INS

지도에서 중첩되며 남해안을 내닫는 헬리캠.

S#2. 왜군 진영 포구 / 아침

허름한 벽파진 포구와 달리 2백여 척의 배와 수많은 천막이 장관을 이루고 있는 어란진 포구.
군량미와 보급품이 산처럼 쌓여 있고, 곳곳에 왜병들이 넘쳐난다.

자막

해남 어란진(魚卵津), 왜군 진영

CUT TO

왜병들이 조선 장독째 식수를 싣고 군량미와 보급품을 싣는 데 한창이다. 그 사이를 왜군 수장 '도도'와 (항시 얇은 미소를 띤) 부수장 '가토'가 걷고 있다.

도도 이번엔 반드시 조선 왕을 잡고 전쟁을 끝내야 돼!
임진년 때처럼 놈이 도망갈 틈을 줘서는 안 돼!
한번에 우레처럼 휘몰아치는 전격전(電擊戰)이야. 서둘러야 해.

가토 (특유의 엷은 미소, 나긋한 목소리) 예, 장군.
조선 왕을 잡는 영광을 고니시 육군에게 빼앗길 순 없지요.

도도 (답답하다는 듯이) 이런 때에 관백(도요토미 히데요시)께서는 선봉 세울 자를 보낼 테니 그저 기다리라 하시니…….

가토 어쩌겠습니까. 이순신 그자가 복귀했다니…….
놈이 비록 종이호랑이가 됐다 하나 돌다리도 두들겨 가라는 관백님의 깊으신 배려가 아닐는지요.

뿌우! 뿔고동 소리. 돌아보는 도도의 시야로,
쌍고리 문양의 깃발을 나부끼며 안택선(安宅船, 왜군 대장선) 한 척과 세키부네 10여 척이 포구로 들어서는 게 보인다.

도도 와키자카인가?

가토 예. 탐망 후 복귀하는 것 같습니다.

왠지 표정이 굳어 있는 안택선 위 한 장수(와키자카)의 모습이 눈에 들어온다.

도도 (탐탁잖게) ……몇 번째 탐망이지?

가토 어젯밤 야습까지 합친다면 총 세 차례이지요.

도도 (안색이 별로 좋지 않다) …….

가토 (표정을 살피다 짐짓) 헌데 천하의 도도님을 기다리게 하는 자가 대체 누구란 말입니까.

도도 이번 싸움에 꼭 필요한 자라 하시더군.
그자만큼 이순신을 확실히 잡을 자가 없다고.

가토 ?

S#3. 왜군 진영 너머 숲 / 낮

내륙 쪽에서도 어란진으로 속속 줄지어 도착하고 있는 일본 육군 병사들…….
저들끼리 소리 높여 뭐라 신호들을 주고받는데,
그런 포구의 모습을 뒤로하고 숲속, 주변을 경계하며 등장하는 예리한 눈빛의 변발의 젊은 왜병 군관

(준사) 하나,

썩은 고목나무의 구멍에 작은 대나무 통 하나를 넣고 순식간에 사라진다.

S#4. 벽파진 포구 / 낮 / CUT IN

"全軍 出兵臨迫(전군 출병임박)"이라고 툭! 펼쳐지는 전갈 하나.

전갈을 들고 서 있는 갑옷 차림의 이순신의 표정에 긴장감이 서린다.

이순신 뒤로 한참 보수 중인 구선(龜船, 거북선) 한 척이 서 있다.

자막

진도 벽파진(碧波津, 조선 수군 진영)

허름한 벽파진 포구, 함께 서 있던 장수 송희립도 긴장된 표정이다. 가쁜 숨을 애써 참으며 땀으로 얼룩진 탐망꾼 임준영이 말을 이어간다.

임준영 적들의 동태가 심상찮습니다.
이미 적선이 2백 척이 넘어섰고 보급선에 물자들이 실리기 시작했고.

INS

빠르게 펼쳐지는 적들의 상황.

임준영 인근 마을들에선 약탈한 군량들이 시시각각 들어오고 있습니다. 저들이 말하는, 이른바 주둔지 소개(疏開)가 이미 시작됐습니다. 조금이라도 저항하는 사람들은 죽여서 코를 베고 연습 삼아 아이들을 조총으로 쏴 죽이고 있습니다.

INS

비명 속에 코가 베어지며 처절히 죽어가는 조선 사람들과 울부짖는 아이들.

임준영 패배한 칠천량에서 끌려와 노역 중인 조선 포로들도 상당수 눈에 띄었습니다. 옛 대장선 차군관 '배홍석' 같은 자도 보였습니다.

이순신 2만 5천 별동군이 전주 쪽에서 내려오고 있다는 것이 사실이냐?

임준영 사실인 듯합니다. 놈들이 우리 수군은 없는 거나 마찬가지니 일거에 쓸어버리고 한양으로 그들을 실어 나를 거라고 술 취해 떠드는 소리를 여럿 들었습니다.

이순신 …… 그냥 놓아 보내면 한양이 쑥대밭이 되겠구나.

임준영, 이순신을 슬쩍 쳐다보면, 부쩍 수척해진 장군의 모습이 보인다.
이순신, 미리 써놓은 또 다른 전갈 나무통을 내민다.
나무통을 받아드는 임준영.

이순신 '준사'에게 전달하고 꼭 답을 받아오게.

임준영 예, 장군. (돌아서면서)

뿌우! 판옥선 한 척이 멀리 벽파진 앞 작은 섬을 돌아 들어오고 있다.

이순신 (우수사) 김억추의 배 아닌가. (걱정스럽게) 어찌 혼자서…….

송희립 그러게 말이옵니다. 탐망 중인 적선을 쫓아 여러 장군 등과 함께 출진했는데…… 제가 알아보겠습니다.

송희립이 포구 앞으로 뛰어간다.
이순신 역시 발걸음을 포구 쪽으로 옮기려던 차에
갑자기 거북선 갑판 위에서 한 노인(김 노인)의 외침이 들린다.
상판(上板)이 다 되었다! 상판이 다 되었어!
이순신, 발걸음을 돌려 급히 구선 쪽으로 향한다.

CUT TO 포구 앞 나룻배,
급히 배를 타려는 임준영 앞을 웬 아낙(정씨 여인)이 급히 막아선다.
아낙이 황망히 다가와 임준영에게 나무 부적을 내민다.
절절한 손짓! ……벙어리다.

임준영 (담담하게) 부적 아닌가. 잘 간직함세! 몸 간수 잘 허소. 나 가네.

임준영, 빠르게 배를 밀고 나간다. 정씨 여인, 하염없이 쳐다보고…….

S#5. 벽파진 관아 마당 / 낮

아-악! 고통에 찬 소리와 함께 화면이 바뀌면.
형틀에 엎드려 있는 (전라 우수사) '김억추'가 볼기에 곤장을 맞고 있다.
굳은 표정으로 묵묵히 지켜보고 있는 이순신…….

곤장 군관 (곤장을 들어올리며) 아홉 대요!

퍽! 으아악! 김억추의 과장된 비명 소리가 이순신만이 홀로 지켜보는 관내를 뒤흔든다.

김억추 (다급하게) 토, 통제공……. 내, 내가 잘못했소. 제발 용서해주시오.
적선들을 보고 내빼다니 내가 진정 얼이 빠졌나 보오.

이순신, 반응 없고, **열 대요! 아아악!** 김억추가 발버둥 친다.
이때 송희립이 우수사 김억추에게 어색한 목례를 건네며 이순신 쪽으로 걸어온다.

송희립 장군, 한양서 교지가 당도했습니다.
이순신 …….

S#6. 대장선 업무실 / 낮

이순신 앞에 임금이 보낸 교지가 놓여 있다.
이순신 황망한 얼굴. 교지의 글귀가 보이는데,

자막
적은 수와 고단한 군대로 적의 대군을 감당키 어려울 터이니,
수군을 파하고 도원수 권율이 이끄는 육군에 합류하여 싸우라.

묵묵히 내려다보던 이순신, 쿨럭! 갑자기 기침과 함께 울컥 피를 토한다.
미간에 힘을 주며 조용히 피를 닦는 이순신.

S#7. 벽파진 관아 - 배설의 거처 / 낮

베개를 걸치고 모로 누워 있는 '배설'.

젊은 관기가 붙어 앉아 배설의 다리를 주무르고 있다.

배설 (황당한 투로) 곤장을 쳤다고?

배설 부장 예. 김억추 장군이 적의 탐망선을 쫓다 뜻밖에 가세하는 적들을 보고 놀라 진(陣)을 세우지도 않고 맨 먼저 물러났다 합니다.

배설 (냉소하며) 몇 척 되지도 않는 배로 세울 진도 있었다더냐? 그래 몇 대나 맞았다더냐?

배설 부장 열닷 대라 하더이다.

배설 (피식) 볼기짝에 불이 났겠구나. 그래 지금 이순신은 뭐하고 있느냐?

배설 부장 한양서 교지가 와 대장선으로 향했다고 합니다.

배설 (벌떡 일어서며) 교지?

S#8. 왜군 진영 포구 근처 관목 숲 / 낮

탕탕탕탕!

낯익은 쌍고리 문양 깃발 아래 일본군(와키자카 부대) 조총수들이 일제히 불을 뿜는다.

퍽퍽퍽!

해안가 관목 숲 가운데 말뚝에 묶여 있던

칠천량 조선 수군 포로들의 몸에 박히는 총탄.

비명도 지르지 못한 채 즉사하는 포로들.

말을 탄 채 절도 있고 결연하게 지켜보고 있는 왜장 와키자카의 모습이 보인다.

와키자카 바람을 살펴라.
갈대의 움직임에 유념해라.

조총수들 뒤로 구로다와 왜병들이 열 지어 서 있고,

말뚝 뒤 벌판에 조선 수군 포로와 민간인 포로가 분리되어 앉혀져 있는데, 여기저기서 수군대는 소리가 들린다.

우릴 다 죽일 것이여. 다 죽이고 한양까지 간다더만.

아니여! 우린 부역으로 써먹는다는구먼. 저그 군사들만 죽인다고 하잖여.

아이고! 아부지…… 어무니…… 부처님…… 나무관세음보살…….

민간인 포로들 틈에서 두려운 얼굴로 두리번거리고 있는 찌그러진 갓의 초췌한 선비 '김중걸'과 소년 '수봉이'가 보인다.

수군 포로들 틈에서 울분을 삼키는 한 사람.

옛 대장선 차군관(次軍官) '배홍석'이다.

다음 차례의 수군 포로들 10여 명을 일으켜 세우는 왜병들.

왜병들 너머 앞 신 숲속에서 보았던 예리한 눈빛의 왜군관 준사도 보인다.

배홍석도 왜병에 끌려 일으켜 세워진다.

끌려가는 배홍석을 보는 수봉이의 눈이 휘둥그레진다.

수봉이 (본능적으로) 아버지!

김중걸 (놀라) 아버지?

때마침 수봉이를 발견한 배홍석도 그 자리에 얼어붙는다.

배홍석의 등을 후려치는 왜병. 돌처럼 서 있는 배홍석.

격분한 왜병이 칼을 빼 들어 치켜드는데.

배홍석, 이를 악물더니 칼을 휘두르는 왜병에게 몸을 날린다.

맞고 쓰러지는 왜병.

배홍석이 바닥에 떨어진 왜병의 칼을 집어 든다.

놀라는 수봉이, 준사 및 왜병들. 그리고 포로들.

배홍석 (와키자카를 향해) 네 이놈! 저 어린것들이 무슨 죄가 있다고 여기까지 끌고 왔느냐! 내 네놈부터 베어 죽이리라!

배홍석이 칼을 치켜들고 와키자카를 향해서 달려간다.

CUT TO

와키자카 (냉정하게) 움직이는 표적이다.

구로다 (앞으로 나서며) 조준!

조총수들이 일제히 조총을 들어 조준한다.

CUT TO

칼을 들고 소리를 내지르며 달려가는 배홍석.

탕탕탕탕탕!

배홍석의 팔과 다리에 총탄들이 스친다.

우욱! …… 고통스럽게 몸을 웅크리는 배홍석.

놀라 일어나 쳐다보는 수봉이. 상기된 준사.

배홍석이 기어이 다시 일어나 와키자카를 향해 달려간다.

CUT TO

와키자카, 구로다에게 눈짓한다.

구로다가 칼을 치켜들고 나간다.

CUT TO

이를 악물고 달려가는 배홍석.

배홍석과 구로다가 맞붙는 찰나,

탕!

그대로 목이 뒤로 꺾이며 쓰러지는 배홍석.

구로다의 머리 뒤에서 날아온 총탄이 배홍석의 이마를 관통했다.

수봉이가 경악하며 주저앉는데, 그런 수봉이를 받아 앉히는 김중걸.

씩씩거리며 돌아보는 구로다.

와키자카 역시 상기된 표정으로 돌아보는데,

CUT TO

멀리 천천히 총열이 특이하게 긴 조총을 내리는 한 남자. 두건을 쓴 눈빛이 강렬하다. (구루지마의 심복 '하루'.)

그 뒤로 특이한 복장의 기나긴 부대가 도열하고 있고.

하나같이 햇살에 달궈진 근육에 날렵한 복장을 하고 있으며,

군살 없는 강골의 체격에다 인상마저 강한 야수성을 풍기고 있다.

귀신 가면 투구를 쓴 채 말을 탄 누군가가 천천히 앞으로 나선다.

귀신 가면 (쉰 듯 거친 목소리) 역시 '하루'다.

와키자카가 잔뜩 상기된 표정으로 그를 노려본다.
구루지마가 천천히 자신의 도깨비 가면을 벗는다.
흡사 늑대와도 같은 강하고 차가운 표정, '구루지마 미치후사'.

구루지마 (쉰 목소리로) 이해하시오.
그저 지나가다 안타까웠을 뿐이오.

자존심 구긴 구로다가 칼을 치켜들고 내달릴 태세다.
동시에 일제히 총구를 겨누는 와키자카의 왜병들.
제지하는 와키자카.

와키자카 (상기된 채) 그대가 관백께서 보내신 장수요?
구루지마 (조용히 긍정의 표현으로 고개를 숙인다.)

CUT TO
구루지마의 부대가 와키자카의 부대를 지나 천천히 이동한다.
한쪽에서 와키자카의 왜병들이 수군거린다.

왜병 1 이요(伊予) 수군이다. 에히메 놈들이야.
왜병 2 수군은 무슨. 저놈들은 해적이야.

갑옷과 무기를 철커덕대며 아랑곳하지 않고 지나가는 구루지마의 병사들. 스쳐 지나가는 구루지마와 보내는 와키자카의 찰나의 신경전.
구루지마, 묘하게 기분 나쁜 미소를 흘리는데,
챙! 날카로운 쇳소리와 함께 갑자기 칼을 빼어드는 와키자카의 부장 구로다.
구루지마의 부장 '기무라'를 필두로 그의 부대 역시 순식간에 온갖 기괴한 무기들을 치켜든다.
일촉즉발의 상황!
상기된 표정의 와키자카 대 무표정한 구루지마.
구로다! 따르라!
갑자기 말을 박차며 양 진영을 가르며 사라지는 와키자카.
묵묵히 지켜보는 구루지마.

CUT TO

죽은 배홍석의 시체 앞에 다가서는 구루지마의 말발굽.
구루지마가 죽은 배홍석의 머리를 단칼에 잘라 기무라에게 던져준다.

구루지마	(특유의 거칠고 쉰 목소리) 아깝구나. 긴히 쓸데가 있으니 잘 모아두어라.
기무라	예. 주군!

준사, 이 모든 광경을 무표정하게 바라보다 이내 사라진다.

S#9. 벽파진 관아 숙실 / 밤

숙실 안에서 토사곽란 소리가 들려온다.
젊은 사내(이회)가 문밖으로 피 묻은 옷들과 수건을 들고 나와 부엌으로 향하는데,
안위가 황급히 뛰어 들어오다 이회와 마주친다.

안위	대체 어찌 된 일인가? 항시 대장선에 계시던 분이 회의도 참석지 못하시고.
이회	식사 후 몸이 떨린다며 소주를 찾으시더니 오히려 덧난 듯합니다. 의원이 들어갔으니 지켜볼밖에요.

안위, 걱정스러운 표정…….
이때 부엌에서 한 노파(종선 할매)가 덥힌 물 대야를 들고 나온다.
이회가 대야를 받아 들려는데, 노파가 강하게 도리질하며 직접 들고 들어간다.
이회 따라 들어가다 문득 멈춰 서며,

이회	지금 육군에 합류하란 임금의 교지로 의견들이 분분하다지요.
안위	이 사람아, 임금이라니! 불경스럽구먼.
이회	(아랑곳하지 않고) 차라리 잘되었습니다.
안위	잘되다니? 뭐가 말인가?

이회가 대답 대신 입술만 깨무는데.

회야! 회야! 안에서 회를 부르는 이순신의 고통스러운 목소리가 들린다.

이회가 급히 방으로 들어간다.

안위, 염려 어린 표정.

INS

을씨년스러운 벽파진 포구. 거센 바람에 판옥선들이 마구 흔들거린다.

S#10. 대장선 내 작전실 / 밤

지그시 눈을 감고 앉아 있는 창백한 표정의 이순신.

이회가 뒤에 서 있고,

배설, 김억추, 송여종, 김응함, 안위 등의 장수들이 조바심 난 얼굴로 둘러앉아

이순신만을 바라보고 있다.

이순신이 마침내 눈을 뜨며 쭈욱 장수들의 표정을 훑는데.

배설이 더 이상 참지 못하고 말을 토해낸다.

배설 (애써 공손하게) 자…… 그래, 언제 합류하시렵니까?

이순신 (짐짓, 착 가라앉은 목소리로) 뭘 말이오?

배설 (언성을 높이며) 그야 어명 말이지요! 어명! 상감께서 육군에 합류하라 했으니 (애써 다시 웃음 지으며) 언제 합류하실지를 묻는 것 아닙니까.

이순신 그리 적혀 있습디까?

배설 (황당해하며) 뭐요?

(입이 바싹 마른다) 이보시오. 통제공. 아마도 통제공께서는 저 구선만 마냥 믿고 계시는가 본데, 적선이 이미 2백 척이 넘었소이다. 영내엔 탈영자들이 속출하고 있소. 아십니까?

김억추 거…… 열흘 사이에 군영을 이탈한 자가 서른이 넘었지요.

이순신이 쳐다보면, 김억추, 황급히 입을 닫는데,

다시 눈을 지그시 감는 이순신.

배설 (답답해하며) 내 오늘은 기어이 들어야겠소이다!
2백 척이 넘는 적들이 당장 오늘 밤에라도 들이닥칠지 모를 일인데,
통제공께선 대체 어디서 어떤 방진(方陣)을 구사하실 요량이시오?

점점 도를 넘는 배설의 직설에, 불안한 눈빛을 교환하는 장수들.
이순신 대답이 없다.

배설 (언성을 높이며) 어디 젊은 장수들한테 한번 들어봅시다.
이 싸움이 승산이 있소?
(장수들이 눈치만 보자) 충언을 아끼지 마시오, 충언을.
통제공! 속 시원하게 얘기 한번 해주시구려.
솔직히 저 부실한 구선 한 척 말고 달리 복안이 있소이까!

안위 거 통제공께 말씀이 지나치시오!

배설 네 이놈! 내가 네놈 직속상관이야! 그 입 다물고 들으라!

안위 상관도 상관 나름이지요!
칠천량에서 그리 도망쳐 나오고도 정녕 부끄럽지도 않소이까.

배설 이놈이……. 이놈아! 내가 그리 빠져나왔기 때문에
시방 저 열두 척이라도 남아 있는 게야!

안위 (꿈틀! 뭐라 말하려다 입을 닫는데)

배설 통제공! 공도 이 싸움이 얼마나 무모한 줄 잘 아실 게요!
칠천량에서 나는 봤소이다. 적들이 얼마나 날래고 간악해졌는지.
무려 1만이 죽었소.
정녕 남은 수군의 종자까지 박멸해버리시려는 게요.

이순신 …… 회의는 이만 됐다. 모두 나가 있으라.

배설 통제공!

안위 장군께서 명하시지 않소! 모두들 일어나십시다!
배를 보수하고 병사들을 점검하는 것이 급하오!

안위의 재촉에 장수들이 어수선하게 따라서 일어난다.
배설이 끝까지 이순신을 쳐다보다,
강하게 노려보는 이회의 시선에 밀려 밖으로 사라진다.
장수들이 모두 나가자, 의자에 깊게 몸을 파묻고 가라앉는 이순신.

이회 ……

S#11. 왜군 진영 도도의 천막 / 밤

거세게 타탁대는 횃불들.
그 너머에 가토와 와키자카의 표정이 심상치 않다.
몇몇 부장들이 어쩔 줄 모르고 꼿꼿이 서 있는 구루지마에게 칼끝을 겨누고 있는데,
구루지마의 가신 하루와 부장 기무라의 눈빛이 살기로 가득하다.
이미 몇몇 왜장수들이 절단 나 쓰러져 있다.

구루지마 반나절을 기다렸소. 이게 먼 길을 달려온 손님에 대한 대접이오?

가늘게 뜬 눈으로 엷은 미소만 띠며 중앙 단상에 그저 앉아 있는 도도.
도도를 중심으로 가토, 와키자카, 그리고 구루지마 사이의 팽팽한 긴장감.
가토가 특유의 엷은 미소를 띠며 나선다.

가토 우리가 그저 작전회의에 몰입하다 보니
대인(大人)을 영접할 시간을 지체했소이다. 부디 용서하십시오.
헌데 어찌 조선 왕을 잡을지 (힘주어) 해적왕다운 고견을 들려주시지요.

기무라가 발끈하며 칼을 치고 나서는데, 구루지마가 제지하며 천천히 앞으로 나온다.
중앙 탁자 위에 조선의 남해와 서해가 상세히 그려진 작전지도가 놓여 있고,
작전지도 위에 일본 수군과 육상군의 위치가 모형으로 표시되어 있다.
구루지마가 나아가 지도를 살펴본다.
어란진에 보이는 도도의 수군과 태안까지 진격한 고니시 육군.
그리고 울돌목을 중심으로 우측의 벽파진(조선 수군의 현 위치)과 좌측의 우수영이 눈에 띈다.

구루지마 (조선 수군의 모형을 손으로 쓸어버리고 특유의 목소리로)
오다 물길을 살폈소.
진도 내해를 끼고 아침 일찍 조류를 타고 나가면, 그날 밤으로 육군에 보급을 마치고
한양을 접수할 수 있소이다.

한양까지는 하루 반나절이면 족하지.

와키자카 (냉소하며) 흥! 말이 쉽지. 이순신이 그렇게 호락호락한 상대가 아니오.
(도도에게) 진도 외해로 빠져나가 한양을 접수한 뒤 추후 육군과 함께 이순신을 괴멸시키는 것이 합당한 전략입니다.

구루지마 (무표정하게) 히데요시 관백이 나를 왜 보냈다고 생각하는가?

와키자카 (노여워하며) 저자가 감히! 관백님의 이름을 함부로!

가토가 칼을 빼드는 와키자카를 말린다.

구루지마 (담담하게) 이순신은 내가 잡겠소.
(도도에게) 당신은 고니시에게 먼저 한양을 뺏길 생각인가?

고니시를 들먹이는 구루지마의 말에 도도가 엷은 미소로 반응, 이내 크게 웃으며

도도 하하하! 이거 결례를 범했소이다.
부디 이 못난 자를 용서하시오.
어서, 어서 자리에 앉으시오, 구루지마.

천천히 돌아서 도도 앞 중앙에 자리를 잡고 앉는 구루지마.
와키자카가 흥분을 가라앉히지 못하고 몸을 떤다.

도도 (태연하게) 좋다! 이제 출병만 남았다!
우리의 임무는 북상하고 있는 고니시의 지상군에 물자를 보급하고, 서해를 통해서 한강으로 들어가 곧바로 한양을 도모하는 것이다!
조선 왕을 잡고 곧장 전쟁을 끝내는 것!
그것이 바로 관백님의 뜻이다!
그러기 위해선 반드시 이순신을 잡아야 할 터!
(미소) 진정 당신만 믿겠소이다. 구루지마…… 장군.

구루지마 …….

S#12. 포구 대장선 앞 / 밤

다소 쓸쓸한 포구 앞,

물끄러미 대장선 판옥선 앞 도깨비상을 바라보고 있는 이순신.

몸체는 낡았지만 판옥선은 여전히 그 위용을 자랑하고 있다.

김 노인이 다가온다.

김 노인 구선 쪽에 계신 줄 알았더니 여그 계셨는게라.

이순신 빠른 물살과 함께 밀어붙일 거네.

비록 이 판옥선이 적선보다 강하다 하나 적선들이

마구 충돌해 들어올 때 능히 버텨낼 수 있겠는가.

김 노인 (염려하며) 제대로 수리를 받지 못한 배들이라…….

설령 수리를 잘 했다 혀도 지금껏 항시 거리를 두며 싸웠지

가차이(가까이서) 부딪쳐서 싸움헌 적은 없잖습니까.

이순신 충돌해 들어오면 우리 판옥선도 어찌 될지 장담할 수 없다는 말인가.

김 노인 임진년 이후로 놈들의 배들도 더 커지고 튼튼해졌습니다요.

이순신 (묵묵하게)…….

김 노인 그려서 저그 구선이 더욱 요긴해지는 거 아니겄는가요.

이순신 결국은…… (멀리 구선을 쳐다보는 애틋한 시선) 필히 판옥선들 앞에서 저 구선이 버티며 싸워줘야 한다는 얘기 아닌가.

그래야 능히 우리의 온전한 화포전이 가능할 테고…….

김 노인 송구합니다요. 저 구선은 능히 버텨낼 것이옵니다.

이순신 (수척한 모습)…….

김 노인 (염려하며) 통제사 어른…….

연일 성치 않으신 몸에 너무 무리하셨사옵니다!

밤바람이 찹니다요. 이만 들어가시지요.

S#13. 벽파진 관아 숙실 / 밤

三尺誓天 山河動色

삼석서천 산하동색

긴 칼로 하늘에 맹세하니 산천이 떨고

一揮掃蕩 血染山河

일휘소탕 혈염산하

한번 내 휘두르는 칼에 산천이 물들도다

보관대, 자신의 긴 칼의 문구를 물끄러미 쳐다보고 있는 이순신.
어지러이 전장의 소리가 들리는 듯한데,
이내 그 밑에 모신 어머니의 위패를 바라보다 천천히 눈을 감고 호흡을 고른다.
이회가 밥상을 들고 들어온다.

CUT TO
소박한 밥상, 젓갈과 김치, 그리고 생선 한 조각이 보인다.
이순신과 이회가 마주 앉아 식사를 하고 있다.

이순신 (불쑥) 함께하니 좋구나.
이회 예……. (잠시 뜸을 들이다) 아버님.
이순신 …… 말하거라.
이회 차라리 잘되지 않았습니까.
이참에 모든 걸 놓아버리시고 고향으로 가시지요.
(방 한편에 놓인 위패를 돌아보며) 돌아가신 할머니 위패조차 제대로 안치하지 못해 저리 그저 두고만 보고 있지 않습니까.
군사들을 육군에 내어주고 병이 깊어 더 이상 임무를 수행할 수 없다 하십시오.
이순신 …… 네가 상감에 대한 원한이 깊구나.
이회 목숨까지 거두려 했던 임금입니다.
아버님은 억울하지도 않으십니까.
이순신 …….
이회 아버님. 다 죽고 이제 열두 척만이 남았사옵니다.
지금 우리 형편이 수군이라 할 수 있습니까.
설령 저 미력한 군사들로 승리한다 한들……
임금은 반드시 아버님을 버릴 것이옵니다.
이순신 …….

이회	아버님은 왜 싸우시는 겁니까.
이순신	(툭) …… 의리(義理)다.
이회	나라에 장수된 자로서 의리를 말씀하시는 겁니까?
이순신	그렇다.
이회	저토록 몰염치한 임금한테 말입니까.
이순신	무릇…… 장수된 자의 의리는 충(忠)을 쫓아야 하고, 그 충은…… 백성에게 있다.
이회	(작은 충격) 임금이 아니고 말입니까?
이순신	백성이 있어야 나라가 있고 나라가 있어야 임금이 있다.
이회	그 백성은 저 살기만을 바랄 뿐 아무것도 기대할 게 없는데도 말입니까.
이순신	(빤히 이회를 쳐다보며) …… 밥술을 좀 뜨거라. 아까운 밥이다.
이회	…….

이때 밖에서 들리는 소리.

안위	(목소리) 장군! 소장 안위 와 있습니다. 명하신 대로 목수장 어른도 함께 왔습니다.
이회	몸도 성치 않으시면서 이 밤중에 어딜 가시옵니까.
이순신	(일어서며) …… 가볼 데가 있다.
이회	…….

S#14. 피섬 / 바다 / 새벽 (Day for Night)

횃불에 비치는 빠른 물살. 조심스럽게 앞으로 나아가고 있는 어선 한 척.

어선을 몰고 있는 한 군관이 조심스럽게 조류를 타고 있다.

횃불을 든 안위 뒤로 이순신과 김 노인이 눈앞의 작은 섬을 응시하고 있다.

달빛 속, 울돌목의 가장 좁은 곳에서 해남 쪽으로 서 있는 '피섬.'

우우우 소리를 내며 피섬을 끼고 돌아 나가는 거센 조류가 인상적이다.

S#15. 피섬 / 새벽 (Day for Night)

우거진 나무 사이로 횃불을 밝히며 올라오는 안위, 이순신, 김 노인.
이순신의 시야로, 주변 바다의 거센 물살이 보인다.

김 노인 목이 젤로 좁은 곳이다 보니 항시 물살이 부딪히고 돕니다.
오죽하면 물살이 울면서 돌아 나간다고 울돌목이라고 부르겠습니까요.
거그다 낼모레가 대조기다 보니 물도 엄청스리 많아졌습니다.

안위 (근심 어린 말투로) 이곳이옵니까?

이순신 …….

안위 허나…… 장군. 다행히도 이 좁은 목으로 적들이 몰려와 우리가 횡렬 일자진(一字陣)을 펼칠 수 있다 한들, 앞에서 구선(龜船)이 버텨내지 못한다면 모든 게 무용지물이 될 것입니다. 물살이 바뀌는 시각까지 족히 반나절을 구선이 버텨내야 할 터인데.

이때, '우우웅'거리는 나직한 소리가 들려오자 돌아보는 이순신.
달빛 속, 피섬을 지나 멀리 물살들이 작은 회오리들을 만들어내며 사라지고 있다.

이순신 (유심히 살피며) …….

다가서는 김 노인의 얼굴이 점차 상기된다.

김 노인 평상시 우는 소리허고 쪼까 달라졌습니다요.

이순신 ?

김 노인 평상시에는 그저 애기 울음소리 정도라면 지금 소리는 뭔가 굵직헌 남정네 울음소리 같기도 허고,

이때 다시 들려오는 나직한 우우웅 소리.

김 노인 문제는 회오립니다요.
대조기 때도 저런 소리는 잘 안 나는디, 어쩌다 저런 소리가 나서 그것이 대조기랑 맞물리믄 바다에 꼭 큰 회오리가 일었습니다요. 지도 살믄서 아주 드물게 들어봤는디 그때마다 배들이 큰 피해를 입었습죠.

(불안해하며) 낼 모레믄 큰 대조긴디 저런 소리가 나니께…….

이순신/안위 …….

김 노인이 갑자기 흐느낀다.

이순신/안위 ……!

김 노인 송구헙니다요 통제사 어른.
(이내 눈물을 훔치며) 우리 수군이…… 어쩌다 이 지경이 됐나 싶어…….
허나 이곳은 통제사 어른…… 설령 적들을 이곳에서 맞이할 수 있다 혀도 솔직헌 제 심정으론 결단코 전쟁을 치를 수 있는 곳이 못 됩니다요.

안위가 역시 무슨 말을 하려다 묵묵한 이순신의 표정을 살피고 이내 입을 닫는데,
다시 크게 들려오는 우우웅 소리…….

이순신 …….

S#16. 합천 도원수부 권율의 진영 / 밤

달빛 아래 무겁게 서 있는 관아의 안채,
일련의 장수들이 야전(野戰)에서 곧장 돌아온 듯
갑옷 소리들을 출렁이며 급히 들어선다.
누군가(나대용) 서둘러 그 뒤를 따라 들어오는데,

자막
합천 (도원수 권율 진영)

CUT TO

염주를 만지작거리고 있는 승려 혜희의 손 너머로
갑옷 차림의 권율 앞에 서 있는 나대용의 모습.

권율 공이 또 어명을 어기겠다는 것인가?

나대용 합당한 이치를 쫓고자 함입니다.

권율 상감의 명을 다시 한번 어긴다면 공의 목숨을 진정 장담 못 하네.

나대용 남원성과 전주성이 함락되었습니다.
놈들의 지상군이 북상하고 있습니다. 동시에 적의 수군이 서해를 돌아 한강을 통해 한양으로 들이닥친다면 어찌 되겠습니까.

권율 (무거운 한숨을 내쉬며) 고작 열두 척의 배로 무얼 할 수 있단 말인가?

나대용 고작 열두 척의 배가 육군에 무슨 힘이 된다고 합류하라 하십니까.

권율 말장난하지 말게.
통제공은 지금 몸도 성치 않은 사람이야!

나대용 장군의 몸을 그리 만든 게…… 누구입니까.

권율 (끓어오르는 마음) 이자가 정녕…… (이내 다시 깊은 한숨) 자네 대체 이쪽 사정을 알고나 이런 억지를 부리시는 겐가.
울산성에 그 악랄한 가등청정(가토 기요마사)이 시방 코앞에 들이닥쳐 있단 말일세.
말인즉, 사람 하나 마필 하나가 시방 몹시 절실한 형국이다 이 말이네.

나대용 (다가와 무릎을 꿇으며) 제발…… 장군. 군사와 무기를 내어주십시오!
지금 수군은 바람 앞에 등불이옵니다!

권율 (답답해하며) 어명을 따르면 될 일이야! 그리 알고 물러가게!

승려 혜희가 염주를 돌리며 지그시 눈을 감는다.

나대용 (뚫어지게 바라보며) 정녕…… 통제공의 간절한 청을 이리 묵살하시렵니까.

권율 (마침내 분노하며) 정녕 이자가! 항명에도 분수가 있거늘!
밖에 부장은 들라! 당장 이자를 끌어내 옥에 가두어라!

나대용 도원수 장군!

문이 열리고 군관 두 사람이 들어와 나대용을 잡아끌고 나간다.

나대용 (버티려 안간힘을 쓰며) 장군!
통제공께서 이 말을 꼭 전하라 하셨습니다!

권율 !

나대용 바다를 버리는 것은 조선을 버리는 것이다!

입을 굳게 다물고 외면하는 권율.
승려 혜희가 크게 눈을 뜬다!

S#17. 벽파진 포구 / 낮

소머리가 상위에 차려 놓여 있다. 몇 대의 가마솥들이 끓고 있고,
고기 구경이 얼마 만이여. 제주서 보냈다지!
허기진 군사들이 잔뜩 입맛을 다시며 길게 줄을 서 배식을 기다리고 있다.
사부 '김돌손' 이하 군관들이 배식하고 있는 가운데,
눈이 부리부리 병사 하나(오둑이)가 슬쩍 상 위에 고기를 훔쳐 먹다 김돌손에게 걸린다.
국자로 된통 머리통을 한 대 맞고 망루 쪽으로 허둥지둥 사라지는데,
이 틈을 타 이번엔 절뚝발이 하나(조태식)와 곱추 하나(오계적)가 다가와 한쪽 밥상 위 고기에 은근슬쩍 손을 대다 호되게 누군가에게 손을 얻어맞는다.
정씨 여인이 노려보고 있다. 인상 쓰는 조태식과 오계적.

김돌손 (돌아보며 피식 웃는다) 고거 통제사 어른 밥상인디 어쩌꺼나.
고 처자헌테 물어뜯겨 봉변 안 당할라믄 고냥 얌전히들 사라져라이.

정씨 여인의 기세에 얼굴만 붉으락푸르락하다 차츰 내빼는 조태식과 오계적.
정씨 여인, 수북한 보리밥 한 상에 이내 고기 몇 점을 더 얹어 총총히 사라지는데,

CUT TO 망루 위
조금 전 군사 오둑이와 또 다른 군사 오상구,
고기 몇 점을 앞에 두고 오물오물 씹는다.

군사 오둑이 (정씨 여인을 보며) 근디…… 저 처자는 뉘기요?
군사 오상구 (뚱한) 신병인감? 여그 출신이 아닌가벼?
땅끝 마을 탐망꾼 임준영이 각시지. 근데 벙어리여.
오둑이 (놀라며) 무시기? 고 예쁘장헌 거이 아깝소.

정씨 여인이 대장선을 향하고 있다.

오상구 고 예쁘장헌 거 땜시 일가족 몰살당허고 왜놈들한티 안 끌려갔는가.

거 임진년에 욕보이던 왜놈 하나를 물어뜯어갖고 혀가 뽑혀서 바다에 버려졌는디, 다 죽어가는 것을 임준영이 건져다가 데꼬 사는거여.

오둑이 (놀라며) !

오상구 임진년에 맨 처음 쑥대밭 된 경상도 좌수영 안 있는가.

거그 화포장 딸이라 허는 거 같기도 허고.

몇 번을 죽을라고 했다가 인자 맘 잡고 산다드만…….

근디 허구헌 날 남편은 왜놈들 쪽을 즈그(자기) 집맹키로 왔다 갔다 허니…….

오둑이 고개만 끄덕거리다 이내 고기 한 입을 쏙 넣고 다시 오물오물 씹는다.

문득 멀리 바다 위 넘실거리며 빈 돛대에 뭔가를 달고 다가오는 어선 한 척을 발견하는데.

오둑이 근디…… 저게 뭐라?

오상구, 돌아보면,

E 으아악! …… 물러나! …… 비켜비켜!

S#18. 벽파진 포구 / 낮

포구 앞, 성큼 다가오는 이순신의 시야로 보이는 포구의 작은 배 한 척.

울부짖고 토악질하는 사람들의 모습.

오상구, 먹었던 고기와 내장을 다 토해놓고 있다.

빈 돛대에 매달린 머리 한 구와 한자로 〈爾汝亦必如此貌也〉라고 쓰인 깃발이 나부낀다.

자막

너희들도 이와 같이 참해질 것이다.

저거…… 저거…… 대장선 차군관 홍석이 아녀! 모두가 수급에 경악한다.

깃발 아래로 놀랍게도 배홍석의 머리와 그의 갑옷이 걸려 있다.

이순신 역시 그 충격이 남다르다.

그런데…… 배 안엔 또 다른 수급들이 수북이 쌓여 있다.
코와 귀가 잘려나간 수급들…….
무수한 수급들을 보며 경악하며 떨고 서 있는 군사들의 면면.
오둑이 놀라 눈알만 데굴데굴 굴린다.
이때 밥상을 들고 돌아오던 정씨 여인, 두근거리는 시선으로 수급선을 쳐다보는데,
험한 모습에도 불구하고 사람들이 수급선에 달라붙어 혹시나…… 하는 심정으로 가족을 찾는다.
그중엔 조문옹과 절름발이 조태식, 곱추 오계적도 보이는데…….
김돌손, 격군장 '황보만', 몇몇 군사들이 그런 사람들을 떼어놓으려 애를 쓴다.
처참하고 잔혹한 광경에 말리던 군사들마저 학을 떼며 진저리를 친다.
갑자기 이순신의 수발을 들던 종선 할매가 다짜고짜 수급선 안으로 뛰어든다.

종선 할매 (오열하고 매달리며) 아이고! 종선아! 종선아!

군사들이 종선 할매를 애써 배 위에서 끄집어내려 하지만,
종선 할매, 머리를 가슴에 꽉 품고 놓지를 않는다. 아이고! 종선아! 종선아!

곱추 오계적 (새삼 놀라며) 자는 포로가 아니라 탐망 나갔던 종선이 아니여!

우당탕! 탐망이란 소리에 정씨 여인이 들고 오던 밥상을 놓쳤다.
정씨 여인, 바들바들 떨다 곧장 수급선으로 달려드는데…….

S#19. 벽파진 근처 산 / 낮

헝겊으로 입과 코를 가린 채
수급들을 묻고 있는 김돌손 이하 잔뜩 상기된 군사들.
아직도 묻히지 않은 수급들 쪽에 가족을 찾는 무리들이 보인다.
정씨 여인도 섞여 있다.
오열하는 사람들…….
특히 배홍석의 수급 앞에서 마구 통곡하고 있는 오상구가 눈에 띈다.
오둑이, 눈알만 굴리며 어쩔 줄 몰라 오상구 곁에서 서성거리고 있고,
안위가 한숨과 함께 현장을 지휘하며 서 있는데, 갑자기 한쪽이 떠들썩하다.

멀리 잔뜩 흥분한 이회가 칼까지 빼 들고 누군가를 죽일 듯 살기가 등등해 있다.

안위 !

안위가 뛰어가면, 절름발이 조태식과 곱추 오계적이 바들바들 떨며 주저앉아 있고, 김돌손 이하 몇몇 군관들이 살기등등한 이회를 애써 막아서고 있다.

이회 (고함치며) 네 이놈들! 너희들이 그러고도 조선 백성이냐!
어찌 적들이 그리 나오는 게 아버님의 잘못이란 말이냐!
내 기필코 네놈들을!

김돌손 (급히 막아서며) 자네까지 왜 이러시나. 참으시게!
시방 이러는 건 도리어 아버님께 누가 된다는 것을 모르나!

이회가 화를 참지 못하고 부들부들 떤다.
두 사람이 빌다시피 하며 허겁지겁 사라진다.

이회 (씩씩거리며) 다시 내 눈에 띄면 그땐 네놈들 목을 베리라!

안위 (곁의 김돌손에게) 대체 무슨 일인가!

김돌손 (주저하며) 그게 저…… 통제사께서 되지도 않는 싸움을 벌이려 한다고…… 그래서 적들이 저렇게 간악하게 나오는 것이라고…… 그리 수군대는 것을 회 도련님께서 우연히 들으시고…….

안위 ……!

S#20. 벽파진 안위의 판옥선 안 / 밤

멀리 구선 앞, 김 노인과 더불어 작업을 독려하는 이순신의 모습이 보인다.
판옥선 작전실 안에서 그저 바라보고 있는 안위……. 그 앞에 이회가 앉아 있다.

안위 백성들도 문제지만 병사들 또한 말이 아니네.

이회 (다소 가라앉은 목소리로) 압니다. 장수들 분위기도 심상치 않지요.

안위 잘 아는구먼. 그런 분위기를 아시는지 모르시는지

(한숨) 장군께선 저리 구선 작업에만 몰두하고 계시니…….
자넨 저 구선이 과연 방책이 될 거라고 생각하나?

이회 …….

안위 (깊은 한숨을 내쉬고) 옥고를 치르신 후 변해도 너무 많이 변하셨어.
도통 말도 없으시고 잘 들으려고도 하지 않으시니…….
큰일이네……. 그나마 장군님을 보고 모였던 병사들이 이젠 장군님이 계셔도 동요하고 있으니…….

이회 …….

안위 준사란 자도 난 찜찜허이.
아무리 장군의 무도(武道)를 흠모하여 투항한 적장이라 하나 왜장은 왜장이네.
우리 쪽 사정이 적에게 넘어갈 수도 있단 말일세.
그런 자를 장군께선 너무…….

이회 (단호하게) 왜인(倭人)이나 의로운 사람입니다.
그도 명분 없는 이 전쟁을 하루속히 끝내고 자국의 백성을 지키고 싶다 하지 않습니까. 아버님처럼 저도 그 사람의 말을 믿습니다.

으음……. 안위의 표정이 복잡하다.

이회 (빤히 쳐다보며) 제게 혹…… 묻고 싶은 것이 계신 겁니까?

안위 (역시 빤히 바라본다) 내 단도직입적으로 물어봄세.
(떨리는 눈빛으로) 정말 장군께선 무슨 복안을 갖고 계시는 건가?
이것은 중요한 문제일세.

S#21. 벽파진 포구 / 밤

어지러운 포구 앞 횃불들. 진영이 몹시 어수선하다.
의복을 갖춰 입고 칼을 든 이순신이 황급히 걸어 나온다.
군사들의 웅성거림이 들린다. 오독이 잔뜩 초조해한다.
도망치다 피섬 쪽에서 잡혀 왔다드만. 물살 때문이겄지. 참말 운이 없었네그려.
이순신의 시야로, 포박되어 서럽게 울고 있는 오상구가 보인다.
우수사 배설이 보란 듯 서 있다.

포박되어 무릎 꿇린 오상구 앞, 군사들을 쭈욱 훑는 이순신.

도망치다 피섬 쪽 망군들에게서 잡혀 왔습니다. 송희립의 보고다.

안위, 송여종, 김억추 등이 상기된 표정으로 서 있다.

군졸 오상구가 서럽게 울며 말을 내뱉는다.

오상구 6년입니다 장군. 6년 동안을 전쟁터 찾아다니믄서 싸웠습니다요.
잠도 못 자고 밥도 걸러가믄서 죽기 살기로 싸웠는디,
허나 지금처럼 무모한 싸움은 해본 적도 들어본 적도 없습니다요.

군사들이 술렁이기 시작한다. 이순신, 묵묵히 듣고만 있다…….

오상구 (더욱 서러움이 북받쳐) 장군, 칠천량에서 6년 동안을 함께헌 동료들이 모두 죽었습니다요. 오늘 제 손으로 그들을 묻고 왔습니다.
이젠 틀림없이 제 차례 같습니다요.
그저 이리 속절없이 다 죽어야 합니까요.

딱하다는 듯 혀를 차는 군사들,

고개를 떨구고 시름에 빠지는 군사가 태반이다.

오상구가 고개를 들어 이순신을 쳐다본다.

이순신 (착 가라앉은 목소리로) 할 말 다 했느냐.

올려다보는 오상구의 눈빛이 한없이 슬픈데…….

단숨에 칼을 뽑아 휘두르는 이순신.

오상구의 머리가 순식간에 잘려나간다.

안위, 송여종, 김억추…… 모두들 놀라며 얼어붙는다. 오둑이 충격!

특히 배설의 놀라움이란……. 모두를 훑어보는 이순신.

이순신 군율은 지엄한 것이다! 모두 알겠느냐!

사색이 되어 입조차 뻥긋하지 못하는 군사들.

산 위, 광경을 지켜보는 누군가(일본 밀정)의 시선.

피 묻은 칼을 그대로 들고 이순신이 성큼성큼 사라진다.
마음을 가라앉히지 못하고 떨고 있는 배설, 김억추가 다가서며 몸을 떨며 말을 내뱉는다.

김억추	(한숨) 이젠 방법이 없어요, 방법이. 목까지 베어내는 판국에…….
배설	(눈에 잔뜩 독기를 품고) 방법? 찾으면 돼.

S#22. 왜군 진영 구루지마의 안택선 / 밤

쾅! 와키자카가 밀고 들어온다.
구루지마, 한쪽에 마련된 신사에 좌정하고 앉아 있다 눈을 뜬다.

와키자카	(다짜고짜) 포로들의 목을 배에 실어 보낸 게 당신이요?
구루지마	(쉰 듯 거친 목소리) 코와 귀까지 베어 보냈소만.
와키자카	내 칼에 진정 죽고 싶은가! 왜 쓸데없는 짓을 해서 공연히 적들을 분노케 하는 거지!

구루지마의 눈빛이 변한다. 하지만 이내 특유의 느릿느릿한 말투로.

구루지마	서로 해볼 만한 싸움이면 그럴 수도 있겠지. 허나 과연 저들이 그럴까? 내 생각엔 두려움으로 더 떨고 있을 거 같소만.
와키자카	우리가 네놈이 생각하는 만큼 병신들이 아니야! 이순신은 호락호락 만만한 상대가 아니란 말이다!
구루지마	하긴, 네놈 부하들 중엔 이순신의 무도(武道)를 숭상하는 자들까지 꽤 있다 하니……. (그로테스크한 미소와 더불어 불쑥) 실로 한산의 패배가 무섭긴 무서웠나 보군.
와키자카	(마침내 분출하며) 뭐야! 이 자식아!

와키자카가 마침내 칼을 뽑아들고 달려든다. 구로다가 합세한다.
휙! 그림자처럼 지키던 하루가 채찍을 던졌다.
순간 와키자카의 칼이 공중으로 날고,
기무라가 구로다의 칼을 쳐내면,

그 억센 힘에 밀려 구로다가 벌러덩 뒤로 나자빠진다.
으아! 기무라가 이번엔 와키자카를 끝장낼 듯 칼을 휘두르는데,
챙! 구루지마가 칼을 빼 들어 기무라의 칼을 막아선다.
구루지마가 천천히 칼끝을 돌려 와키자카의 목을 겨눈다.

와키자카 !
구루지마 (쉰 듯 거친 목소리) 내 다시 한번 말해두지.
관백이 나를 어찌 보냈겠나.
너희처럼 이순신 이름 앞에 그저 떠는 자들하고는 다르기 때문 아니겠는가.
칼은 함부로 뽑지 마라.
쥐도 새도 모르게 네놈 목이 달아날 것이다.

와키자카, 부들대다 이내 엷은 미소를 날리는데…….

S#23. 대장선 격군실 숙실 / 밤

차가운 밤바다. 달무리에 어슴푸레 구선이 보인다.
이순신이 장막을 걷어놓은 채 구선을 바라보고 있다.
우우우 하는 소리가 바람결에 실려 온다.

이순신 들리느냐? 우우우우…….
나는 저 소리가 죽은 자들의 곡소리로 들린다.
(잔을 들어 비우며) 한 잔 더 다오.

이회가 술잔을 마주하고 있다. 이회가 아버지 이순신의 술잔에 술을 따른다.
단숨에 술잔을 비우는 이순신.

이회 (조심스럽게) 아버님의 복안은…… 정녕 저 구선이옵니까?
이순신 (잠시 말이 없다 담담히) 복안이 문제가 아니다.
문제는…… 이미 독버섯처럼 퍼져버린 두려움이지.
이회 (착잡한 심정) 극복할 방안이 있겠습니까?

이순신 없다. 특히 집단적인 두려움이란…….

이회 (먹먹하게) 극복할 수 없다면 어찌하면 좋습니까?
저 목 베인 오상구처럼, 엄한 규율로 다스리는 것만이 그저 유일한 방법입니까?
그렇게 하면 승리할 수 있습니까?

이순신 (이회를 물끄러미 바라보다 다시 술 한 잔을 들이켜며) 없다.

이회 (파르르) 그럼 아버님께서는 대체…….

이순신 (불쑥) 이용할 수는 있을 것이다.

이회 (순간 이해되지 않음) 이용하다니요? 무얼?
두려움을 말입니까?

이순신의 기침이 갑자기 심해진다. 이회가 급히 장막을 닫는다.

이순신 그만 됐다. 이리 와 너도 한잔 받거라.

묵묵히 술잔을 따라주는 이순신.
이회, 술잔을 받으며 그 끝을 알 수 없는 아버지 이순신의 눈빛을 뚫어지게 바라보는데.

S#24. 왜군 진영 가토의 막사 / 밤

조선 기생을 끼고 술잔을 마주하고 있는 가토와 와키자카.
와키자카, 기분이 언짢아 보인다.

가토 (특유의 엷은 미소) 그자에게 너무 마음을 쓰지 마시오.
어차피 한양으로 맨 처음 입성할 장수는 장군이오.

와키자카 (풀 죽어) 무슨 소리요?

가토 구루지마는 그저 이순신을 잡고 고기나 물어다 줄 사냥개에 불과하오.

와키자카 허나 관백께서 직접 신임하여 보낸 자 아니요?

가토 (특유의 엷은 미소) 신임?
물론, 이순신의 상대로는 아주 적격이지요.
(짐짓) 이순신을 겪어본 적이 없어 두려움도 없고.

와키자카 (인상을 찌푸린다) …….

가토 (미소) 더구나 울돌목의 빠른 물살은 그가 해적질하던 에히메와 같고,
임진년 당항포에선 그의 형제가 이순신에게 죽었소.
그자는 복수심으로 여기까지 온 자라 해도 과언이 아니지요.

와키자카 …….

가토 (엷은 미소) 허나 그자의 역할은 거기까지일 뿐.
절대 한양까지 온전히 입성치는 못할 것이오.

와키자카 !

가토 (미소) 그냥 좀 두고 보시지요.
(잠시 뜸 들이며) 어쩌면…… 그러기도 전에 이순신 진영이 싱겁게 무너질 수도 있고.

와키자카 (정색하며) 뭐가 있소?

가토 (엷은 미소) …… 두고 보면 알겠지요.

S#25. 대장선 격군실 내 숙실 / 밤

우우웅웅웅…….
바닷소리에 잠든 이순신이 뒤척인다.
허옇게 세어 풀어헤친 머리가 다소 그로테스크하다.

E 장군……. 장군…….

문득 나지막이 어떤 목소리가 바닷소리에 섞여 들려온다.
이순신이 눈을 뜬다.

E 장군…….

어둠 속에서 들려오는 목소리, 아니 목소리들…….
급기야 이순신이 자리에서 일어나 앉는다.
누구냐. 어둠 속, 격군실 쪽에 누군가 서 있다.
달빛에 차츰 드러나는 정체. 누군가가 피범벅이다.
놀랍게도 차군관(次軍官) 배흥석이다.
그런데 그 뒤로 또 누군가 더 서 있다.

칠천량에서 전사한 전라 우수사 이억기, 충청 수사 최호가
바닷물에 흠뻑 젖어 산송장으로 서 있다. 이순신 흠칫 놀란다.

E 억울하오……. 장군…….

이순신이 떨리는 손으로 탁자 위 술잔에 급히 술을 따른다.
이순신이 양손으로 술잔을 받쳐 들고 내민다.

이순신 잘 왔네. 잘 왔어. 홍석이, 이 수사, 최 수사.
내 술 한 잔 받으시게……. (애틋하게) 이보시게들…….

허공에 술잔을 내밀고 있는 이순신, 망자들이 격군실 어둠 쪽으로 사라져간다.
급히 술잔을 높이 들고 허겁지겁 따라 나가는 이순신.

이순신 (애가 탄다) 이…… 이보시게들. 어디를 그렇게 바삐들 가시는가.

맨발로 격군실 복도를 따라 황망히 걸어가는 이순신.
이때 어둠 속에서 숙실을 덮치는 검은 그림자들.
이회가 물을 떠서 들어오다가 뭔가에 크게 놀란다.
아버님!
이순신이 본능적으로 반응! 몸을 트는데,
쉬익! 갑자기 어디선가 빠르게 단도 하나가 날아와 이순신의 어깨에 박힌다.
우욱! 휘청하는 이순신.
순간 변복을 한 복면 괴한 셋이 칼을 들고 어둠 속에서 달려든다.
급히 칼을 뽑아들고 일부를 막아서는 이회.
이순신을 향해서 날아오는 괴한 1의 칼을 이회의 칼이 받아 쳐낸다.

이회 아버님! 위험합니다! 피하십시오!

퍼뜩 정신을 차린 이순신이 자신을 향해 달려드는 또 다른 칼(괴한 2)을 피하며,
어깨에 박혔던 단도를 빼 들어 괴한 2의 목에 꽂는다.
문득, 부서진 격군창 너머로 화광(火光)이 들어오며,

이순신의 얼굴이 노랗게 밝아진다.

불이다! 불이다! 멀리서 들려오는 소리.

이순신이 마침내 구선의 불길을 제대로 보게 된다!

써늘하게 얼어붙는 이순신.

이회가 달려드는 괴한 1을 쓰러뜨린다.

CUT TO

커다란 불길이 구선을 집어삼키고 있다.

군사들이 허둥거리며 구선 앞으로 달려온다.

CUT TO

더욱 커진 불로 대장선 격군실 또한 온통 화광으로 더욱 노랗게 밝혀져 있다.

미동도 하지 않고 있는 이순신!

그 틈을 파고드는 괴한 3의 날선 칼날!

아버님! 급히 막아선 이회의 왼쪽 어깨에 괴한 3의 칼날이 내리꽂힌다.

우욱! 회가 끝까지 칼날을 자신의 어깨에 붙들어두며 기어이 괴한 3을 자신의 칼로 베어내고야 만다.

(각궁을 멘) 안위와 네 명의 군사가 급히 뛰어 올라온다.

안위	(놀라며) 장군!

이순신, 다급히 대꾸도 없이 화광(火光)을 따라 격군실을 빠져나가는데,

안위가 급히 군사 둘을 딸려 보낸다. 안위, 이회에게 달려간다.

이회	(어깨를 부여잡고 힘겹게) 전 괜찮습니다. 어서! 저자의 복면부터 벗겨보십시오!
안위	(괴한 1 복면을 벗긴 뒤 싸늘하게) 배설의 부장이야!

믿어지지 않는다는 얼굴로 서로 쳐다보는 안위와 이회.

안위가 빠르게 격군실을 빠져나간다.

S#26. 벽파진 해안가 배설의 배 / 밤

흘러가는 거룻배 위, 배설이 필사적으로 노를 젓고 있다.
문득 멀리 해안가로 뛰어오는 안위와 군사들을 발견하고서는 더욱 필사적으로 노를 젓는 배설.

S#27. 동 해안가 / 밤

해안으로 들어선 안위가 호흡을 추스르며 배설을 향해서 화살을 겨눈다.
문득 배설의 외침 소리가 들려온다.

배설 (부르르 떨며 고함) 모두 살고 싶지 아니하냐!
명줄도 얼마 남지 않은 자가 우리를 황천길 동무 삼을 생각을 하고 있다! 허여 내가 살 방도를 찾았노라! 그러니 어서 그대들도!

피융!
갑자기 날아와 그대로 배설의 가슴팍에 박히는 화살!
헉! 박힌 화살을 잡고 비틀거리는 배설.
고통스럽게 입술을 일그러뜨리며 배 위로 나동그라진다.
출렁! 배는 이내 아무 인기척도 없이 흘러갈 뿐인데,
다시 활시위를 재고 있던 안위가 활을 내린다.
근심 가득한 얼굴로 포구 쪽을 쳐다보는 안위.

S#28. 거북선 근처 포구 앞 / 밤

화광(火光)으로 밝혀진 여장 쪽으로 이순신이 맨발로 뛰어오고 있다.
넋이 나간 이순신의 얼굴 위로 화광이 춤을 춘다.
불타오르는 구선을 보며 서 있는 이순신의 뒷모습.
구선이 울부짖는 듯 기이한 소리를 내며 무너져 내린다.

이순신 (망연자실하며) 안 된다……. 안 돼!

불타는 구선을 향해 무작정 다가가는 이순신.

안 돼! 장군! 달려온 송희립과 군관들이 이순신을 애써 막는다.

몸부림치는 이순신. 어디선가 어깨를 동여맨 이회까지 뛰어들며 다시 막는다.

이회	아버님, 끝났습니다! 다 끝났어요! 아버님.
이순신	아니다! 내일이면 완성인데 무슨 소리냐!
	난 저 구선을 타고 나가 싸울 것이다!
	아니 된다! (절규하며) 절대 아니 돼!

발악하는 이순신!

아버님! 사력을 다해 막다 마침내 함께 오열하고 마는 이회.

S#29. 왜군 진영 도도의 안택선 지휘실 / 밤 / 음악

달빛 아래, 거대 왜군 진영인 어란진 포구가 내려다보이는 도도의 안택선 내부.

도도가 하얀 깃발 천에 큰 붓으로 힘차게 "大道"라는 글씨를 쓰고 있는데.

흥분된 얼굴로 황급히 들어서는 와키자카와 가토.

와키자카	(잔뜩 상기되어) 이순신의 구선이 불탔습니다.
도도	뭐?
가토	이순신 진영에서 불길과 연기가 치솟아서 탐망을 보낸 결과,
	구선이 잿더미가 된 것을 확인했습니다.
도도	매수하려던 적장이 벌인 일인가?
가토	그건 확실치 않습니다.
도도	마지막 구선이었지. 아마?
와키자카	(단호히) 예. 이순신에게는 이제 구선이 없습니다.

정색하며 다시 글쓰기에 몰입하는 도도, 입가에 알 듯 모를 듯 미소가 번진다.

CUT TO

펄럭이며 기세 좋게 나부끼고 있는 "大道無門(대도무문)"이라고 쓰인 깃발.

함께 그것을 보고 있는 도도와 가토.

가토 마땅히 가야 할 큰 길에는 거칠 것이 없다.
과연! 서체에서 도도님의 힘이 느껴집니다.

도도 지금 우리에게 필요한 정신이 아니겠는가.
(확신에 찬 말투로) 바로 내일 아침! 조선의 운명은 바뀔 거다.

CUT TO

지휘실 밖에서 엿듣고 있는 심각한 얼굴의 준사.

S#30. 왜군 진영 구루지마의 안택선 지휘실 / 밤

INS

마침내 출병을 서두르는 시끌벅적한 거대한 왜군의 진영.
대비되게 포구에 정박해 있는 구루지마의 안택선은 차분하기만 한데…….

지휘실 안 신사 앞,
(반으로 쪼개졌다 합친 듯 보이는 기이한) 위패와 은은히 피어오르는 향불.
그 너머 하루가 구루지마에게서 술잔을 받는다.
천천히 입을 여는 구루지마.

구루지마 …… 미치유키가 관백의 개가 되어 조선 정벌에 참여한다 했을 때 난 놈을 가문의 수치로 여겼다.
놈은 기어이 정벌에 참여해 나갔지.
그리고 결국 죽어서 돌아왔다.
놈의 위패를 그 자리에서 부숴버렸다.
그리고 제멋대로 방치해두었다.

하루의 눈에 향불 쪽 반으로 쪼개져 다시 이어 붙인 동생 '구루지마 미치유키'의 위패가 보인다.

구루지마 허나 놈은 우리 가문을 살리기 위해 나선 거였어.

나를 향했던 히데요시의 칼끝을 그놈이 참전하는 것으로 대신 막은 거지.
나중에 알았다.

갑자기 쉰 듯 거친 목소리로 그로테스크하게 웃는 구루지마.

하루 ?
구루지마 허나 내가 단지 미치유키에 대한 복수심만으로 조선에 왔다고 생각하면 오산이다.
하루 !
구루지마 관백이 차지하려던 조선은 내가 먹을 것이다.
그자는 병들었다. 길어야 내년이다.
관백이 전쟁을 서둘러 끝내려는 이유가 거기에 있지.
나는 그자가 당혹해하며 죽는 모습을 꼭 지켜볼 것이다.
안됐지만 그렇기 때문에 이순신은 더더욱 죽어야 한다.

핫! 하루가 잔을 내리고 깊이 부복한다.

구루지마 아마 그게 미치유키를 위한 진정한 복수의 길이기도 할 것이야.

구루지마, 술잔을 비우고 천천히 내려놓는다.

S#31. 왜군 진영 보급선 내부 / 밤

와키자카와 구로다가 보급선 내부로 황급히 들어선다.
화포, 조총, 포락(도자기에 기름을 넣은 구(球)형 폭탄), 화약 등 보급품이 즐비한 내부.
어둠 속 횃불을 든 누군가 서성이고 있다.

구로다 거기 누구냐!

구로다가 뛰어가 횃불을 빼어 들고 놈을 잡아챈다.
횃불 아래 드러나는 얼굴…… 준사다.

구로다 누구냐! 네놈은!

준사 (차분하게) 준사라 하옵니다. 보급관입니다.

구로다 (다가오며) 무기고에 횃불은 금기란 걸 모르느냐.
이곳에서 대체 네놈은 무얼 하고 있었느냐.

준사 (살기등등한 구로다를 흘낏 쳐다보며) 출병 전 도착한 마지막 물자를 점검하고 있었습니다. 가토님께서 출병이 코앞이라 해 뜨길 기다릴 수 없다 하셨습니다.

와키자카 (다가서며 뚫어지게 쳐다본다) 준사라 했느냐?

준사 (긴장된 말투로) 예. 장군.

와키자카 준사! 제법 묵직한 품목이 왔을 것이다. 보았느냐.

준사 예. 이쪽으로 오십시오.

두꺼운 천막으로 덮여 있는 보급품 더미 앞에 서는 준사.
와키자카가 구로다의 횃불을 들고 다짜고짜 보급품 앞에 비추며,

와키자카 (보급품에 관심을 보이며) 어서 열어보거라.
내 관백께 특별히 부탁한 것이니.

준사가 두꺼운 천막을 들추면, 더없이 밝아지는 와키자카의 표정.
횃불 아래 보이는 것은 육중한 서양식 화포다. 표정이 어두워지는 준사.

와키자카 (횃불을 구로다에게 넘기고 다가서며) 그래, 이것이야!
내 기필코 6년 전 한산에서 패배의 설욕을 똑같이 되갚아줄 것이다!

준사 (심각하게) 우리 배들은 화포를 운용할 만큼 강하지 못한데 괜찮겠습니까?

와키자카 (준사를 빤히 보며) 염려가 많은 놈이구나.
일반 세키부네들은 그렇지.
내 아타케부네(안택선)는 들보에 매달아 쏠 수 있다.

준사 그…… 그렇습니까?

와키자카 이 화포라면 제 아무리 단단한 판옥선이라도 깨부술 수 있어.
해적왕 구루지마?
(콧방귀를 뀐다) 흥! 정규전을 모르는 해적 놈들은 아무리 종이호랑이가 됐다지만 이순신을 당해내지 못해.

구로다 이제 이순신이 믿는 것은 아무것도 없겠습니다.

와키자카 (미소를 짓는다)…….

준사의 표정이 심각하다.

S#32. 왜군 진영 외곽 숲속 / 낮

수풀 너머로 본 왜군 진영, 출병 준비로 부산하다.
은밀하게 접근해서 나무통을 꺼내보는 임준영. …… 비어 있다.
다급해진 얼굴로 왜군 진영을 쳐다보는 임준영.
호각 소리들이 요란하다. 아무래도 적들의 움직임이 심상치 않다.
과감하게 숲을 넘어가는 임준영.

CUT TO

임준영, 갑자기 온몸이 굳은 듯 멈춰 서는데,
숲속 바위 터, 목 베이고 목 매달리고 온통 죽어 있는 노약자와 여자와 아이들,
주둔지 소개……. 임준영, 홀로 중얼거리다 좀 더 나아가면,
숲 쪽 한편에서 아직도 간간히 비명 소리가 터져 나온다.
멀리 몇몇 조선 여자들이 몹쓸 짓을 당하다 죽임을 당하는 게 보인다.
임준영, 차오르는 분노를 간신히 참아내며
준사가 있는 막사 쪽으로 이동해보려는데,
사람 살려!
문득 초췌한 조선 선비 하나(김중걸)가 죽어라 숲 쪽에서 왜병들에 쫓겨
임준영 쪽으로 달려온다.
사라미! 사라미! (조선 사람들을 지칭하던 그들 표현)
왜병들이 고함치는 소리가 들린다.
임준영, 숨을 곳을 찾아보지만 마땅한 곳이 없다.
선비, 온갖 몸짓을 해대며 도와달라고 곧바로 임준영에게 달려온다.

임준영 (당황하며) !

이때 멀리서 시끌벅적하게 한 무리의 조선인 포로들이 대열을 맞춰 이동해 오고 있다.

임준영, 순식간에 품속에서 단도를 꺼내 날린다.
선비를 쫓아오던 왜병 하나가 쓰러진다.
하지만 왜병 둘이 연이어 더 달려오고,
임준영, 어쩔 수 없이 밀려오는 포로들의 대열 속으로 파고드는데.
선비가 이내 쫓아온 왜병들에게 붙잡힌다.
선비의 비명 소리! 힘겨운 포로들은 아무 반응 없이 그저 걷기만 한다.
임준영, 선비를 구하지 못한 죄책감에 괴로워하는데,
퍼뜩! 말을 탄 준사가 그의 옆을 빠르게 스쳐 지나간다.
임준영, 급히 휘파람 신호를 보낸다.
준사, 임준영이 보낸 신호에 말을 멈추고 돌아보면,

왜군(격군장) (검으로 임준영의 등을 후려치며) 빨리 움직여!

두 사람, 안타깝게 그렇게 서로 쳐다만 보다가 멀어진다.

S#33. 왜군 진영 외곽 숲속 바위 터 / 낮

김중걸 (어설픈 일본말로) 좆도맞타. 시빨 (눈물 콧물) 살려주세요!

아직 살아 있는 김중걸이 무릎을 꿇고 왜병들에게 살려달라고 애걸하고 있다.

김중걸 뭐, 뭔가 오해로 쓸모없다고 끌려왔지만, 이래 봐도 쓸모가 있다 이 말입니다.
(허공에 노를 저으며) 노도 잘 젓고요…….
(삽질하는 시늉을 하며) 일도 잘합니다.
보세요!
여기 잘 보세요!

하고는 옆에 있는 작은 바위를 들어 올리는 김중걸.
김중걸, 바위 무게에 힘이 겨워 이를 악물면서도 미소를 띄운다.
피식 웃으며 지켜보던 왜병 하나가, 번쩍! 칼을 치켜드는데,
퍽! 악!

이때 어딘가에서 날아온 짱돌에 한 왜병 3이 뒤통수를 감싸 쥐고 주저앉는다.
다른 왜병 4, 돌아보면 수봉이 도망가지도 않고 벌벌 떨며 서 있다.
목을 매단 밧줄이 끊어져 살았나 보다. 밧줄이 그대로 목에 걸려 있다.

김중걸 !

수봉이 다시 짱돌을 던진다. 왜병 4가 피하며 칼을 치켜들고 수봉에게 달려간다.
수봉이 옴짝달싹 못 하고 떨다가 순식간에 바위 사이로 사라진다. 쫓는 왜병 4.
눈을 감싸 쥔 왜병 3이 고함을 지르며 일어선다.
김중걸이 부리나케 다시 작은 바위를 집어 들어 쳐보려 하지만 다리만 후들후들거릴 뿐이다. 왜병 3, 김중걸에게 칼을 휘두르는데,
핑!
갑자기 어디선가 화살이 날아와 왜병 3의 뒤통수에 박혀 앞이마까지 뚫고 나온다.
으악! 놀란 김중걸을 그대로 덮치며 넘어지는 왜병 3.
이내 발소리. 작은 석궁 형태의 노(弩)를 겨냥하며 달려오는 준사!
준사의 등장에 눈이 휘둥그레지는 김중걸.
준사, 빠르게 달려와 김중걸을 붙잡고 말한다.

김중걸 (기겁해서, 일본말로) 살려주십쇼.
준사 (일본말로) 내 말을 알아듣겠소?
김중걸 (고개를 끄덕이며, 일본말로) 저, 저기 저 아이도 얼른 좀…….

중걸과 준사, 쳐다보면 멀리 이미 왜병 4는 짱돌을 여러 개 맞아 머리가 깨져 피를 흘린 채 죽어 있다.
불쑥, 수봉이가 다시 바위 사이로 모습을 드러낸다.
수봉이 짱돌 몇 개를 더 들고 씩씩거리며 서 있다.
수봉이 왜군 복장의 준사에게 갑자기 짱돌을 던지려 한다.
아니야! 얘야! 좆도맞…… 아이고! 김중걸이 막아서다 짱돌을 맞는다.

준사 !

CUT TO 바위 터 밑, 큰길가
한쪽 눈이 푸르딩딩 밤탱이가 된 김중걸과 수봉이 말에 올라탄 채 고삐를 잡고 있다.

준사가 급히 중걸에게 돌돌 말린 전갈을 내밀며,

준사	(또박또박) 이것을 필히 이순신 장군께 전하시오.
김중걸	(얼결에 전갈을 받아들고 놀라) 누구? 이순신요?
	(낭패라는 듯이) 아니 근데 왜 하필 나를?
준사	(수봉이를 힐끔거리며, 조선말로) 저 아이에게 물어보시오.

준사가 말 궁둥이를 힘껏 손으로 치면.
김중걸의 퍼렇게 멍든 눈이 휘둥그레지며 말이 급박하게 달리기 시작한다.
멀어지는 김중걸과 수봉이를 보는 준사의 표정에는 태산 같은 걱정이 엿보이는데,
어디론가 쏜살같이 사라지는 준사.

S#34. 관아 숙실 / 낮

이회가 다급하게 관아로 들어서다 문득 마주친 종선 할매와 당황한 표정으로 얘기를 나눈다.
왈칵! 숙실 문을 열어보는 이회. 왠지 허전한 방.
칼 보관대 밑 위패가 놓여 있던 자리에 위패가 보이지 않는다.
허둥지둥 밖으로 달려 나가는 이회…….

S#35. 벽파진 절벽 / 해 질 녘

가쁜 호흡.
누군가 절벽을 오르고 있다. 위패를 들고 가는 손.

CUT TO

회오리치며 세차게 요동치는 바다.
다다른 절벽 끝. 이순신이다.
이순신의 눈빛이 떨린다. 미동도 없이 바다를 보며 서 있는 이순신.
아들 이회의 말이 귓가에 맴돈다.

이회(회상 목소리) 아버님, 끝났습니다! 다 끝났어요! 아버님!

우우웅웅웅. 바다의 소리가 더욱 크게 들린다.
부서지며 이는 회오리가 햇빛을 받아 더욱 유리처럼 빛난다.
이순신의 눈빛이 꿈틀! 위패를 내려놓고 천천히 한 발을 앞으로 떼는 이순신.
요동치는 회오리 바다.

이순신 (자신도 모르게 중얼거린다) 회오리…… 구선…… 구선…….

이순신의 눈빛이 문득 (어떤 영감을 받은 듯) 떨린다.
이순신의 천천히 칼 쥔 손에 자신도 모르게 힘이 들어가는데.
장군! 문득 먼바다에서 꿈결처럼 아득히 들리는 소리.
멀리 어선 대여섯 척이 줄지어 다가오는 것이 보인다.
미간에 힘을 주고 뚫어지게 쳐다보는 이순신.

INS
놀랍게도 어선 위에 나대용이 서 있다. 그리고 그 뒤엔 혜희와 무장한 승병들이 보인다.

이순신 ……!
이회(V.O.) 아버님!

갑자기 뒤에서 부르는 다급한 소리. 이회다. 이순신이 뒤돌아보면,
이회가 뛰어오고 있다.

이회 (급히 달려오며) 준사의 전갈입니다!

CUT TO 긴박한 음악 시작.
준사의 전갈을 급히 펼치는 이순신의 손.

자막

(다급한 목소리) 내일 아침 명량 울돌목입니다!

이순신의 표정이 상기된다.

자막

물때를 맞춰 출병할 예정이며, 적선의 규모는 총 3백여 척입니다.

또한 알아보라 하신 적의 선봉에는 불행히도 전혀 새로운 자입니다.

구루지마 미치후사란 자로, 물살이 이곳과 흡사한 에히메 출신으로 해적왕이라 일컫는 자로서

그의 형제 구루지마 미치유키가 지난 임진년 당항포에서 장군께 목숨을 잃었습니다.

INS

임진년(1592년) 당항포 해전의 한가운데 안택선 위,

화살 열 대를 맞은 구루지마 미치유키, 버거워하면서도 끝까지 버티다 바다로 사라진다.

다행스러운 건 중군을 맡은 자론 한산도에서 장군께 대패한

와키자카 야스하루입니다. 이것이 다소나마 장군께 위안이 될지 모르겠습니다.

CUT TO

이순신 (결연하게) 우수영으로 가자!

이회 예?

이순신 명량을 뒤로 두고 싸울 수는 없다.

지금 당장 우수영으로 갈 것이다!

S#36. 벽파진 관아 앞 / 해 질 녘

울부짖음! 아비규환의 혼란에 휩싸인 벽파진 관아.

절름발이 조태식, 조문웅, 오극신, 곱추 오계적 등의 피난민들이 관아로 몰려들어

울부짖으며 하소연을 하고 있다. 바닥에 주저앉아 우는 아낙들과 아이들.

송희립과 군사들이 격앙된 백성들을 막아내느라 안간힘을 쓴다.

군사 오둑이 그저 안절부절못하고 있다.

장군님! 살려주십시오! 장군님!

송희립 (안타까워하며) 왜놈들한테 죽지 않으려거든 어서 배에 오르시오!

조문옹 (절절하게) 장군님! 장군님이 안 계시는데 육지로 간다 한들 우리가 어디로 가 살아남을 수 있단 말입니까. 가시려거든 차라리 제주든 명나라든 제발 함께 데려가주시오! 장군님!

곱추 오계적 (밀고 들어오며) 장군님! 제발 저희를 버리지 마십시오!
저흰 그저 장군님만 따라가겠습니다요!

CUT TO
시끄러운 바깥 소리들에 아랑곳하지 않고 차분히 마주 앉아 있던 이순신과 이회,
이순신이 보관대 위 자신의 맹서가 새겨진 긴 칼을 이회에게 건넨다.
말없이 받아드는 이회.

CUT TO 관아 앞
군사들과 백성들 사이에서 안절부절 지켜보고 서 있는 김 노인.
힘겹게 그들을 막고 서 있는 송희립, 황보만, 김돌손 등의 군사들.

송희립 (짜증 섞어) 진정 이자들이! 모두 군율로 다스려야 알아먹겠느냐!

송희립, 짜증스럽고 막막할 따름인데.
이때 어깨를 동여매고 칼을 든 상기된 이회가 문을 열고 나온다.

이회 (호통치며) 모두 포구로 끌고 가거라!
내가 저들을 직접 인솔해 갈 것이다!

송희립 예, 나리!

관아에서 피난민들을 밀어붙이는 송희립과 군사들.
"아이고 ! 장군님!"
"차라리 난 여기 남아 죽을라요."
"살던 땅을 버리고 또 어디로 가란 말이요!"
아우성치고 울부짖는 피난민들, 안타까움에 일그러지는 김 노인.
이회가 다시 한번 군사들과 함께 밀어붙인다.
"기어이 육지에다 저희를 버리시려는 거요."
"살려주십쇼, 장군!"

포구 쪽으로 내몰리는 피난민들의 울부짖음이 극에 달하는데.

S#37. 벽파진 관아 작전실 / 밤

바깥의 아우성과 더불어 장수들이 격앙되어 있다.

송여종 (탁자를 내려치며) 이젠 구선도 없소이다!
대체 일자진(一字陣)이란 게 진법이라 할 수 있소!
진정 장군께서 어찌 되신 것이 아니오!

김억추 맞소이다! 이대로 개죽음을 당할 순 없지요!
특단의 방책을 세워야 할 것이오! 특단의 방책을!

중군장 김응함 특단의 방책이란 게 대체 뭐요.
저 배설처럼 통제사를 다시 시해라도 하자는 말이요.

김억추 (화들짝) 아니, 꼭 그것은 아니지만…….
허 참, 이거 사태가 시급해서 좌의정 김응남 대감께 전갈을 넣을 수도 없는 일이고. 맞소! 어떻소? 저번 구선처럼 우리 배들을 불 질러버리는 건?

중군장 김응함 (눈을 지그시 감으며) 칼 맞을 소리요.

김억추 !

안위 (불쑥) 가봅시다.

모두가 한참을 말이 없던 안위를 쳐다본다.

김억추 어, 어디를 말이요?

안위 내가 설득해보리다. 설득이 안 되면…… 내 장군께 목숨을 내놓겠소.

김억추 (반색하며) 그렇지! 안 공이라면…….
좋은 생각이외다! 어, 어서들 갑시다!

S#38. 벽파진 관아 집무실 / 밤

멀리 소란스러운 백성들의 소리 너머 한 획 한 획 정성을 다하는 누군가의 글씨.

숙연한 얼굴로 이순신이 장계를 쓰고 있다.

이순신(NA) 하…… 지금 수군을 파하시면 적들이 서해를 돌아 바로 전하께 들이닥칠까 신은 다만 그것이 염려되옵니다.
아직 신에게는 열두 척의 배가 남아 있사옵니다.
죽을힘을 다하여 싸우면 오히려 할 수 있는 일입니다.
신이 살아 있는 한 적들은…….

글씨를 쓰던 오른손이 경련으로 떨린다.
왼손으로 잠시 다잡고 다시 글씨를 이어가는 이순신.

이순신(NA) (힘주어) 감히 우리를 업신여기지 못할 것이옵니다.

장계 쓰기를 마치자 지그시 눈을 감고 호흡을 고르는 이순신.
이순신, 문득 안채 문을 밀고 들어오는 떠들썩한 소리에 눈을 뜬다.
집무실 마당 앞, 송여종을 비롯한 김응함, 김억추, 안위 등의 장수들이 몰려들었다.
태도들이 심상치 않다. 갑자기 누구보다 충복인 안위가 무릎을 꿇는다.

안위 장군! 소장 목숨을 걸고 한 말씀 올리겠습니다.
이 싸움은 불가합니다!

상기되는 이순신의 얼굴. 다른 장수들도 일제히 무릎을 꿇고 외친다.

장수 일동 불가합니다!
이순신 …….
안위 아무리 적들을 울돌목의 좁은 수로에서 막는다 한들
구선도 없는 마당에 결코 승산이 없는 싸움입니다!
부디 훗날을 도모하십시오, 장군.
전선이 귀하고 군사 한 명이 귀한 때입니다!
이순신 (짐짓) 정녕 그리 생각하느냐?
안위 (눈물을 흘리며) 뜻을 거두지 않으시려거든 소장의 목을 베어주십쇼.
차라리 장군의 칼에 죽겠습니다!

이순신 (의외로 담담하게) 너희들의 뜻이 정히 그러하다면…….
좋다, 군사들을 포구 진영 앞에 모으거라.

이순신의 의외의 태도에, 장수들의 안색이 다소나마 밝아진다.

S#39. 벽파진 포구 앞 / 밤

바람에 흔들리는 횃불의 화광(火光)이 어지럽게 군사들을 비추고 있다.
두려움과 불안함, 그리고 뭔가 기대감들이 섞여 있는 긴장된 분위기.
앞줄에 서 있는 김억추, 송여종 등 장수들의 표정에는 기대감이 크다.
이순신이 칼을 옆에 들고 군사들 앞으로 나온다.

이순신 (군사들을 쓱 훑고는) 김돌손과 황보만은 가져왔는가!

"예!" 하며 커다란 기름통을 들고 나타나는 김돌손과 황보만, 그리고 몇몇 군사들.
군사들의 이목이 집중된다.

이순신 부어라!
김돌손, 황보만 (망설인다)…….
이순신 붓지 않고 뭐 하느냐!

김돌손과 황보만이 동시에 **"예!"** 하고는 기름통을 들고 가서,
이순신의 등 뒤(군사들의 정면)에 위치한 벽파진 진영에 기름을 붓기 시작한다.
놀라며 웅성거리는 군사들.
안위 등 장수들이 어안이 벙벙한 얼굴로 이순신을 쳐다본다.
군사들 뒤쪽, 나대용과 그의 곁에 서 있던 혜희가 두 눈을 지그시 감는다.
김돌손과 황보만이 기름을 다 붓자.

이순신 불을 놓아라!
김돌손 예!

뭔 일이래! 안 돼! 장군님! 안 됩니다!

소란스러운 소리가 터져 나온다.

안위의 표정이 싸늘하게 얼어붙는다.

김돌손이 진영 앞에 횃불을 들고 서서 이순신을 쳐다본다.

이순신 놓아!

김억추의 표정이 크게 일그러진다.

김돌손이 횃불을 던져 넣으면 순식간에 불길에 휩싸이는 진영.

설마설마하며 지켜보던 군사들의 낯빛이 파랗게 질린다.

할 말들을 잃고 멍한 얼굴들이다.

불타는 진영을 뒤로하고 선 이순신이 입을 연다.

이순신 아직도 살고자 하는 자가 있다니…… 통탄을 금치 못할 일이다!
우리는 죽음을 피할 수 없다!

탄식을 쏟아내며 절망에 빠지는 군사들의 면면.

이순신 정녕 싸움을 피하는 것이 사는 길이냐! 육지라고 무사할 듯싶으냐!

이미 사색이 된 군사들이 고개를 떨군다.

이순신 똑똑히 보아라! 나는 바다에서 죽고자 이곳을 불태운다!
더 이상 살 곳도 물러설 곳도 없다!

허나 닥쳐오는 죽음 앞에 공포와 두려움뿐인 군사들의 모습.

이순신 목숨에 기대지 마라.
살고자 하면 필히 죽을 것이다!
또한 죽고자 하면 살 것이니!
병법에 이르길 한 사람이 길목을 잘 지키면 천 명의 적도 떨게 할 수 있다 하였다. 바로 지금 우리들이 처한 형국을 두고 하는 말 아니더냐!

모두가 말이 없다. 일체 반응이 없다.

CUT TO

벽파진이 거세게 불타고 있다.
불타는 벽파진을 두려움 속에 쳐다보며 떠나가고 있는 조선 수군과 백성들.
흐느끼는 백성들 울음 속에 오둑이 그저 눈알만 데굴데굴 굴리고 있다.
묵묵히 장루 위에 미동도 없이 서 있는 이순신.
갑판 위에 서 있는 이회, 그런 아버지 이순신의 뒷모습을 바라보며,

이회 (떨리는 목소리로 중얼거린다) 아버님, 대체 이 강한 두려움들을……
어찌 이용하시겠단 말씀입니까.

불타는 포구를 바라보며 통곡하며 울부짖는 백성들.

S#40. 왜군 진영 중앙 망루 출정 태세 / 밤 / 음악 더 긴박하게

와아! 드높은 함성 소리와 함께 군사들이 달라붙어 백마를 누르고,
바람이 거세다. 진영의 수많은 깃발이 거세게 펄럭이고 있다.
한 군관이 단검으로 백마의 목을 딴다.
일순 소리를 드높이던 백마가 바닥으로 쓰러진다.
와! 다시 울리는 함성!
3백여 척의 전선을 뒤로하고 출정 의식이 벌어지고 있는 왜군 진영.
한 군관이 백마의 피를 사발로 받아 장수들에게 돌린다.
피를 마시기 시작하는 장수들.
마지막 피를 마신 장수가 사발을 높이 치켜들더니 깨뜨린다.
왜병들의 함성이 더욱 뜨거워진다.
와아아! 왜병들이 일제히 일어나 창과 칼을 치켜들고 함성을 내지른다.
천지가 울린다.

CUT TO

높은 망루에 서서 모든 광경을 내려다보고 있는 도도.

조총, 긴 창, 긴 칼, 갈고리 등의 장비를 갖춘 왜병들이 열을 지어 이동하기 시작한다.
그 행렬의 끝이 보이지 않는데, 전문을 들고 망루로 급히 올라오는 가토.

가토 고니시의 전령입니다.
도도 (전문을 받아서 펴보고) 고니시가 나를 재촉하는군.
가토 분명 우리가 먼저 조선 왕을 잡을 것입니다.
준비되었습니다!
도도 (여유로운 태도로) 오늘 유난히 조선이 아름답게 보인다.
나는 조선이 마음에 든다.
가토 이제 조선의 주인은 도도님이십니다.

도도의 얼굴에서 그만의 특유의 엷은 미소가 번지는데.

CUT TO
왜병들의 끝없는 행렬이 이어지는 가운데,
안택선에서 그들을 내려다보는 구루지마의 강력한 시선.
이때 기무라가 웬 군관 하나(가츠라)를 데리고 곁으로 다가온다.

구루지마 (의미심장하게) …… 그대인가?

깊이 부복하는 왜군관 가츠라.

기무라 장군께 충성이 깊은 자입니다.
이제 준비가 다 되었습니다.
조선 포로들만을 뽑아서 격군실에 배치했고,
화약도 충분히 쌓아두었습니다.
이순신은…… 절대 살아남지 못할 겁니다.

대꾸 없이 무표정한 구루지마, 천천히 귀신 가면을 쓴다.

S#41. 왜군 진영 포구 A (와키자카 선단 구역) / 밤

중무장한 와키자카와 구로다가 군사 수십 명을 거느리고 본인의 안택선으로 다가온다.
급히 예를 갖추어 인사를 하는 초병들.
안택선의 대들보에 밧줄들만 늘어져 있을 뿐 아직 화포가 설치되지 않았다.

와키자카	(계단을 올라서다) 아직까지 설치하지 않고 뭘 하고 있었던 게야!
구로다	무슨 착오가. (급히 고개를 숙이며) 제가 가보겠습니다.
초병	(구로다가 지나치려는데) 저…… 장군님!
구로다	뭐냐?
초병	횃불을 든 웬 보급관이란 자가 화포 무게를 점검해야 한다며 기다리라고.
와키자카	(황급히 계단을 내려서며 다가와) 뭐라 했느냐! 횃불을 들어?

펑! 이때 어딘가에서 들려오는 커다란 폭발음.
반사적으로 칼을 빼 들고 달려가는 와키자카와 구로다.

INS
달빛 속, 우수영으로 조용히 이동 중인 이순신 함대.

S#42. 이동 중인 대장선 작전실 / 밤

대장선 안, 수봉이 두 눈을 부릅뜨고 서 있다.
나대용이 곁에 서 있고 이순신이 수봉에게 다가선다.

이순신	이 아이가 차군관 배흥석의 아들이란 말인가?
나대용	예, 임준영 대신 준사의 전갈을 가져온 것도 이 아이라 합니다. 적진에 포로로 있다가 아비의 죽음까지 목격하고……. (먹먹하게) 어찌 인연이 닿아 준사의 도움으로 간신히 빠져나왔다고 합니다.

눈물이 나려 하지만 입술을 꽉 다물고 참고 있는 수봉이.

그런 수봉이를 가만히 쳐다보는 이순신.
가만히 일어나서 벽에 걸린 배홍석의 갑옷을 가져와 손수 접어 내어주는 이순신.

이순신 …… 네 아비의 것이다. 받겠느냐.

두 손으로 갑옷을 받아드는 수봉이, 이를 악물고 그렁그렁한 눈물을 참아낸다.

이순신 이름이 무엇이냐?
수봉이 …… 배수봉입니다.
이순신 니 아비는 나를 도와 지난 6년간을 함께 싸웠다.
내 너의 아비와 너의 이름을 잊지 않겠다.
수봉이 (눈물이 그렁그렁하다) …….
이순신 나 군관! 이 아이에게 뭘 좀 먹이고 우수영에 도착하는 대로 내려주게.
나대용 예!
수봉이 (용기 내어) 청…… 청이 있습니다!
이순신 말해보거라.
수봉이 장군님 배에 저도 태워주십쇼. 함께 싸우겠습니다.

잠시 말없이 수봉이를 쳐다보는 이순신. 수봉이의 눈빛에 비장함이 보인다.

이순신 (미소 지으며) 칼 대신 노를 잡겠다면 태워주겠다.
수봉이 (연신 인사하며) 고맙습니다. 고맙습니다.
(당돌하게) 헌데 한 사람 더 청해도 되겠습니까.
이순신 ……?

S#43. 각 판옥선 작전실 및 업무실 / 밤

각자의 판옥선 안 제각기 탁자 앞에 앉아 있는 안위, 김응함, 송여종 등의 장수들.
아무 말이 없다.

CUT TO 김억추 판옥선

김억추, 아예 이마에 수건을 대고 몸져누웠다.

CUT TO

이동 중인 판옥선 위, 군사들과 격군들의 면면이 스케치하듯 보인다.
누워서 잠든 군사들도 있고.
한숨을 내쉬며 심란해하는 군사들, 심각하게 얘기를 나누는 군사들,
어떤 군사는 조용히 눈물을 흘리고 있다. 오둑이는 졸고 있고.
전 큰 포상 안 바랍니다, 장군님.
잠꼬대하는 김중걸이 수봉이 다리 한 짝을 꼭 끌어안고 잠들어 있다.
격군실 한쪽 벽에 기대어 앉아 아버지의 갑옷을 꼬옥 끌어안고 있는 수봉이.
문득 허리춤에서 토란 하나를 꺼내 씹어 먹는다.

S#44. 산길 / 새벽녘

달빛 아래 산길, 빠르게 달려오는 말 한 마리.
어둠 속의 한 사람. 상처투성이의 준사다!
휘익! 화살 하나가 준사를 스친다.
준사, 휘청! 하지만 끝까지 말을 놓치지 않고,
먼 언덕 위, 와키자카의 부장 구로다가 몇몇 활을 든 왜병들과 함께 분을 삼키며 씩씩거린다.
더욱 가속해 달리는 준사.

S#45. 불탄 벽파진 포구 앞 / 새벽녘

잿더미 속에서 아직 연기가 피어오르고 있는 포구 앞,
누군가 홀로 서 있다.
정씨 여인이 홀로 남아 해남 쪽 바다를 하염없이 바라보고 있다.
이제나저제나 남편 임준영을 기다리는 애타는 눈빛.
안개 속 나룻배 하나가 들어온다. 상기되는 정씨 여인.
나룻배 위. 준사다. 상기된 채 서로를 바라보는 두 사람.

S#46. 우수영 포구 앞 / 이른 아침

판옥선들이 정박해 있고, 수많은 민초들이 흐느끼며 하선한다.
군사와 백성으로 각자 갈라져 헤어지는 절박한 사람들의 면면.

육순이 꼭 살아 돌아와! 오라방! 안 그럼 나 죽어버릴끼야!

동생 육순이와 애처롭게 헤어지는 오둑이, 눈물 콧물 범벅인데…….

S#47. 대장선 숙실 안 / 이른 아침

도깨비상(치우천황상)이 새겨진 향로. 향(香) 연기가 고요히 실내에 퍼지고 있다.
어머니 위패 앞에 묵묵히 서 있는 이순신.

이순신 (어머니의 위패를 담담하게 보며) ……어머니.
불초한 소자 어머니 곁으로 가고자 합니다.
그저 제 죽음이…… 헛되지 않기를 바랄 뿐입니다.

적이다! 적들이 온다! 다급한 호각 소리와 함께,
둥둥! 갑판 위에서 출정을 알리는 북소리가 울린다. 긴 뿔고둥 소리가 이어진다.
어머니의 위패에 큰절을 올리는 이순신.

S#48. 대장선 갑판 위 - 북소리 계속 / 아침

뚜벅뚜벅 갑판 위로 올라 장루를 향해 걸어가는 이순신.
스치는 군사들의 표정에는 '죽으러 간다'는 두려움과 공포가 역력하다.
이순신, 대장선 너머 해안 바위를 돌아 산길로 나아가는 민초들이 보인다.
문득 바위 위에 서 있는 이회를 발견하는 이순신.
잠시 서로 마주치는 시선.
이회가 묵묵히 바위 위에서 큰절을 올린다.

어쩌면 마지막일지 모르는 아들의 모습을 한동안 바라보는 이순신.

S#49. 동 이순신의 대장선 / 아침

장루 아래, 나대용이 승려들과 함께 서 있다.
이순신이 다가서면 나대용이 승려 혜희를 소개한다.

혜희 소승 혜희라 하옵니다.

혜희가 인사를 한다.
혜희 뒤로는 부장 '옥형'이 서 있다.

이순신 (혜희에게 담담히) 고맙소. 큰 힘이 되오.

혜희가 정중히 합장을 한다.

준사 장군!

막 도착했는지 가쁜 호흡의 준사가 다가온다.

이순신 수고 많았다.
준사 (조선말로) 놈들이 화포를 보유했습니다.
모조리 없애고자 했으나 제 힘이 부쳐 모두 없애지는…….

이순신이 준사의 어깨를 그러쥔다.

준사 임준영이 무리하게 넘어오다 놈들의 노꾼으로 끌려갔습니다.
부인께 알려는 줬으나…….

백성들이 빠지고 텅 빈 포구 앞, 출렁이는 나룻배 옆,
홀로 쭈그리고 앉아 흐느끼고 있는 정씨 여인이 이순신의 눈에 들어온다.

이순신 …….

CUT TO

둥! 둥! 둥!
군사들이 분주하게 움직이기 시작한다.
각자 자신의 위치를 찾아서 정렬하는 수군들.
장루 위에 묵묵히 서는 이순신.

이순신 (마침내) 전군 출정하라!

CUT TO

둥! 둥! 둥! 북을 치는 군사.
힘찬 구령과 함께 격군들의 팔뚝에 힘이 들어간다.
아버지의 갑옷 상의를 입고 있는 수봉이가 야무지게 노를 젓는다.
노꾼 중에는 오만상을 찡그리고 수봉을 째려보는 김중걸도 있다.
(수봉이 때문에 내리지도 못하고 대장선에 노꾼으로 탄 것 때문.)
수봉이는 모른 척 열심히 노를 젓고, 그들 곁에서 나직이 불경 소리가 들린다.
바로 승병 30여 명이 불경을 읊조리며 격군들에 섞여 노를 젓고 있다.
마침내 대장선이 물살을 가르며 나아가기 시작하고.
그 뒤로 11척의 판옥선이 종렬로 따른다.

CUT TO

쵀아! 거센 격랑을 이겨내며 '양도' 섬을 돌아 앞으로 나아가는 판옥선들.
땀 흘리는 노꾼들의 일사불란함에서 강한 생명력이 느껴지는데,
산으로 올라가던 민초들이 판옥선의 행렬을 쳐다보며 한동안 발길을 잇지 못한다.

S#50. 진도와 해남 사이 울돌목 바다 / 아침

일자진을 펼치라고 명령하는 이순신.

이순신 정지하라! 일자진을 펼쳐라!

마침내 대장선을 중심으로 12척의 판옥선이 양쪽으로 퍼지며 일자진을 만든다.
격군들의 몸이 후끈 달아올랐다.
허나 물살로 인해 격군들은 정지 상태를 유지하기 위해서도 노를 저어야 한다.

황보만 노를 계속 저어라! 배가 밀려서는 안 된다!

안위 쪽 판옥선은 뒤로 밀렸다 격군들이 용을 쓰며 겨우 다시 자리를 잡는다.
대장선 갑판 위, 화포 옆으로 화약이 배포되고.
각종 포탄과 비격진천뢰, 대장군전이 비치된다.
다부지게 지시를 내리는 사부 김돌손. 그리고 그 옆엔 오둑이가 졸졸졸 따라다닌다.
전방 울돌목의 좁은 수로를 넘어, 먼바다를 미동 없이 주시하고 있는 이순신.

INS
빠르게 東(왜군 진영)에서 西(조선 수군 진영)로 흐르고 있는 거센 물살.
절벽에 부딪혀 깨지는 거센 물살이 허연 기포를 만들어내고 있다.

CUT TO
차츰 새 떼 소리가 점차 크게 들려오는데,
먼 하늘에서부터 갈매기 떼가 떼 지어 이동해 오는 것이 보인다.
이순신이 고개 들어 먼 하늘 갈매기를 쳐다보는데,
뚝! 문득 바람에 여장의 삼족오(三足烏) 깃발 하나가 부러진다.
모두들 불길한 듯 표정들이 어두워지는데,
기라졸(旗羅卒, 깃발로 수신호를 하는 군사), 황급히 부러진 삼족오 기를 들고 일어서다,

기라졸 (입이 떡 벌어지며) 저…… 저기!

이순신이 쳐다보면 멀리서 까마득하게 무수히 몰려오는 적들이 보인다.
(갈매기 떼가 적선들을 따라오는 것.)
좁은 울돌목 해협을 타고 들어오는 촘촘한 것이 모두 적선이다.
기겁하는 군사들의 모습. 오둑이는 그저 눈알만 굴리고 있다.
어떤 군사는 그 자리에 주저앉는다.
놋구멍 틈으로 밖을 보고는 기겁하는 김중걸.

생각보다 많은 수많은 적들. 바다를 뒤덮고 있다.

S#51. 11척의 판옥선 / 낮

안위, 김응함, 송여종 등 각 배의 장수들뿐 아니라,

군사들과 격군들 또한 두려움과 공포로 얼어붙는다.

동시에 두려움으로 얼어붙은 11척 판옥선의 격군들의 노질이 둔해진다.

둔해진 노질에 11척의 판옥선이 거센 물살에 순식간에 뒤로 밀려나기 시작하는데.

S#52. 대장선 격군실 / 낮

대장선 격군장 황보만이 북을 울리며 노꾼들을 강하게 독려하고 있다.

노를 저으면서도 끊임없이 놋구멍 밖으로 눈을 돌리는 김중걸.

11척의 배가 뒤로 물러나는 것이 보인다.

김중걸 (깜짝 놀라, 놋구멍에 얼굴을 바싹 대고) 저…… 저 뭐여? 뒤로 가네?

격군실 부관 거기! 뭐해!

김중걸 (다시 자세 잡고 노를 저으며, 일그러지며) 수봉아…….
우리가 배를 잘못 탔다.

수봉이 (열심히 노를 저으며) 대장선인지 몰랐어요?

김중걸 (울상으로) 그니까 대장선이 왜 맨 앞에 있냐고.

황보만 (북을 치다 격군들을 보며 버럭) 어서 노를 저어!

CUT TO

산 능선을 타고 가던 김 노인의 얼굴이 사색이 된다.

김 노인을 비롯한 조문옹, 조태식, 오극신, 오계적 부자 등 민초 무리들이 멈춰 서며

바다 쪽을 내려다본다.

이회, 역시 바다 쪽을 내려다보다, 얼굴이 굳는다.

CUT TO

누군가, 긁히고 쓸리며 바다에 가장 인접해 보이는 절벽 쪽을 기어 올라가고 있다.
정씨 여인이다.

S#53. 초요기! / 낮

사부 김돌손이 문득 뒤를 돌아보고는 흠칫 놀란다.
이미 두 마장(대략 1km) 이상 뒤로 물러나고 있는 11척의 판옥선.
군사들이 그제야 혼자임을 깨닫고 더욱 두려워하며 동요.

송희립 (뒤를 돌아보고는 황급히) 당장 초요기를 세워 다가오라 명하겠습니다!
이순신 놔두어라.
송희립 (당황하며) 예? 허나 장군!
이순신 닻을 내리고 전투 준비를 서둘러라.

송희립이 이해되지 않는 명령에 파르르 떨며 이내 부복!

송희립 전군! 전투 대열로!
닻을 내려라! 서둘러라!

촤르르. 바닷속으로 뻗어 내리는 닻이 해저 암벽 속에 굳건히 박힌다.

S#54. 기 싸움 / 낮

엄청난 적 선단을 담담하게 쳐다보는 이순신.
이순신의 시야로 선봉장 구루지마의 안택선이 보인다.
묵묵히 바라보는 이순신의 시선!
VS 가면 속 구루지마의 무표정하고 차가운 눈빛!
그들의 눈빛이 화면을 가득 채우는데.

CUT TO

산 위, 이동하는 사람들의 시야로 뒤로 물러나는 11척의 판옥선이 보인다.
쏟아지는 절망스러운 탄식들.

김 노인 내가 헛것을 보고 있는 것은 아니제?
이회 (의아해하며) 헌데…… 대장선에선 어찌 초요기가 서지를 않고.

이회의 눈에는 뭔가가 대단히 이상하다.

CUT TO

후군 도도의 시점으로 수많은 왜선들 너머에
위태롭게 홀로 서 있는 대장선이 보인다.
대장선을 남기고 11척의 판옥선이 천천히 뒤로 밀리는 모습을 보고.

도도 (한껏 여유로운 모습으로) 이순신이 딱하게 됐군.

CUT TO

판옥선들의 장수들은 대장선에서 아무런 명령이 없자,
오히려 이러지도 저러지도 못하고 안절부절 어정쩡하게 물살에 밀리며 서 있다.

김억추 이거 뭐야. 초요기라도 서야 내빼든 어쩌든 마음을 먹지.
이거 원…… 그냥 내뺄 수도 없고.

안절부절못하고 있는 김억추. 한편으로는 찝찝한데.
좌우를 둘러보면 자신과 마찬가지로 어정쩡 서 있는 판옥선들이 보인다.
잔뜩 상기된 채 대장선만을 뚫어지게 보고 있는 안위.
부들부들 손이 떨리고 있다.

CUT TO

와키자카 (이순신과 전투 경험이 있어, 뭔가 이상함을 감지한다)
어찌 이순신이 명령기를 세우지 않는 거지?
구로다 (냉소하며) 저기 보십시오.

명령기를 세운들 저자들이 명령을 듣겠습니까?

대장선을 필두로 뒤쪽으로 묘하게 형성되어 있는 일자진.
와키자카의 눈에 매우 거슬린다.

S#55. 고군분투 1 (구루지마와 1차 격전) / 낮

안택선 위의 구루지마가 천천히 앞으로 나선다.

구루지마 (나직이) 이순신…….
(특유의 목소리로) 제1군 진격하라.

CUT TO

요란한 나팔 소리와 함께
최전방에 있던 수십 척의 세키부네가 일제히 움직이기 시작한다.
마치 바다가 꿈틀거리는 것 같은 광경.
좁아드는 해협 목 때문에 더욱 속도가 붙으며
빠르게 바다를 가르며 들어오는 세키부네들.

CUT TO

적선들의 돌격에 당황하는 군사들.
한 군사는 입술이 파르르 떨린다.

이순신 좌현으로 틀어 함포를 준비하라.

송희립의 재차 외침에 대장선이 빠르게 물살을 휘저으며 좌현으로 틀기 시작한다.
더불어 좌현 쪽에 화포들이 일제히 준비되는데.

CUT TO

적선마다 여장에 달라붙어 있는 수십 개의 총구.
무수한 조총들이 갑자기 일제히 하늘로 들린다. 이내 동시사격!

탕탕탕탕탕!

CUT TO

파바박! 몇몇 총탄이 대장선 선체에 박힌다.

(아직 거리가 있어 그다지 위협적이지 않다.)

허나 격군실의 김중걸, 총탄이 박히는 소리에 기겁하며 오금이 저리고.

CUT TO

이글거리며 마냥 타고 있는 화포 횃불들.

화포 앞 모든 장졸들이 긴장된 표정으로 이순신의 신호만 기다리고 있다.

적선들이 빠르게 다가온다. 허나 장군은 미동도 없고.

애타게 신호만을 기다리는 한 군사의 목울대가 꿀꺽!

마침내 적선들이 빠른 물살을 타고 좁은 해협 목을 빠져나오기 시작하면,

이순신 (결연히) 발포하라!

발포하라! 송희립이 외치면,

발포하라! 나대용 및 여러 군관들이 동시에 외친다.

마침내 화포 심지에 일제히 불꽃들이 타들어가고.

펑펑펑! 우레와 같은 소리를 내며 대장선의 함포가 일제히 불을 품는다.

쉬이잉! 앞서 오던 세키부네 두 척을 정통으로 강타하는 포탄!

오둑이 눈이 반짝! 그러나 아랑곳하지 않고 돌격해오는 적선들.

그리고 이어지는 소낙비 같은 총탄들!

거기에 맞선 조선 수군의 소신기전들(小神機箭, 장거리 개인 사격용 화살. 화살대에 화약통이 장착되어 있다).

헉! 대장선의 천자포(天字砲) 부사수 하나가 총탄에 쓰러진다.

이순신 !

적선들의 속도가 좁아졌다 펼쳐지는 해협 목의 물살 덕에 예상치보다 훨씬 빠르다.

CUT TO

송희립과 나대용 역시 예상 밖의 느낌을 받은 듯,
김돌손이 허겁지겁 뛰어온다.

김돌손 (두 사람에게) 물살의 속도가 예상치보다 빠르구만요.
송희립/나대용 속도를 높여 배를 돌려라!
우현 화포 준비를 서둘러라!

대장선이 빠르게 180도 회전하기는 하는데,
쿠웅! 돌격하던 세키부네가 앞서서 빠른 물살로 인해 오히려 키 조정을 상실한 세키부네와 추돌한다.
울돌목 가장자리 쪽, 추돌한 두 척의 세키부네를 간신히 피하는 또 다른 세키부네.
(빠른 물살은 세키부네의 방향 제어에서는 이번엔 약점을 드러낸다.)

CUT TO

좁은 해협 목 앞에서 적선들끼리 추돌하는 모습을 목격하는 이순신.

이순신 나대용!
나대용 (급히 달려와) 예, 장군!
이순신 화포와 소신기전을 최대한 앞서 나오는 배들에 집중하게!

나대용, 고개를 돌린다.
반파된 적선으로 인해 목을 빠져나가는 데 애를 먹는 적진을 파악,
이내 이순신의 의중을 알아차린다.

나대용 예! 장군!
(고함) 모든 포수들! 앞서 나온 적선에 집중적으로 발포하라!

펑펑펑! 깨지고 부서지는 세키부네. 왜병들이 아비규환에 휩싸인다.
격파된 세키부네 두 척이 다른 적선들의 진로를 막아서는 형국.
돌격해가는 세키부네의 시점으로 앞선 세키부네의 측면과 다시 쾅! 크게 충돌!

CUT TO

표정이 없는 구루지마의 얼굴.

구루지마 2군을 보내 더욱 밀어붙여라.

기무라 예!

전장을 울리는 구루지마군의 쇠나팔 소리!

CUT TO

후군 가토의 표정이 싸늘해진다.

가토 (못마땅하게) 구루지마가 무작정 밀어붙이고 있습니다.

도도 물살에 도통한 자라 하지 않더냐.
두고 보자.

CUT TO

중군의 와키자카가 표정 없이 전선을 관망하고 있는데.

구로다 이순신이 앞선 배들만 골라서 공격하고 있습니다.
이요놈들이 서로 마구잡이로 충돌하고 있습니다.

와키자카 (아랑곳하지 않고 후방 판옥선들만을 주시한다)
…… 나서지도 않고 물러서지도 않고 있어.
도대체 뭘 기다리고 있는 것이냐.

구로다 그저 두려움에 떨고 있는 오합지졸입니다.
우리도 같이 합세해 계속 들이치는 게 어떻겠습니까?

와키자카 (뭔가 두려운 듯) 아니다. 두고 보자.

와키자카, 빠르게 주변을 훑는다.
좁아지는 해협 목이 보이고 더불어 곳곳에 암초다.
대략 5~6대의 배들만이 빠져나갈 수 있는 너비. 그러나 빠른 물살에 주목,

와키자카 아무리 우리가 한꺼번에 들이치지 못한다 한들

결국 네놈은 지칠 수밖에 없다.

이순신…… 대체 무얼 기대하는 것이냐.

INS

이순신이 고개를 돌려 후방의 11척 판옥선을 쳐다본다.
진퇴 없이 그저 출렁거리며 떠 있는 11척의 판옥선들.

CUT TO

바다 양쪽 조선과 일본 전선(戰船)들,
묘하게 마치 이순신의 대장선과 구루지마 선단의 싸움을 일정한 거리를 두고 양쪽 다 그저 관망하는 형국처럼 보이는데,
이런 이상한 광경에 이회의 눈빛이 가늘게 떨리고…… 동시에 이회의 회상.

CUT TO 회상. 대장선 숙실,
술잔을 받아들고 있는 이회. 이순신이 술을 따라주고 있다.

이회 헌데 아버님께선 두려움을 어찌 이용하신단 말씀입니까?

이순신 (무표정으로) 칠천량 패전 이후 두려움이 독버섯처럼 우리 병사들에게 퍼졌다. 허나, 저들도 지난 6년 동안 나로 인해 줄곧 당해온 두려움이 분명 남아 있다. 그렇기 때문에 회야…….
두려움은 필시 적과 아군을 구별치 않고 나타날 수 있다.

고개를 들어 이회를 무표정하게 쳐다보는 이순신의 눈빛.

CUT TO

산 위의 이회가 서로 간에 두려운 듯 관망하듯 펼쳐진 형국을 새삼 다시 지켜보며,

이회 (중얼거리듯) 적과 아군을 구별치 않고 나타난다…….

CUT TO 다시 회상. 대장선 숙실.

이회 그뿐이옵니까? 그게 두려움을 이용하는 것이옵니까?

이순신 만일…… 그 두려움을 용기로 바꿀 수만 있다면 말이다.

더 이상 말을 잇지 않고 술병을 내려놓는 이순신.

CUT TO

와키자카 중군의 그저 관망하는 형세를 흘낏 돌아보는 무표정한 구루지마.

기무라 (조바심을 내며) 뚫고 나갈 수 있겠습니까?

구루지마 (차가운 미소) 눈치가 없구나. 결국 물살은 우리 편이다.
더구나 2군은 에히메의 정예군이다.

CUT TO

세 척씩 조를 이룬 구루지마 2군들.
화포를 피하는 키 놀림들이 예사롭지 않다.
더구나 거센 물살로 인해 앞을 가로막던 세키부네들이 차츰 거세게 쓸리며
온통 흘러나오기 시작한다. (이번엔 거센 물살의 덕분이다.)
더불어 대장선의 노 젓는 움직임이 현저히 둔해졌다.
그로 인해 대장선이 제멋대로 흔들리며 화포 조준의 정확도도 많이 떨어졌다. 이순신, 상황을 지켜보다 결연히,

이순신 닻을 끊어라!
그대로 물살을 타고 속히 피섬 쪽으로 배를 물려라!

송희립 예! 장군!

CUT TO

빠른 종소리와 함께 황보만이 순식간에 도끼로 닻줄을 잘라버린다.
좌르르 순식간에 풀려 내려가는 닻줄.

황보만 우현 노를 더 강하게 저어라. 중앙 물살을 타야 한다.

대장선이 방향을 틀어 목 중앙의 빠른 물살 쪽으로 힘겹게 이동한다.

CUT TO

갑자기 대장선 격군실 벽에 붙은 좌, 우 두 개의 종들이 팽팽해지며 멈추고,

북소리까지 일제히 멈추는데,

황보만 다들 노 정지!

노를 멈추며 모두가 헉헉거린다.
빠른 순류의 물살.
피섬 쪽으로 빠르게 물살을 타고 이동하는 이순신의 대장선.
아이고! 노를 내던지듯 내려놓으며 게거품을 물고 주저앉는 김중걸.
화면 빠지면, 이제껏 버팀으로 지친 것이 역력한 격군들의 얼굴들…….
물통을 든 병사 몇몇이 빠르게 이동하며
물을 먹이기도 하고 끼얹어주기도 하며 분주하다.
물통을 든 덩치 큰 군사도 헉헉거리며 힘들어하는데.

황보만 (격군 사이를 걸으며 다그친다) 노를 헛 저어라! 몸을 계속 움직여!
그렇지 않으면 다시 저을 때 온몸에 경련이 일어난다.
몸을 계속 움직이란 말이다!

S#56. 고군분투 2 (구루지마와 2차 격전) / 낮

이순신이 배를 선회해 노를 중지시키고 물살만을 타자,
때를 잡았다는 듯 눈빛을 반짝이는 구루지마.

구루지마 (미소 차갑게) 걸렸다!

CUT TO
다시 나팔 소리가 기세 좋게 울리고…….
일사불란하게 세 척씩 2조로 종대(縱隊)를 이루며 돌격해오는 적선들이 보인다. 검은 쇠가면들을 포함한 제각각의 기괴한 기를 뿜어대는 정예 에히메 군사들.
피섬을 등에 지고 더 이상 이동할 곳이 없는 이순신의 시야로 세 척씩 조를 이뤄 힘 있게 다가오는 적들의 모습이 보인다. 긴장하는 이순신.

CUT TO

가토 (특유의 엷은 미소) 이순신이 결국 막다른 길에 몰린 거 같습니다.

도도 (여유롭게) 그런 것 같군.

CUT TO

피섬을 등지고 있는 이순신의 시야로, 부쩍 거리를 좁혀온 적선 무리가 보인다.

송희립 (달려와) 당장 초요기를 세워야 합니다.
피섬을 등지고 싸운들 얼마 버티지 못할 겁니다.

나대용 또한 다가온다.
이순신, 언뜻 피섬 가장자리를 돌아보면
미끄러지듯 그곳을 타고 들어오는 또 다른 세키부네 세 척.

이순신 (차분히) 희립아. 포탄을 조란탄으로 바꾸고…… 백병전을 준비하라.

송희립의 얼굴이 검게 상기된다.
기어이 올 것이 왔다는 생각에 이를 악무는 나대용.
혜희가 옆에 있는 옥형에게 귓속말을 하자, 옥형이 급히 격군실로 달려간다.
김돌손 휘하 사부들이 우르르 이순신이 서 있는 장루 쪽으로 에워싸듯 몰려들고,
군사들이 각궁과 화살, 긴 창과 긴 칼로, 갈고리를 챙겨들고 여장(낭간) 앞으로 몸을 숙이며 붙는다.
준사, 또한 쌍칼을 빼어들고 여장 쪽으로 다가서는데…….
혜희가 등에 메고 있던 언월도를 빼든다.
여장 뒤, 두려움에 강하게 휩싸여 있는 군사들. 긴 창을 든 한 군사가 덜덜덜 떤다.
김돌손 옆에선 오둑이 눈알이 더욱 크게 데굴데굴 돌아가고 있고.

CUT TO

장루 위의 안위, 백병전을 직감하며 크게 상기된 얼굴로 대장선을 보고 있다.
여전히 여장을 꽉 쥐고 부들부들 떨고 있는 안위.

CUT TO

대장선 격군실. 옥형의 지휘 아래 우르르 몰려 나가는 승병들.

옥형, 어두운 격군실 계단을 지나 문을 박차고
마침내 햇살이 내리쪼이는 갑판 위로 올라서면,
격렬한 조총 소리들과 일부 쓰러지는 군사들이 보이고,
바다 쪽으론 여러 척의 적선들이 마구 달려드는 것이 보인다.

덩치 큰 군사 (노문에서 시선을 떼지 못하고) 백, 백병전이 벌어지겄구만.
지금껏 이런 적은 없었는디. 인자(이제) 다 틀렸어.

주위 격군들의 표정이 검게 사색이 된다.
김중걸은 딱딱딱…… 이빨까지 떨리는데.

S#57. 대장선의 위기 1 / 낮

타타타탕! 빠르게 접근하며 조총을 난사하는 세키부네들!
수백 발의 총탄이 날아온다.
근접한 거리의 조총들은 훨씬 위압적이다.
대장선의 선체가 벌집처럼 온통 구멍이 뚫린다.
여장 앞 방패와 여장 밑에 꼭 붙어 숨을 죽이고 있는 조선 병사들.
어느새 지근거리까지 육박해온 세 척의 세키부네.
가면 쓴 에히메 왜병들의 살기 가득한 표정들이 눈앞에 펼쳐지는데.
조총수들이 백병전을 위해 다시 일제히 엄호사격을 하고,
방패 삼은 사다리 판자 뒤에서
왜병들이 일제히 갈고리를 붕붕 돌리며 튀어나오는 그 순간,

CUT TO

이순신 지금이다!

퍼엉!
갑자기 대장선 천자총통에서 작렬하는 조란탄!
파바바박!
수천 발의 쇠구슬이 날아가 적선 위의 왜병들을 순식간에 벌집으로 만든다.

더불어 일제히 일어나 화살을 쏘는 조선 수군들.
나머지 월선을 준비하던 왜병들이 화살에 맞고 쓰러진다.
쿠웅! 완구(비격진천뢰를 쏘는 도구)에서 날아가는 비격진천뢰까지.
콰앙! 배 위에서 또르르 구르던 비격진천뢰가 터진다.
순식간에 세키부네 한 척의 갑판이 쑥대밭이 된다.

CUT TO

그러나 이내 다시 나타나는 또 다른 적선!
순식간에 놓아지는 사다리 널빤지 너머로 밀려오는 왜병들.
긴 칼과 낫으로 갈고리 줄을 끊어보지만…… 역부족이다!
준사와 수군들이 선수(뱃머리)쪽 방어에 나서고.
혜희의 승병 부대가 좌현 쪽에서 왜병들과 맞선다.
에히메 군사들이 굶주린 하이에나처럼 거침없이 덤벼든다.
창칼이 부딪히며 살점이 떨어져나가고 피가 뿌려진다.
급기야 사부들과 더불어 활을 들어 쏘는 이순신.
이순신의 활에 왜병 하나가 쓰러진다. 하지만 계속 달려드는 왜병들.

CUT TO

어지러운 조총 소리와 함께 적선들이 붙자,
대장선이 무거워지며 대혼란에 휩싸이는 격군들.

황보만 기운 내! 노를 저어라! 암초까지 밀려서는 안 된다!

허나 엎친 데 덮친 격,
묵직해진 대장선은 피섬 근처의 암초까지 떠밀리며 위협에 빠지는데,
암초에 부딪치지 않으려 사력을 다해 노를 젓는 김중걸과 수봉이.
격군들의 노가 암초에 부딪치며 마구 부러지며 가까스로 암초를 비켜나가는데.
와아! 마구 넘어오는 왜병들과 그들을 막아내는 수군들의 사투.
후미의 승병 부대가 짐승 같은 에히메 군사들을 야수처럼 막아내고
승병 부대와 왜병 사이의 대결은 한마디로 야생의 대혈전!
혜희가 언월도를 크게 휘두르자 왜병의 긴 창 세 개가 단번에 잘려나가고,
왜병의 긴 창에 승병 하나가 가슴이 뚫려 피를 토하고,

근접 거리에서 조총에 손목을 맞은 승병은 손목이 떨어져나간다.
오둑이 심한 충격에 그대로 기절해버리고…….
선수 쪽 수군들이 열세를 면치 못하고 있다.
장루에서 급히 내려온 이순신이 송희립, 준사와 함께 직접 지원에 나선다.

혜희	(역시 선수 쪽 상황을 보고. 옥형에게) 옥형! 뱃머리 쪽을 지원하게!
옥형	예!

승병 몇 명을 데리고 선수로 달려가는 옥형.
하지만 선수 쪽이 여전히 강하게 밀린다. 이순신조차 위기다.
이때 엎친 데 덮친 격으로
또 다른 적선이 좌측 후면 쪽으로 붙으며 갈고리를 걸어 당긴다.
동시에 일제히 대장선의 갑판 위로 떨어지는 왜병들의 포락들(심지에 불붙인 일종의 수류탄)과 연이어 쏘아지는 대통(조총의 5배 정도의 총구와 탄환)의 거대한 총알들.
순식간에 치솟는 연기와 화염이 대장선을 휩싼다.
멀리까지 보이는 연기와 화염…….

CUT TO

가토	(엷은 미소) 구루지마가 승기를 잡았습니다. 이순신이 오래 버틴 겁니다.
도도	(관망하듯) …… 그런 것 같군.

CUT TO

등지고 있는 피섬 쪽을 빼고 앞뒤와 좌측면을 적에게 완전히 내어준 대장선.
공황에 빠진 한 병사가 울부짖으며 갑판 위를 휘적휘적 거닌다.

병사	다 죽을 거야. 다!

휘익! 갑자기 왜군의 쇠갈고리가 공황 병사의 목을 잡아당긴다.
공황 병사, 순식간에 딸려 넘어지며 화포용 횃불 통을 치고 나자빠지는데.
아뿔사! 주변엔 총통을 위한 화약과 질려통(조선식 수류탄)들까지 쌓여 있다.

이순신 (섬뜩하다)!

준사가 빠르게 이순신을 감싸 안으며 갑판 위를 구른다.
콰쾅! 이내 큰 폭발을 일으키며 공황 병사가 흔적도 없이 사라지고,
좌측에 붙어 있던 적선조차 산산조각이 나고.
우리 수군과 왜군 몇몇에 불이 붙었다.
이순신의 귓가를 때리는 삐이 소리와 함께 도지는 현기증.
주변의 군사들 또한 모두 귀를 막고 괴로워하는데.

INS

구루지마의 눈빛이 일순 크게 빛나고! - C.U.

S#58. 후방 11척의 판옥선 / 낮

후방 11척의 판옥선 시점,
대장선이 피섬과 화염에 둘러싸여 잘 보이지도 않는다.
이제 나서기엔 늦었다. 안위의 눈빛이 몹시 흔들린다.
송여종, 김응함 모두 그저 멍하니 지켜만 보고 있고,
전전긍긍하던 김억추, 뭔가 결심한 듯 눈빛이 변한다.
김억추. 급기야 한마디!

김억추 후퇴하자.
김억추 부장 예? 다른 배들은 가만히 있는데요.
김억추 더 볼 것도 없어. 끝났어.
김억추 부장 …….

S#59. 대장선의 고육지책(苦肉之策) / 낮

쿠웅! 어느새 새로운 세키부네가 이젠 암초를 비껴 흘러나온 대장선 우현 쪽으로도 들러붙었다.
이순신, 애써 현기증을 추스르며 주변을 둘러보지만

이젠 사면이 모두 적들에게 포위,
어디 한 곳 빠져나갈 틈이 보이지 않는다.
절망스러운 이순신 눈앞에는
앞선 폭발로 인해 갑판 위 나뒹굴고 있는 화포들만이 보이는데,
불현듯 그 화포들을 보며 뭔가 영감을 받는 이순신.

이순신 (힘겹게 고함치며) 나대용! 나대용 어디 있는가!

전방에서 맹렬히 싸우고 있는 나대용의 모습, 듣지 못한다.
힘겹게 다가가 나대용을 돌려세우는 이순신.

나대용 !
이순신 갑판 위 화포들을 모조리 격군실 좌노 쪽으로 옮겨 집중하려 한다.
그대 생각은 어떠한가? 되겠는가?

나대용, 잠시 멍해 있다가 문득 백병전 뒤편 어지러이 널린 화포들을 훑어보며,

나대용 (주저하며 난색을 표한다) 그, 그러다 다 죽을 수도…….
이순신 (단호히) 된다고 말하게!
나대용 (결연하게) 예! 해보겠습니다!

CUT TO
콰앙! 계단 밑으로 우르르 쏟아져 내려오는 화포들!
놀란 격군들이 돌아본다.
이어 격군실로 다짜고짜 내려오는 나대용과 군사들.

나대용 (격군들에게) 즉시 좌측 놋구멍에 화포를 놓아라!

모두 어리둥절해하고만 있자 나대용이 다시 고함을 지른다.

나대용 왼쪽 놋구멍에 화포들을 박아 넣으란 말이다! 어서!

화들짝 놀라며 격군들이 허겁지겁 화포들을 옮기기 시작한다.
좌노 쪽의 격군실 창을 좀 더 크게 뜯어내며 화포를 설치하는 군사들.

나대용 뒤를 단단히 받쳐라!

화포의 뒤에 배 밑창을 하나 뜯어내고 버팀목을 끼워 넣어 단단하게 고정시키는 군사들.

CUT TO
격군실 안 무기고, 포탄과 화약들을 마구 쓸어 담는 군사들.

CUT TO
이순신 이하 송희립과 준사가 장루 밑 격군실 문 앞까지 밀렸다.

이순신 버텨야 한다!

쌍칼의 준사와 이를 앙다문 송희립의 활약이 눈부시다.
(매우 느린 화면으로) 와아아! 삼면에서 한꺼번에 몰려드는 무수한 적들이 마치 조선역 해전도(朝鮮域海戰圖)의 한 장면처럼 꿈틀거리며 펼쳐지는데,

나대용 (정속 화면, 갑자기 격군실 밑에서 고함) 장군! 발포합니다!
이순신 모두 엎드려라!
송희립/준사 !

퍼펑! 격군실 좌현 쪽에서 일제히 발사되는 천자총통포들!
대장선이 좌측 적선을 완전히 박살 내는 동시에 그 반동으로 우측으로 튕겨 나간다.
쿠웅! 순식간에 우측에 있던 적선을 여지없이 들이받는 대장선!

CUT TO
와키자카가 자리에서 벌떡 일어난다.

CUT TO
도도/가토 !

S#60. 대장선의 위기 탈출 / 낮

자욱한 연기 속…….

바다 위 떠다니는 파편들만 난무하고 아무것도 보이지 않는다.

CUT TO

이회 (탄식하며) 아버님…….

와키자카 (허탈하게) 이렇게…… 끝난 건가…….

CUT TO

자욱한 연기 사이에서 갑자기 불타는 적선 한 척이 튕겨져 나온다.

뒤이어 대장선이 파고 위로 출렁! 다시 나타난다!

순간, 후방 11척의 판옥선에서 모든 장졸들이 멍한 표정으로 쳐다보고 있다.

CUT TO

멍한 얼굴의 도도와 가토.

CUT TO

놀란 얼굴로 쳐다보는 와키자카.

CUT TO

연기 속에서…… 누군가의 눈빛이 꿈틀! 나오며 살아 있음을 증명하는데,

차츰 드러나는 이순신의 얼굴!

CUT TO

입을 쩍 벌린 채 다물지 못하는 김억추.

거의 울 것 같은 안위의 얼굴.

안위의 배 격군실, 노문으로 내다보던 안위선 격군 1이 소리친다.

안위선 격군 1 (고함) 보인다! 보여! 대장선이 보인다! 대장선이 살아 있어!

와아! 격군들이 자신도 모르게 모두 함성을 내지른다!

CUT TO

대장선 위, 연기가 걷히며 제각각 주저앉아 있는 군사들의 면면이 보인다.

갑판 위에 태반의 왜군들이 떨어져나가고 그나마 있는 적들도 갈피를 못 잡고 있다.

송희립 (불끈) 남은 적들을 소탕하라!

와아! 남은 적들을 일거에 갑판에서 소탕해나가는 조선 군사들.

어느새 깨어난 오둑이 앞장서고 있다.

CUT TO

산 위, 민초들의 표정이 달라졌다.

절름발이 조태식이 부들부들 떨며 주먹을 불끈 쥐며

맨 먼저 보자기에서 낫을 빼 들고 산 아래로 절뚝대며 뛰어 내려간다.

곱추 오계적 역시 낫을 들고 뒤따라 뛰어 내려가고.

그 뒤를 마치 약속이라도 한 듯

조문옹, 오극신 등 늙은 민초들까지 줄줄이 뛰어 내려간다.

산 아래로 내달려 내려가는 백성들을 보며 놀라는 이회의 얼굴.

CUT TO

안위의 부장이 갑자기 상기된 표정으로 외친다.

안위 부장 장군! 물살이 잦아듭니다! 물살이 바뀌려 하고 있습니다!

안위, 바다를 보면 역류를 준비하는 물살이 크게 잦아들었다.

안위 부장 (갑자기 놀라며) 장군! 그런데 우리 배가!

배가 뜻밖에 스스로 전진하고 있다! 놀라는 안위.

안위의 배 격군들이 누구랄 것도 없이 스스로 노를 젓고 있다.

맨 처음 환호했던 안위선 격군 1이 힘차게 노를 젓고 있다.

안위, 여장을 쥐는 자신의 손에 본능적으로 힘이 들어감을 느낀다.

이제 손이 더 이상 떨리지 않는다.

격군실로 달려가려는 부장에게 그대로 놔둘 것을 지시하는 안위.
격군실 종소리가 요란하게 울린다. 흠칫! 종을 올려다보는 안위 격군장.
그러나 이미 격군장, **"어야! 어야!"** 힘차게 구령을 붙이고 있었다.
중군장 김응함의 배도 나섰다!
김응함이 안위에게 강한 교감의 시선을 던진다.

안위 (더욱 결연히) 속도를 높여라!
안위 부장 (복창하며) 속도를 높여라!

이내 질세라 속도를 높이는 김응함의 판옥선, 두 척의 판옥선이
마침내 출렁이며 힘차게 나아간다.

CUT TO
눈시울이 뜨거워져 있는 이회.
화면, 그의 얼굴을 C.U.해 들어가면,

CUT TO 이회 회상, 대장선 숙실,
이순신 만일…… 두려움을 용기로 바꿀 수만 있다면 말이다.
이회 (상기된 얼굴)…….
이순신 그 용기는 백배 천배, 큰 용기로 배가되어 나타날 것이다.
이회 (고개를 절레절레) 허나 아버님. 극한 두려움에 빠진 저들을 어떻게 그런 용기로 바꿀 수 있단 말입니까.
이순신 …… 죽어야겠지. 내가.

갑자기 묵직이 내뱉는 이순신의 말에 감히 말을 잇지 못하는 이회.
마주한 아버지의 괴물 같은 표정에 눈빛만이 떨릴 뿐인데.

CUT TO 현재, 산꼭대기.
이회 (절로 터져 나오는) 아, 아버님!

주체할 수 없이 밀려오는 감정에 털썩! 무릎을 꿇는 이회.

CUT TO

도도와 가토의 표정이 싸늘하게 굳어졌다.

그들 눈에 조선 판옥선 두 척이 이순신의 대장선으로 다가오는 것이 보인다.

CUT TO

구루지마의 안택선, 기무라 분투를 삼키며 어쩔 줄 모르고 있는데,

구루지마만은 오히려 차가운 미소를 띤다.

구루지마 적들이 살아날 틈을 줘서는 안 된다, 기무라.
곧바로 우리 본대를 진군시키고 앞서 출동한 배들을 불러들여라.

이어지는 짧게 반복되는 쇠나팔 소리와 깃발!

앞서 살아남은 배들이 빠르게 구루지마 본선 주위로 몰려들며

재차 진열을 갖추기 시작하는데.

구루지마 (나직이 하루에게) 네가 나서줘야겠다.

하루가 마침내 빠르고 조용히 지휘실을 빠져나간다.

S#61. 세워지는 초요기 / 낮

다시 긴 쇠나팔 소리.

적들이 겹겹이 재차 진열을 갖추고 돌격해 들어온다.

갑판 위, 차갑게 적진을 쳐다보고 있는 이순신.

송희립이 다급히 뛰어온다.

송희립 장군…… 격군실에 급보입니다.
조금 전 충격으로 배에 물이 차올라 기동력이
많이 떨어질 거라 하옵니다.

이순신, 뒤를 돌아본다. 두 척의 판옥선이 다가오고 있다.

이순신 (마침내) 초요기를 세워라!

예! 장군! 송희립이 직접 장루 쪽으로 뛰어가 초요기 올리는 밧줄을 감아쥔다.
그런데……
탕! **헉!** 갑자기 어깨를 맞고 깃발을 놓칠 뻔하는 송희립,
놀라는 사람들. 장루 천자포 앞에서 빠르게 적진을 살피는 이순신.

CUT TO

안택선 2층 누각 안, 하루다.
하루가 새로운 조총을 받아들고 시야를 좀 더 깨끗하게 확보하기 위해 옆으로 이동한다.
햇살이 비추는 양지(陽地) 쪽 다시 조준하는 하루의 시선 속,
송희립이 다시 초요기를 올리고 있다.
탁! 하루, 다시 방아쇠를 당겨 노리쇠에 불이 붙는데,
문득 작은 회오리 하나가 구루지마 선단 밑을 파고들듯 스쳐 지나간다.
배가 흔들! 조준 중인 하루의 총구(긴 총열의 조총)가 살짝 흔들리며,
타앙! 발사.
퍼억! 송희립의 허벅지에 총탄이 박힌다!
헉! 휘청하지만 계단 난간을 잡고 기어이 버티는 송희립.
그 순간 이순신, 멀리 적의 대장선인 안택선 2층 누각 쪽에서
반짝이는 뭔가를 발견한다.
이순신, 급히 천자포 하나를 직접 조작해 방향을 돌린다.

나대용 !

장루 위, 송희립이 다시 초인적인 의지로 초요기를 올린다.
하루의 조준 시야로 송희립이 또렷이 드러난다.
하루의 검지가 방아쇠를 당기는 찰나!
펑! 일순 근처 바다로 떨어진 포탄의 물결이 치솟아 하루의 시야를 가로막는다.

하루 (일그러지는 표정) !

이순신이 천자포를 쏘았다. 포를 쏜 이순신이 장루 쪽을 쳐다보면,

송희립이 장루 위에 초요기를 거는 데 성공했다.

CUT TO

상기된 표정의 하루가 빠르게 창가를 빠져나와 누각을 딛고 어딘가로 다시 이동한다!

CUT TO

산 위의 김 노인 표정이 잔뜩 상기되어 있다.
그런데 그의 시선이 배가 아닌 물살에 집중되어 있는데,
그의 시선 속, 바뀐 물살들이 피섬 쪽을 돌아 나가며
점차 여러 갈래의 회오리들이 일어서는 것이 보인다.

S#62. 안위의 활약 / 낮

바뀌어 빨라지고 있는 물살을 타고 바다를 가로지르고 있는 안위의 배.
그런데, 배가 자꾸 크게 좌우로 너울대기 시작한다.
그 밑으로 회오리가 하나 지나간다.
초조함에 눈빛이 흔들리는 안위.
안위의 시선에, 대장선 위 펄럭이는 초요기와
그 밑에서 주저앉은 송희립이 보인다.
그리고 문득 적진 안택선 지붕 위에서 뭔가 번쩍이는 게 보인다.
자세히 보면 누군가 안택선, 지붕 맨 위로 기어오르고 있다.

안위 (초조하게) 속도를 더 높여라!

빠르게 울리는 방울 소리.
격군실의 격군들이 비지땀을 흘리며 격하게 노를 젓는다.

CUT TO

멀리 대장선에서 펄럭이는 초요기가 보인다.
뒤쪽 판옥선들, 장수들 여전히 미동도 없이 서 있다.
헌데 군사들이 차츰 동요하기 시작하고 있다.

CUT TO

구루지마의 시야로, 좌우로 크게 너울대며
이순신의 배로 다가오는 안위와 김응함의 배가 보인다.
물살이 거꾸로 흐르자
그들 배 밑으로 물살이 크게 일렁이며 바다엔 점차 커져가는 회오리들이
제멋대로 소용돌이치며 돌아다니고 있다.
역류한 물살과 함께 전체 전장을 냉정히 응시하고 있는 구루지마.
그런데 피섬을 등진 이순신의 대장선 근처 바다가 상대적으로 고요하다.

구루지마 (나직이) 네놈이 그곳에서 버티고 있는 이유가 있었구나.

물살이 바뀌자 구루지마의 눈에 피섬 쪽의 전략적 가치가 새롭게 드러나는데,

기무라 소용돌이가 제멋대로 돌아다니고 있습니다.
전투가 어렵게 됐습니다.
구루지마 네 눈엔 그리 보이느냐.
나에겐 더욱 집중할 곳이 보인다.
(어리둥절한 기무라에게) 이순신의 배로 최대한 속도를 높여라.

다시 울리는 쇠나팔 소리. 구루지마의 선단이 다시 밀고 나간다.

CUT TO 안택선 지붕 꼭대기. 다시 하루의 조준 시야 속,
갑판 위, 이순신이 직접 갑옷을 열어젖히고 안감을 찢어
송희립의 부상을 치료하고 있다.
갑판 위 사수들이 겹겹이 방패로 막아섰지만,
상호 간의 거리가 가까워져갈수록 하루의 시야도 점차 좋아진다.
퍼엉! 직포(直砲) 사거리에 들자 이순신의 대장선에서 포탄이 다시 작렬한다.
와아! 앞선 세키부네 쪽에선 맞받아 조총 소리들이 작렬하고,
다시 벌어지는 치열한 공방전,
그러나 하루의 시야는 흔들림 없이 이순신만을 겨누고 있고,
이순신 대장선 우현 갑판 위 사부들이 조총에 맞아 쓰러지는 것이 보인다.
덕분에 하루의 시야가 마침내 송희립을 치료하고 있는 이순신을 깨끗하게 확보한다.

하루의 총구가 정확히 이순신의 가슴을 겨냥하고 있다.

하루 (나직이) 이순신…….

탁! 마침내 방아쇠를 당기는 하루.
격발자가 닫히며 발갛게 불이 살아 있는 작은 심지가 뇌관에 닿는 순간,
쉬익! 문득 10시 방향에서 뭔가 빠르게 날아온다!

하루 !

그대로 하루의 눈에 박히는 화살!
아악!
탕!

CUT TO

이순신을 핑 스치며 뒤에 가서 박히는 총탄.
이순신이 고개를 들면.
멀리 적의 대장선 지붕 위에서 누군가 몸부림치고 있다.

CUT TO

아악! 눈에 화살이 박힌 채, 비명을 지르며 괴로워하는 하루.
몸부림치다 그대로 바다로 떨어진다.
차갑게 굳는 구루지마의 눈빛.

CUT TO

대장선 옆으로 각궁(조선 활)을 내리며 다가서는 안위와 그의 배가 보인다.

안위 (고개를 조아리며) 장군…….
이순신 안위야! 내 너를 엄히 군법으로 다스려야 하나,
지금은 전세가 시급하니 죽기를 각오하고 싸워라!
너는 반드시 여기 피섬을 막아내야 한다! 알겠느냐!
안위 (결연하게) 예, 장군!

바뀐 물살을 타고 결연하게 앞서 나아가는 안위의 배.

이순신 우리는 속히 목 중앙으로 이동한다.
송희립 예! 장군!
(외치며) 중앙으로 이동하라! 이동하라!

이순신의 배가 크게 선회하면,
이때 또 한 척의 배, 김응함이 숙연한 표정으로 다가오는 게 보인다.
묵묵히 김응함을 쳐다보는 이순신.

CUT TO
구루지마 쪽 시선,
이순신의 배가 다시 순류로 바뀐 물살을 타고 빠르게 피섬 쪽에서
바다 중앙으로 이동하는 것이 보인다.

기무라 이순신이 이동하고 있습니다. 따라붙겠습니다!
구루지마 아니다! 저건 미끼다.
저 앞에 회오리들을 봐라.
이순신 쪽으로 다가가기가 쉽지 않다.
그러다 오히려 화포에 당할 수 있지.
(다시 피섬 쪽 안위의 배를 가리키며) 모든 함선은 그대로 저 섬 쪽 배를 집중 공격한다.
기무라 이순신을 그냥 놓아줄 요량이십니까!

기무라의 목에 가차 없이 닿는 구루지마의 칼날!
등골이 오싹해진 기무라의 목에서 핏물이 쭉 흐른다.
구루지마가 상당히 예민해져 있다.

구루지마 네놈 눈엔 저 섬이 예사 섬으로 보이느냐!
섬을 등진 덕에 물살이 잔잔해져 놈들의 포격이 용이해진 게 안 보이느냐.

기무라, 돌아보면, 안위 배의 함포에 깨져나가는 아군 배들이 여럿 보인다.

구루지마 더구나 저곳만 움켜쥐면 바다든 육지든 꼼짝할 수가 없어 전투는 끝난다.
저 섬 뒤로 포구가 보이느냐.
상륙해 포진만 한다면 조선 배 1백 척이 와도 우릴 이길 수 없다.

기무라 (떨며) …… 죄송합니다. 주군.

구루지마 (칼을 거두며 차갑게) 저 배를 우선적으로 잡아라.
이순신이 어찌 나오는지 두고 보자.

기무라 (부복) 예! 주군!

해적왕다운 차가운 구루지마의 눈빛 위로, 이내 명령을 전달하는 쇠나팔 소리!

CUT TO

후군 쪽 가토가 외친다.

가토 쇼군! 구루지마가 뭣 때문인지 이순신을 버리고 주력선들을 저 작은 섬 쪽으로 집중시키고 있습니다.

도도 …….

CUT TO

와아! 안위의 배로 마구 넘어가는 왜병들.
문득 왜병 하나가 누군가 강하게 휘두르는 칼에 베어져 넘어지는데,
안위의 칼이다. 가쁜 숨을 토해내고 있는 안위.

안위 (고함치며) 한 놈도 넘어오게 해서는 안 된다!

갈고리를 끊으려 달려가던 군사들 앞으로
난데없이 왜병들이 던지는 포락이 떨어져 불길이 치솟는다.
온몸에 불이 붙으며 쓰러지는 군사들.
쿵! 연이어 한 척의 세키부네가 안위의 배를 들이받는다.
세키부네 세 척에 휩싸여 피섬 근처까지 밀리는 안위의 배. 위기다!
안위, 적이 주력하여 자신을 목표로 몰려들고 있음을 직감한다.
두려움에 온몸이 다시 떨려오는 안위, 본능적으로 뒤쪽 판옥선들을 돌아보며,

안위 (중얼거린다) 통제공께서 어인 심정이셨을지 이제 알겠구나.

안위, 다시 고함을 지르며 칼을 치켜들고 달려드는 적진으로 뛰어드는데,

S#63. 안위를 구하는 이순신 / 낮

본능적으로 안위 쪽을 돌아보는 이순신, 아뿔싸!
그의 시야로 해남 쪽 피섬 근처에서
적선 세 척과 맞붙어 치열하게 백병전을 벌이고 있는 안위의 배가 보인다.
안위의 배가 위기에 처했다!
더불어 적의 본대가 덮칠 듯 안위 배 쪽으로 향하고 있다.
당혹스러운 이순신, 구루지마가 자신의 배를 미끼로 물지 않았음을 간파한다.
나대용이 그런 이순신의 표정을 간파한다.

나대용 (낭패스러운 혼잣말) 장군의 노림수를 어찌 적들이…….

이때 이순신이 멀리 진도 쪽을 흘낏!
김응함의 배는 그럭저럭 적선들과 잘 교전하고 있다.

이순신 (결연히) 배를 돌려라! 안위를 구해야 한다!
저 피섬이 뚫리면 물살이 바뀐 너른 바다를 온전히 막아낼 수 없다!
송희립 (고함치며) 배를 돌려라! 피섬 쪽으로 즉시 이동한다!
이순신 화포를 이동하는 놈들의 주력 선단으로 집중시켜라!
빗맞아도 좋다! 안위의 배로 쉬이 접근하지 못하도록 하라!

거칠게 화포를 쏟아내기 시작하는 이순신 대장선. 긴박한 이순신의 얼굴.

CUT TO
들것을 들고 정신없이 격군실 무기고로 달려오는 두 사람. 김돌손과 오둑이.
그런데 텅 빈 무기고!
땡그랑! 대장군전(大將軍箭) 한 발만이 바닥에 흩어져 나뒹군다.

식겁한 두 사람, 서로를 황망히 쳐다만 보고.

CUT TO

안위 쪽을 초조하게 바라보는 이순신.

나대용과 김돌손이 함께 사색이 되어 이순신에게 달려온다.

나대용 장군! 무기고에 포탄이…… 대장군전 하나밖에는…….

이순신 (긴장감이 감돈다) …….

CUT TO

안위의 배, 안위가 죽을 각오로 칼을 휘두르고 있다.

여기저기 적들의 피로 물들어 있는 안위의 갑옷.

수적으로 열세인 조선 수군들이 왜병들에게 밀린다.

안위가 왜병 하나를 더 칼로 베고 주변을 둘러본다.

와아! 왜병들이 다시 몰려든다. 거의 패배가 확실한 형국.

안위의 배에서 격군들 7~8명이 자진해서 물로 뛰어들고 있다.

안위의 얼굴이 안타깝게 일그러지며 마지막으로 칼을 쥐는 손에 힘이 들어가는데,

그 순간, 함포 소리와 함께 몰려드는 왜병 한가운데 포탄이 작렬한다.

순간 안위가 돌아보면 대장선이 돌진해오고 있다.

이순신 갑판 위 남은 포탄들을 모두 쏟아부어라!
반드시 안위 배를 구해야 한다!

다시 작렬하는 대장선의 천자포와 지자포의 화포들.

적선 두 척이 연달아 깨져나간다.

안위 (감격하여) 장군…….

힘을 얻은 안위와 갑판 위 군사들이 다시 왜군들을 밀어붙이는데,

CUT TO

구루지마의 시야로, 멀리 안위 쪽으로 다가가는 이순신의 대장선이 보인다.

포격의 수가 줄어들다 마침내 멈추고 만다.
또한 배의 기동력이 현저히 떨어졌다.

구루지마 (싸늘한 미소로) 포탄이 떨어질 때도 되었지. 더구나 움직임까지 둔해졌구나. 기무라! 준비해둔 그 배를 써먹을 때다. 조용히 내보내라.

기무라 예! 주군!

CUT TO

안위 배를 바라보는 안타까운 표정의 이순신,
문득 대장선 쪽을 향해 곧바로 돌격해 들어오는 한 척의 세키부네를 발견한다.
이순신, 섬뜩함을 느낀다.
다가오는 배의 갑판 위에 사람은 없고 물기에 축축이 젖은
짚 더미들만 잔뜩 쌓여 있다.

이순신 (짚 더미 배를 가리키며) 나 군관! 저 배를 즉각 포격하라!

나대용 장군! 송구하지만 포탄이…… (바닥났습니다).

이순신 (격양되어) 사부(射夫)들을 위치시켜라.

CUT TO

불화살들이 허공을 가르며 빠르게 날아간다.
하지만 물에 축축이 젖은 짚 더미 탓에 배엔 불이 붙지 않는다.

이순신 (급히 부르며) 송 군관! 저 배를 피할 수 있겠는가?

송희립 (꺼리며) 장군! 송구하지만 배에 물이 많이 차올라 기동력이 많이 떨어졌습니다.

INS

물이 들이차고 있는 격군실 지하,
황보만이 물을 퍼 올리는 군사들을 독려하고 있다.

이순신 (낭패스럽다) …….

점점 다가오는 짚 더미 배…….

짚 더미 뒤, 키를 잡고 배를 몰고 있는 왜군관 가츠라가 보인다.

이순신 나 군관!

나대용 (달려와) 예!

이순신 마지막 남은 대장군전으로 저 배를 잡아라.
절대 놓쳐서는 아니 된다!

나대용 (긴장하며) ……!

CUT TO

멀찍이서 기무라가 냉소를 띠며 구루지마에게 말한다.

기무라 참으로 절묘한 시점에 보내셨습니다.
폭발력이 엄청날 겁니다.
이순신은 다 잡은 거나 다름없습니다.

구루지마가 차가운 표정으로 흥미롭게 지켜보고 있다.

CUT TO

짚 더미 배 안, 짚 더미 속으로 화약 더미가 수북이 쌓여 있다.
화면, 그런 갑판을 뚫고 그대로 하강하면 보이는 적선의 격군실.
조선인 포로들이 긴 쇠사슬에 굴비 엮듯이 목에 목갑이 채워진 채로 힘겹게 노를 젓고 있다.

왜군 격군장 (중앙 통로를 걸으며 마구 채찍질) 더 빨리 저어라!
게으름 피우는 놈은 가만두지 않겠다!

왜군 격군장이 채찍을 휘두르며 지나쳐 가면 보이는 한 조선인 포로.
탐망꾼 임준영이다!

CUT TO

해안 절벽 위 정씨 여인의 시선이 대장선으로 내닫고 있는 짚 더미 배를 보고 있다.
장군님이 위험하다! 정씨 여인이 본능적인 위기감에 어찌할 바를 모르는데,

CUT TO

이회와 김 노인 또한 위기감 속에 크게 상기되어 지켜보고,

CUT TO

이순신과 휘하 장졸들이 모두 숨죽이고 지켜보는 가운데.
오둑이 눈알만 데굴데굴 움직인다.
대장군전을 세밀히 조준하고 있는 나대용의 긴장된 얼굴.
화포의 각도를 재는 손이 떨린다.
나대용, 이순신이 그런 나대용의 손을 잡아준다.
이순신, 엷은 미소와 함께 조용히 고개를 끄덕이면, 나대용, 역시 고갯짓으로 응대.
마침내. 총통의 심지에 불이 붙고. 펑! 대장군전 발사!
날아가는 대장군전의 시야로, 빠르게 화면이 짚 더미 배로 날아간다.

CUT TO

쿵! 하는 벼락 소리와 함께 천장과 벽을 동시에 꿰뚫는 대장군전!
왜군 격군장이 맞아 흔적도 없이 사라져버리고,
뚫린 천장 쪽에서 짚 더미와 화약들이 마구 쏟아져 내린다.
놀라며 순식간에 혼란에 휩싸이는 격군실.

조선 포로 1 (고함친다) 쇠사슬이 끊어졌다!

대장군전 덕에 목갑 사슬이 풀린 조선 포로들이 몇몇 왜군들과 치고받으며 아우성!
더불어 목갑이 풀린 임준영, 쏟아져 내린 엄청난 화약들을 보며 놀란다.
문득 벽에 난 구멍으로 밖이 훤히 내다보인다.
임준영, 구멍 너머로 이순신의 대장선을 발견한다.
동시에 대장선에 타고 있는 준사와 눈이 마주치는 임준영.
안타깝게도 배가 침몰하지 않는다.
임준영, 사력을 다해 준사에게 이 배의 정체를 알린다.

준사 뭐라? 화약을 실은 자폭……선?

준사가 이순신에게 달려가 다급하게 보고한다.

심각한 표정으로 듣고 있는 이순신과 송희립.

빠르게 물살을 타고 다가오는 세키부네에 사부들이 활들만 올렸다 내렸다 전전긍긍,

이순신이 묵직하게 송희립에게 말한다.

이순신	희립아…… 중군장 김응함에게 신호를 보내거라.
송희립	예? 허나 중군장의 배는 너무 멀어…….
이순신	그 수밖에 없다. 속히 시행하라.
송희립	(잔뜩 상기되어) 기라졸은 듣거라!

송희립이 뛰어 내려간다.

CUT TO

아뿔사! 기라졸, 아무리 수신호를 보내도 김응함의 배가 응답이 없다.

기라졸	장군! 너울이 너무 심해…….
송희립	(난감하다) …….

CUT TO

눈치 빠른 임준영이 대장선의 수신호를 파악했다.

임준영, 김응함의 배를 쳐다보면,

멀리 보였다 사라졌다 그저 너울대고 있기만 한 김응함의 배.

조선 포로 1	(뚫린 구멍 쪽 임준영에게) 뭐하고 있당가. 어여 탈출혀야재.

조선 포로들이 격군실 뚫린 구멍을 통해 임준영을 지나 마구 바다로 뛰어내린다.

임준영, 망설이다 뛰어내리는 대신

뚝뚝 물이 떨어지는 짚 더미가 덮인 갑판 위로 올라간다.

CUT TO

갑판 위, 아무도 없다.

임준영의 시선 속, 자폭선이 빠르게 대장선으로 가까워지고 있다.

약 150여 보 앞.
임준영이 후미 키 쪽으로 이동한다.
그런데, 그곳에 키잡이 가츠라가 횃불을 치켜들고
막 화약통 심지에 불을 붙이려고 서 있는 게 보인다.
긴장된 시선 속 두 사람,
임준영이 횃불을 든 가츠라에게 순식간에 달려든다.
허나 순식간에 심지에 불을 붙이고 마는 가츠라.
심지가 타들어간다. 이내 벌어지는 두 사람의 혈투!

CUT TO

절벽 위 정씨 여인이 그런 임준영을 알아봤다!
순간, 미끄러지듯 절벽을 내달아 샛길을 타고 뛰어 내려가는 정씨 여인.

CUT TO

두 사람의 혈투 속, 마침내 임준영이 가츠라를 갑판에서 떨어뜨리는 데 성공한다.
다급히 키로 달려가는 임준영.
하지만 자폭선의 키가 쇠사슬로 묶여 있어 배를 돌릴 수가 없다.
쇠사슬을 풀려고 고전하는 임준영.

CUT TO

그런 임준영을 이순신과 대장선 사람들,
그리고 산 위 이회가 안타깝게 지켜보고 있는데,

CUT TO

이때 수풀 사이에서 뛰어나와 해안가 막다른 바위 끝에 다다른 정씨 여인.
가쁜 숨을 몰아쉬며 처음 듣는 날카롭고 괴상한 괴성을 내지른다.
임준영이 돌아본다.
정씨 여인과 임준영의 교차하는 시선.
안타깝고 황망하기 그지없는 두 사람.
이때! 바다로 떨어진 줄 알았던 가츠라가
갑판을 기어 올라와 임준영의 등에 칼을 꽂는다.
우욱! 휘청거리며 나뒹구는 임준영.

눈이 휘둥그레지며 놀라는 정씨 여인.

임준영, 이를 악물더니

자신의 칼을 가츠라의 허벅지에 박아 넣고 온몸으로 밀쳐버린다.

마침내 가츠라가 바다로 나가떨어진다.

CUT TO

피를 철철 흘리며 힘이 빠진 임준영, 도저히 묶인 쇠사슬을 어찌할 수가 없다.

애달프고 너무나 안타까운 표정의 정씨 여인.

임준영이 문득 자신의 피 묻은 칼로 김응함의 배를 가리킨다.

정씨 여인 !

CUT TO

임준영 다시 한번 크게 칼을 휘둘러 김응함의 배를 가리킨다.

임준영 (애타는 시선으로) 임자! 알아묵겄제.

결단코…… 이 배는 절대로 장군께 가면 안 되네.

자폭선이 물살을 따라 이미 대장선 1백여 보 앞까지 다가왔다.

화약통의 심지가 거의 타들어가고 있다.

임준영, 마지막까지 있는 힘을 다해 다시 한번 칼을 휘두르며

김응함의 배를 가리킨다.

임준영 (정씨 여인을 향해서, 고통스럽게) 임자!

얼른! 저짝 배…… 저짝 배가 볼 수 있게 얼른 뭐라도 흔들란 말일세!

CUT TO

정씨 여인이 마구 눈물을 쏟아내며 자신의 치마를 찢는다.

그리고 흔들기 시작하는데,

임준영 (피 흘리며 반색) 그렇지! 바로 그거네! 그거!

그러나 안타깝게도 김응함의 배에선 여전히 반응이 없다.
정씨 여인이 날카로운 괴성을 질러대며 더욱 크게 흔들기 시작하는데,

CUT TO

산 위, 이회와 김 노인 또한 절절하게 이 광경을 지켜보고 있다.

이회 어서! 우리도 함께 흔듭시다! 모두들! 어서!

산 위, 아낙들, 아이들까지 합세해 모두 옷을 벗어 흔들기 시작한다.
더불어 크게 함성까지 질러대는 산 위 사람들…….

INS

이순신 이하 대장선 갑판 위 장졸들은 초조하고 안타깝기 그지없는데,

CUT TO

화포를 재장전하라며 외치며 갑판을 뛰어다니던 김응함의 부장,
갑자기 눈이 휘둥그레진다.

김응함 부장 장군! 저길 보십시오!

장루 위 김응함의 시야로,
멀리 절벽 위에서 모든 사람들이 옷을 휘젓고 있는 것이 보인다.

김응함 저들이 왜 옷을 흔들고 있느냐.
김응함 부장 (곤혹스러워하며) 글쎄옵니다. 저도 잘…….
(문득 다시 눈이 커지며) 장군! 저기!

산 위 사람들 밑으로 웬 아낙이 중간치의 절벽에서 붉은 치마를 휘젓고 있는 게 보인다.

김응함 웬 아낙이…… (퍼뜩) 우리에게 뭔가 신호를 보내는 것 같지 않느냐.

김응함의 부장이 급히 장루 위로 뛰어 올라온다.

김응함 부장 (유심히 뭔가를 살피다) 장군! 너울이 심해 잘 보이진 않지만 대장선 쪽에서도 뭔가 신호를 보내고 있습니다.

부장의 시선이 대장선의 어렴풋한 신호를 따라 앞쪽으로 주욱 훑어가면,
웬 불타는 배가 너울대며 대장선을 향해 가고 있음이 보인다.

김응함 부장 장군! 아무래도 저기…… 저 불타는 배를 타격해야 할 거 같습니다.
저 아낙이 좋은 기준점이 될 듯합니다.

김응함 웬 아낙이 돕는구나. 속히 준비하라!

김응함 부장 (고함) 좌현 화포들은 저 여인을 기준으로 좌로 두 치 비껴 조준!

CUT TO

이순신과 대장선의 장졸들이 이 모든 상황을 긴장된 표정으로 지켜보고 있다.
자폭선이 이제 대장선과 50여 보 거리 앞까지 가까이 다가왔다.

CUT TO

김응함의 배, 고정된 정씨 여인을 중심으로 좌로 살짝 비껴선 화포의 조준 시야!
김응함의 부장이 마침내 고개를 끄덕이면,

김응함 발포하라!

펑펑펑!
일제히 발사된 포탄이 포물선을 그리며 날아간다.
펑! 펑!
그런데 제대로 영점조준이 되지 않아 포탄들이 한참을 빗맞아 바다로 떨어진다.
또한 너울 때문에 불타는 자폭선이 보였다 안 보였다 한다.

김응함 부장 (난색을 보이며) 이거 원…… 어찌 조준점을 잡아야 할지.

갑자기 정씨 여인이 울부짖으며 옆으로 내달리기 시작한다.
자폭선을 내려다보며 종종 멈춰서 연신 치마를 흔들며 조준점을 계속 유도한다.
마침내 인근 높은 바위까지 기어이 기어 올라가 다시 세차게 치마를 흔드는 정씨 여인.

김응함의 부장이 난감한 표정으로 화포를 조준하고 있다 문득 눈을 떼며 놀라,

김응함 부장 대체 저 여인이 어찌 조준 체계를…….
김응함 실로 천운이구나. 속히 화포를 저 여인을 따라 정조준하라!
김응함 부장 조준!

콰광! 마침내 자폭선 가까이 맞아 떨어지기 시작하는 포탄들,

CUT TO

자폭선이 대장선 20보 앞까지 가까워졌다.
어서…… 대장선 사람들, 산 위 사람들 모두가 초조하게 염원.
부웅! 다시 날아오는 포탄 하나. 주저앉아 있던 임준영이 그 포탄을 본다.
임준영, 마침내 뭔가를 직감하고 정씨 여인을 보며 웃는다.

임준영 (중얼거리며) 역시 화포장 따님이시네. 잘혔네.
(미소) 자네꺼정 이리 보고, 나 맘 편히 가네.

콰앙! 기어이 포탄이 자폭선에 명중한다.
엄청난 폭발과 함께 산산이 부서져서 격침되는 임준영의 자폭선.
또한 폭발력은 대장선까지도 크게 영향을 미쳐
대장선 측면 중앙에 크게 구멍을 내고 만다.
임준영의 흔적은 어디에도 없다.
눈물과 함께 바닥으로 무너져 내리는 정씨 여인.

INS

구루지마가 꿈틀! 그의 시선이 차갑게 구멍 뚫린 이순신 배에 모아지는데 - C.U.

대장선 위, 충격의 여파에 쓰러졌던 송희립이 일어나며 다급히 외친다!

송희립 (다급히) 장군! 적의 본대입니다!

급기야 구루지마가 본대를 안위 쪽에서 이순신 쪽으로 급선회했다.

이순신 쪽으로 덮칠 듯 다가오는 구루지마 함대.

CUT TO

맹수처럼 이빨을 번뜩이며 노려보는 해적왕 구루지마!
구루지마의 눈엔 이젠 이순신밖에 보이지 않는 듯하다.

INS

와키자카의 눈빛이 흔들린다.

INS

당황한 가토, 더욱 냉정히 예의주시하는 도도.

CUT TO

이순신 (밀려오는 구루지마 선단에 시선을 고정한 채) 모두 전투 대열로!

이미 갈라진 목소리의 송희립이 재차 고함친다.

S#64. 대장선의 위기 2 (회오리 바다) / 낮

와아! 서로 간의 함성들!
구루지마 선단의 모든 조총들이 일제히 불을 뿜기 시작하고,
김돌손 이하 사부들이 맹렬히 화살을 날린다.
그런데 구루지마의 안택선이 정확히 어딘가를 노리고 달려들고 있다.

CUT TO

물을 퍼내느라 여념이 없는 대장선 격군실.
대장선의 움직임은 정지에 가깝다.
황보만의 독려가 너무 안타깝다 못해 처절한데,
저, 저기! 한 격군이 놀란 눈으로 외친다.
뚫린 구멍 너머 적의 안택선이 정확히 파손된 곳을 노리며 치달려 오고 있다.

황보만 모두 노를 잡아라!

INS

구루지마가 짧게 그로테스크한 미소를 날린다.

이순신 !

황보만의 몸부림!

이순신 대 구루지마! 구루지마 대 이순신!

그들 사이의 거리는 불과 한 호흡!

격군들의 몸부림!

대장선은 전혀 움직일 기미가 보이지 않고!

구루지마 안택선이 마침내 이순신의 대장선에 세차게 부딪히는 찰나!

CUT TO

도도 (마침내 벌떡 일어서며) 이순신은 이제 끝이다!

CUT TO

갑자기 이순신의 대장선 밑바닥에서 거세게 치솟으며 올라서는 물결!

회오리다!

순식간에 다른 회오리들이 합쳐지며 크기와 에너지가 몇 배로 불어난 회오리 바다!

그 회오리 바다가 이순신의 대장선과 구루지마의 안택선을 돌려버린다!

이회와 김 노인!

회전하는 대장선의 좌측면을 쓸듯이 스치고 지나가는 구루지마의 안택선.

구루지마의 안택선이 대장선 측면에서 들어서던 세키부네를 들이받는다.

산산조각이 나는 세키부네!

대장선이 크게 요동치며 다수의 군사들이 바닥으로 쓰러진다.

격군실의 격군들도 거의 모두 노를 놓치고 쓰러진다.

이순신조차도 누각에 나뒹구는데.

구루지마 (고함치며) 어서 배를 돌려!

격분한 구루지마가 마침내 칼을 빼 들고 갑판으로 뛰어 내려온다.
대장선을 감고 있던 거센 회오리 바다가 구루지마의 안택선마저 삼키고 있다.
안택선이 회오리의 힘으로 천천히 돌더니, 마주 돌던 이순신의 대장선과 쿵! 다시 거세게 충돌한다.
양쪽 배의 군사들이 모두 쓰러진다.
모든 배들이 얽히고설키며 한마디로 진영이 엉망이 되어버렸다.
안위의 배가 암초에서 튕겨 나온다.
회오리 속, 제멋대로 회전하고 있던 이순신의 대장선과 구루지마의 안택선.
두 배가 둔탁하게 다시 들러붙으며 상하로 크게 요동친다.

이순신 백병전이다!
구루지마 (칼을 치켜들고) 돌격해!

(느린 화면) 와아아! 맞닿아 있는 뱃머리로 개미 떼처럼 넘어가는 에히메 왜병들.
대장선 위에서 양측 군사들이 순식간에 뒤섞여 백병전이 벌어진다.
안위의 배와 나머지 세키부네들까지 회오리의 여파에 요동치고 있다.
화면 전체가 요동치며 대혈전이 이어진다.

CUT TO
중군의 와키자카가 벌떡 일어선다!

와키자카 (본능적으로) 구로다! 어서 배를!
구로다 (급히 알아채고) 지원할까요?

와키자카, 갑자기 명령을 내리던 손을 애써 힘주며 접는다.

와키자카 (애써 다시 자리에 앉으며) 아니다. 아니야. 좀 더 지켜보자.
구로다 ……?

CUT TO
도도와 가토가 일어서서 미동도 없이 지켜보고 있다.

가토 (조심스레) 지원해야 되지 않을까요?

도도가 대답을 하지 않고, 급기야 피식피식 웃기 시작하는데.
더 이상 말을 잇지 못하는 가토.

CUT TO

그저 멍한 송여종의 시선으로,
멀리 뿌연 연기 속에서 마구 뒤엉킨 배들이 보인다.
사색이 된 송여종, 문득 이상한 느낌에 시선을 돌리면.

모든 장졸들이 뚫어지게 대장선이 아닌 바로 자신을 쳐다보고 있다.
등골이 오싹해지는 송여종.

CUT TO

대장선 격군실,
천장 위로 갑판 위 군사들의 비명 소리와 발소리가 공포스럽게 들린다.
콰앙! 땀과 피에 절은 김돌손이 격군실로 뛰어 들어온다.
김중걸이 화들짝 놀란다!

김돌손 (다급하게) 수가 부족하구만! 어여 모두 갑판 위로!
백병전을 지원하랑께!

우당탕! 어수선한 배. 이젠 모든 격군들까지 노와 창을 주워들고 갑판 위로 올라간다.
그 와중에도 눈치를 살피며 뒤로 빠지는 김중걸.
텅 빈 격군실에 덩그러니 서서 안절부절못하는 김중걸.
퍼뜩! 수봉이 생각이 난다. **수봉아!** 수봉이를 찾지만 보이지 않는다.
수봉아…… 수봉아…… 거의 울다시피 수봉이를 부르는 김중걸.

CUT TO

갑판의 상황은 그야말로 아비규환!
그 속에 수봉이가 있다. 거친 호흡을 뿜어대며 내달리고 있는 수봉이.
아버지의 갑옷이 반쯤 찢겨나가 있고, 수봉이 누군가에게 쫓기고 있다.
절뚝거리며 수봉이를 쫓고 있는 왜군관, 수봉이의 단도가 발등에 찍혀 있다.
쫓기던 수봉이가 몇몇 병사들에 치이다 난간으로 나뒹군다.

더 이상 달아날 곳이 없다.
수봉이 기다시피 피해보려 하지만…… 기어이 쫓아온 왜군관 1,

왜군관 1 (격분하여) 이 쥐새끼 같은 놈!

칼을 높이 치켜드는데,
퍼억! 왜군관 1의 얼굴을 올려치는 노 한 자루!
왜군관 1, 그대로 등 뒤 여장을 넘어서 바다로 떨어진다.
오둑이다.

수봉이 ……?
오둑이 (한마디 툭) 살아 돌아가자우.

순식간에 사라지는 오둑이. 그 뒤로 허겁지겁 김중걸이 나타난다.

김중걸 (수봉이를 잡고) 괜찮어? 수봉아!

수봉이가 부들부들 떨면서도 다부지게 김중걸을 쳐다본다.

김중걸 (털썩 나앉아 수봉이를 꽉 움켜잡으며) 너 인마!
다음 생에는 꼭 양반으로 태어나라!
그래서 꼭 장군 돼라. 이놈이 이거 나라를 구할 놈 아니여?

와락! 수봉을 껴안는 김중걸.
급기야 수봉과 함께 노를 치켜들고 일어서는 김중걸. 그의 표정이 매섭게 변해 있다.

CUT TO
이미 형체를 알아보기 힘들게 찢겨져나간 초요기.
이순신이 가쁜 호흡을 뱉어내며 뒤쪽 판옥선들을 쳐다보고 있다.

이순신 (뒤를 보며 안타깝게 되뇐다) …… 오지 않고 뭘 하느냐.
내가…… 회오리가…… 구선을 대신하고 있지 않느냐.

INS

멀리 파도에 출렁이며 여전히 꿈쩍하지 않는 판옥선들…….

CUT TO

포효하며 앞을 막고 있는 다른 왜병들을 뚫고 대장선으로 달려가는 구루지마.

구루지마 비켜라! 길을 열어!

왜병들이 구루지마를 보고 기겁하며 비켜선다.
주군! 주군! 기무라가 구루지마를 따라붙으며 뭔가 호소하고 있다.
그러나, 아랑곳하지 않고

구루지마 이순신! 기다려라!

앞에서 걸리적거리는 왜병마저 베어내며 구루지마가 뱃머리로 뛰어올라 대장선으로 넘어가려는 순간.
펑!
구루지마가 순간 균형을 잃는데,
놀랍게도 송여종의 배가 한 마장 밖에 다가와 함포를 쏘았다.
평산포 대장 정응두의 판옥선이 그 뒤를 따르고 있다.
이순신의 눈빛이 강하게 살아난다.

구루지마 기무라! 어서 저놈들을 따라붙어라!
기무라 (좌절하며) 주군…… 우리 배들이 이미…….

거센 회오리에 이미 그의 선단이 모두 붕괴되고 엉켜버렸다!
아차! 싶은 구루지마.
진열이 완전히 붕괴되어 더 이상 자신의 명령을 수행할 배가 보이지 않는다.
충격적인 듯 구루지마의 입술이 파르르 떨린다.

기무라 주군…… 시, 시급히 지원을 요청하심이…….
구루지마 …….

구루지마의 눈에 그저 멀리서 지켜만 보고 있는 와키자카의 배들이 보이고.

구루지마 (냉소하며) 네놈은 아직도 눈치가 없구나.
올 테면 진작 왔을 것.

해적왕 구루지마. 마침내 그의 표정이 차가운 냉소로 변해가는데…….

CUT TO

다시 연이어 (회오리를 다소 비켜난 거리의) 송여종과 정응두의 판옥선에서 함포가 마구 쏟아진다!
날아온 포탄에 엉켜 있던 적선이 한꺼번에 부서져나가기 시작한다.
구루지마의 안택선 또한 측면 중앙에 포탄 여러 발이 차례로 꽂히고.
구루지마 안택선의 격군실 한쪽 벽이 완전히 박살 난다.
우우웅…… 이때 다시 느리게 일어서기 시작하는 회오리.

CUT TO

산 위, 김 노인의 눈시울이 뜨거워진다. 입술이 떨리며,

김 노인 (글썽거리며) 구, 구선이…… 부활했어.
(휘적거리며 걸어 나오며 알 수 없는 외침) 구선이 부활했다!
구선이 부활했어!

이회가 김 노인이 외치는 소리에 바다를 쳐다보는데,

CUT TO

철썩! 거칠게 다시 치솟는 회오리 바다.
일렁이는 수중 속 화면에서 마치 이순신의 대장선이 구선의 환영이 되어
적선들을 돌파하며 넘나드는 듯하다.
끼이익. 측면이 너덜너덜해진 구루지마의 안택선이 회오리의 힘을 버티지 못하고 침몰하고 있다.

CUT TO

이회, 김 노인의 외침을 온전히 이해하고 역시 눈시울이 뜨거워지는데.

CUT TO

도도가 홀린 듯 그저 멍하니 바라보고 있다.

가토 역시 홀린 듯 사라져가는 구루지마의 안택선만을 바라볼 뿐.

CUT TO

구루지마 (특유의 쉰 듯 거친 목소리로 포효) 이순신!

구루지마가 온 힘을 다해

회오리를 타고 빠르게 다가오는 이순신의 대장선으로 뛰어오른다.

쉬이익! 날아드는 화살들.

같이 뛰어오르던 기무라가 화살을 통째로 맞고 바다로 떨어진다.

구루지마 ……!

쉬익! 다시 구루지마를 향해 날아오는 화살.

구루지마가 칼을 휘두르면. 화살들이 두 동강이 나서 떨어지는데.

쉬이익! 이번엔 더욱 무수한 화살이 구루지마에게 덮치듯 날아든다.

투투툭…….

수많은 화살들이 구루지마에게 꽂힌다.

송희립이 주도하는 사부들의 화살들이다.

대장선 위, 마지막 남은 왜군들의 안쓰러운 몸부림이 보이다 사라진다.

(느린 화면) 쌍칼을 쥔 준사가 천천히 구루지마 앞에 모습을 드러낸다.

준사 …….

구루지마 …… 너, 너는 대체.

목을 베기 위해 쌍칼을 크게 벌리는 준사.

구루지마 왜놈이냐. 조선 놈이냐!

갑자기 포효하는 구루지마,

준사가 포효하며 내려치는 구루지마의 칼을 막아서다 옆으로 튕겨 나가고.

이순신 !

구루지마, 그대로 다시 이순신에게 돌진한다.
온몸에 화살이 박힌 채 돌진하는 그의 괴력이 놀랍다!
다시 한번 이순신! 구루지마! 구루지마! 이순신!
촤락!
느닷없이 파란 하늘 위로 난(蘭)잎처럼 그려지는 붉은 핏줄기!
텅! 구루지마의 도깨비 투구가 바닥으로 떨어져 구른다.
머리가 없는 구루지마의 몸통이 이순신 앞으로 털썩 무릎을 꿇는다.
이순신의 검이 구루지마의 목을 베었다.
모두가 조용하다.
송희립, 나대용, 안위, 도도와 가토마저도…….

INS

(느린 화면) 서서히 자리를 박차고 일어서는 누군가.
와키자카다. 천천히 일어서는 그의 표정이 사뭇 비장하다.
(정속 화면) 쿠우웅! 순간 다시 회오리에 휩쓸리며 크게 요동치는 대장선!
급히 난간을 붙잡는 이순신. 이내 표정이 싸늘해지는데,
뿌우! 때마침 들려오는 낯익고도 기분 나쁜 긴 쇠나팔 소리.
모두가 얼어붙는다! 새로운 적들이 몰려들고 있다는 신호다.
이순신 주변을 돌아보면,
구루지마의 잔선들이 이미 송여종, 정응두의 판옥선들과 들러붙어
치열한 각개전을 벌이느라 여력이 없다.

CUT TO

격군실 안, 격군들과 황보만의 사투에도 불구하고,
이순신의 대장선이 파손된 부위에 물이 더욱 밀려들며 꿈짝을 하지 못하고 있다.
계속 들려오는 쇠나팔 소리.

김중걸 (초췌해져) 정말 씨발…….
(눈물 뚝뚝) 끝이 없구나. 끝이 없어…….

CUT TO

마침내 이순신이 천천히 갑판 위 병사들을 쳐다보면,
송희립이 부들부들 떨며 이순신을 쳐다보고 있다.
아니, 모두가 이순신만을 바라보고 있다.
이순신, 묵묵히 사람들을 스쳐 지나 맨 앞 선수 쪽으로 다가가서면,
와키자카의 중군 선단이 열을 지어 압도적으로 몰려오고 있음이 보인다.
갑판 위를 다시 둘러보는 이순신,
포탄이 바닥났다. 화살이 바닥났다. 모든 쏠 수 있는 무기가 바닥났다.
갑자기 대장선이 기우뚱! 엎친 데 덮친 격으로 새로 발생한 회오리가 대장선을 끌고 들어가고 있다.

CUT TO

빠르게 전장을 살피는 와키자카!

와키자카 (미소) 천우신조의 기회가 아닌가.
저들은 무기마저 떨어지고 전혀 진열을 갖추지 못하고 있어.
(확신하며) 이순신! 더 이상 네놈이 할 수 있는 것은 아무것도 없다!

돌아보는 와키자카의 시야로 좌우로 늘어선 자신의 선군 20여 척이 보인다.
또한 뒤를 돌아보면 30여 척이 함께 돌진해오고 있다.
뒤쪽 자신의 안택선에선 구로다가 화포 준비가 끝났다는 신호를 보내온다.
구루지마의 잔병들이 또한 기대 이상으로 이순신과 판옥선들을 물고 늘어지고 있다.
요시! 와키자카의 얼굴에 자신감이 넘쳐흐른다.

와키자카 모두 한꺼번에 몰살시켜주마.
조금만 더! 내 기필코 한산의 빚을 갚아주리라!

뿌우! 다시 기세 좋게 길게 울리는 와키자카 배들의 긴 쇠나팔 소리.
위압적으로 밀려오는 와키자카의 선단.
갑판 위, 나대용이 온몸이 굳은 듯 칼을 내려놓는다.

나대용 (착 가라앉은 목소리) 장군…… 적의 중군 대선단(大船團)입니다.
송구하지만 이젠 더 이상…….

그의 목소리가 여느 때와 다르다. 이순신, 그의 얼굴을 쳐다본다.
이순신, 본능적으로 주위를 돌아보면,
갑판 위, 모든 장졸들이 그를 쳐다보고 있다.
모두가 죽음을 예견하고 있다.
적선들이 파고를 가르는 소리가 크게 들려온다.
그런데 이때 이순신의 시야에 놀라운 일이 벌어진다.
모두가…… 장수와 병사들 모두가…… 오둑이도 웃고 있다.
송희립이 빙긋이 웃는다.
모든 장졸들이 빙긋이 웃으며 그를 쳐다보는 듯하다.
정말 잘 싸웠다고. 정말 후회 없이 싸우다 죽게 되어 장군께 감사드린다고…….
대장선이 점점 회오리에 말려들며 더욱 기울어간다.

이순신 (먹먹하다) …….

(느린 화면) 이순신, 묵묵히 그들을 스쳐 지나간다.
장군……. 송희립이 나직이 부른다.
장군 참말로 후회 없이 싸웠소. 고맙소이……. 김돌손이 말한다.
해안가에 이회가 눈물을 흘린다. 정씨 여인이 눈물을 흘린다.
산 위의 김 노인도 눈물을 흘린다. 모두가 눈물을 흘린다.

이회 (굵은 눈물을 흘리며) 아버님……. 여기까지 온 것도 실로 기적이었습니다.

이순신이 묵묵히 장루 위에 올라선다.
거대한 적의 함대가 이순신의 대장선을 깨부술 듯 다가오고 있다.
적의 모든 배들이 일제히 함성을 지르며
조총을 겨누고 이순신을 향해 달려들고 있다.
모두가 이순신의 마지막 말을 기다리고 있다.

이순신 모두…… (목이 콱 막혀온다) 모…….

이때 대장선 좌측 여장(전선 낭간)쪽으로 턱턱턱! 내걸리는 수십 개의 갈고리들!
갈고리를 돌아보고 기겁하는 송희립과 군사들.

송희립, 모두들, 이젠 정말 죽었다는 기분.
그런데! 여장 너머를 초연히 내려다보던 송희립의 몸이 부르르 떨린다.

송희립 (아래를 가리키며) 자, 장군…….

이순신이 처연한 표정으로 내려다보면,
놀랍게도 우리 어선들이다!

조태식 장군님! 저희가 끌겠습니다요!
오계적 저희가 돕겠습니다요! 장군님!

어선 20여 척이 갈고리를 건 것.
조태식, 조문옹, 오계적, 오극신 부자, 그리고 사람들.
전혀 기대하지 않았던 백성들이다! (다른 음악 시작)
장루 위, 이순신 뭔가 뜨거운 것이 올라온다.

이순신 (붉어진 눈시울로 일갈한다) 모두 전투 위치로!

송희립의 눈이 번쩍 뜨인다.

송희립 (고함) 모두 전투 위치로!

우르르! 모두가 갑자기 최면에서 깬 듯 깨진 수마석, 몽둥이, 칼들을 마구 치켜들고
반대편 여장 쪽으로 달려간다.
오둑이 양쪽 손에 수마석을 묵직이 챙겨들고 있고.

CUT TO
팽팽하게 당겨진 갈고리의 줄들!
(깨진 구멍 덕에) 격군실에도 갈고리 줄들이 걸렸다.
어선 위의 백성들이 있는 힘을 다해서 노를 젓는다.
대장선 위에선 더 이상 쓸모없어진 화포들을 바다로 내던지고 있다.
오둑이 김돌손과 함께 젖 먹던 힘까지 쓰고 있고,

CUT TO

난장판의 격군실이 후끈 달아올랐다.

피가 범벅인 손으로 힘차게 노를 젓고 있는 격군들.

수봉이와 김중걸의 손도 피범벅.

황보만 (통로를 횡단하며) 간다! 간다! 잘하고 있어!

어영차! 어영차! 모두가 하나가 되어 사력을 다하고 있다.

INS

회오리에 딸려 들어가던 대장선이 아주 서서히 멈추기 시작한다.

CUT TO

산 위, 이회가 이 광경을 지켜보고 있다.

말로 형언할 수 없는 그의 표정.

CUT TO

초조한 표정으로 지켜보고 있는 와키자카.

와키자카 더 속도를 내지 않고 뭐하는가!
놈들이 진열을 갖추기 전에 몰아붙여야 한다!

구로다 장군! 물살이 바뀌어서…….

와키자카 (버럭) 누가 그걸 모르는가!

CUT TO

더욱 힘을 짜내는 격군들. 격군들도 그야말로 혼신의 힘을 짜내고 있다.

마침내 아주 천천히 반대로 돌아서기 시작하는 대장선.

CUT TO

거센 역류 속, 와키자카의 선단이 힘겹게 속도를 내고 있다.

부서진 배들의 파편과 떠내려오는 시체들도 와키자카의 선단을 힘들게 한다.

와키자카 (잔뜩 초조한 표정) 속도야 속도! 속도만이 필승의 길이다!

신경질적으로 전장을 쳐다보다 와키자카, 중형의 세키부네들이 자신의 안택선보다 빨리 치고 나가는 것이 보인다.

와키자카 (다짜고짜) 세키부네를 타고 내가 앞장서야겠다.
넌 속히 화포들을 준비시켜라.

구로다 예! 장군!

와키자카가 급히 장루를 내려간다.

CUT TO

쿠우욱! 마침내 대장선에서 회오리가 빠져나간다.
동시에 기울어졌던 대장선이 탄력이 붙으며 용수철처럼 수평을 유지하며 튕겨 오른다!
격군들이 두 손을 번쩍 들고 환호한다.
바다 위 백성들과 갑판 위의 군사들이 환호한다.
그런데, 갑자기 환호하던 조태식이 피를 토하며 바다로 나가떨어진다.
바다 위에서 휘적거리던 왜장 하나가 어선 위로 올라타려 한다.
아비 조문옹이 울부짖으며 낫을 들어 왜장을 찍어내는데,
동시에 바다 위 백성들이 적들과 한바탕 전투를 치르기 시작한다.
이순신이 끈질긴 잔적들을 보고 외친다.

이순신 (결연하게) 희립아! 놈들의 대장의 수급을 초요기에 내걸어라!

송희립 예! 장군!

S#65. 구루지마 효시 / 낮

세키부네를 타고 전진하던 와키자카, 얼굴이 굳는다.
이순신의 대장선 높은 곳에 세워져 펄럭이고 있는 초요기.
놀랍게도 그 창끝에 구루지마의 수급이 꽂혀 있다.
잔류해 싸우던 구루지마 병사들이 싸늘하게 굳어 급격히 전투력을 상실한다.

바다 위에서 민초들의 활약이 단단히 한몫을 하고 있다.
덕분에 기동이 여러모로 자유로워진 대장선과 나머지 판옥선들.
애써 싸늘하게 미소 짓는 와키자카.

와키자카 동요하지 마라!
이제부턴 우리가 선봉이다!
승리의 영광이 반드시 우리에게 있다!

뿌우! 일제히 쇠나팔과 북을 치며 다시 기세 좋게 치고 나가는 와키자카 선단.

S#66. 나머지 판옥선의 가세 / 낮

기진맥진해 돌진해오는 적 선단을 바라보고 있던 사부 김돌손이 갑자기 눈이 번뜩!

김돌손 장군! 우리 배, 배들이 오고 있습니다!

돌아보는 이순신.
나머지 장졸들도 급히 고개를 돌리면,
마침내 나머지 판옥선 7척이 다가오는 것이 보인다.
어째 맨 후미의 김억추의 표정은 좋지 않은데.

이순신 …….

CUT TO
후군 쪽 총대장 도도와 가토의 안색이 잔뜩 상기되어 있다.

가토 나머지 배들이 가세하고 있습니다.
도도 (무언가 홀린 듯) 저게 혹…… 놈의 전술이었느냐?
가토 (말을 하지 못하고) …….
도도 (애써 태연하게) 속히 후군을 보내라.
후군을 보내서 와키자카를 지원하라.

가토 예, 쇼군.

CUT TO

송희립이 황급히 이순신에게 다가온다.

송희립 장군! 우리 함선들이 적의 잔병들과 백성들까지 마구 뒤엉켜 있습니다.
속히 배들을 뒤로 물려 나머지 배들과 함께 진열을 갖추시는 게…….

이순신 아니다. 우리가 물러서면 저들은 어찌 되겠느냐.

바다 위 잔적들을 소탕하는 조태식, 오계적 등, 어선들의 활약들이 돋보이는데.
바다 위엔 적선의 잔해와 허우적대는 왜병들과 시신들이 광범위하게 퍼져 있다.

송희립 장군! 아니면 우리와 백성들 모두가 몰살입니다.
우린 이제 막 구사일생으로 사지(死地)를 벗어났습니다.

이순신, 묵묵부답이다.
장군! 이번엔 나대용이 다가와 어찌할 것인지 묻는다.
장군! 다시 이번엔 김돌손 이하 병사들까지 어찌할 것인지 이순신을 쳐다본다.
바다 위, 조태식이 고함치며 불쑥 튀어 오른 적(기무라)의 창에 바다로 고꾸라진다.
고꾸라지는 조태식과 시선이 마주치는 이순신.
이어 그 아비 조문옹의 눈물 어린 사투가 이어지는데.
온전히 일어선 물살에 빠르게 죽어 떠 있는 수많은 시체와 잔해들이 휩쓸려 가고 있다.
갈기 선 거센 물살.
이순신, 다가오는 적선들과
뒤에서 또한 다가오는 다섯 척의 아군 판옥선들을 번갈아 쳐다본다.
이회가 막다른 절벽 앞까지 달려와 외친다.

이회 (고함) 어서 배들을 빼내야 돼! 아버님!

이순신이 멀리 김 노인 쪽을 쳐다본다.

김 노인 장군. 설마…… (눈물이 그렁그렁) 아니 되오. 그래선 아니 되오.

김억추 (다가서며 인상을 쓴다) 대체 왜 저러고 있는 게야?
또 무슨 꿍꿍이를 꾸미려고.

저만치 안위가 이순신의 모습을 보며 뭔가를 깨달은 듯 눈시울을 붉히며 입술을 깨문다.
이순신이 결연히 돌아서 장루를 내려간다.

이순신 (고함) 모든 함선에 전하라!
황보만! 황보만에게 전하라!

S#67. 충파 / 낮

판옥선들과 민초들이 뒤엉켜 싸우고 있는 전장 가까이 돌진해 들어온 와키자카.
어찌 된 일인지 화포 한 방을 쏘지 않고 있는 이순신의 선단.
와키자카의 얼굴에서 강한 회심의 미소가 번진다.

와키자카 (중얼거리며) 이렇듯 가까이 화포에 저항도 받지 않다니.
이순신 네놈이 문제가 있어도 뭔가 단단히 있는 모양이구나.

거의 1백여 보까지 가까워진 서로 간의 거리.

와키자카 (반색) 지금이다! 조총을 퍼붓고 속도를 더욱 높여라!
왜군관 허나 장군…… 아직 저기 우리 함선들도…….
와키자카 저것들은 해적들이다. 개의치 말고 사격하라!

일제히 사격 태세에 들어가는 와키자카 선단!
호기롭게 대통(大筒)까지 다시 선보이는데,

와키자카 (마침내 싸늘한 미소) 잡았다! 이순신!

CUT TO

맨 선두의 대통 부대.

대통을 조준하고 있던 왜병이 별안간 조준관에서 얼굴을 뗀다.
서서히 공포에 휩싸이며 동공이 확장하는 왜병.
쿠쿠궁!
그 왜병을 그대로 때리며 화면 안으로 밀고 들어오는 이순신의 대장선!
대장선 뱃머리의 도깨비(치우천황)상이 C.U.되어 치고 들어온다.
12척의 판옥선이 어선 위 민초들을 뒤로하고
물살의 탄력을 받으며 일제히 돌진해 들어오고 있다.
순간, 본능적인 서늘함이 와키자카를 덮치는데,

와키자카 추, 충파(衝破)!
저, 저것들이! 다같이 죽자는 것이냐!

콰콰쾅! 판옥선들이 일제히 적선들을 들이받는다.
김 노인의 뜨거운 시선.
주저앉는 이회.
산 위 민초들의 안타까운 울부짖음.

CUT TO
대장선 격군실 안이 통째로 흔들린다.
갑판 위 이순신과 오둑이, 병사들이 함께 갑판 위를 나뒹군다.
굴러떨어지는 화포들에 손발, 몸이 짓이겨지는 병사도 있다.
대장선 이물이 적선을 짓이기며 올라탄다.
충격에 투구마저 날아가버린 이순신.
대장선 격군실 문이 부서져나간다.
김중걸이 노를 젓다 튕겨 나간다.
수봉이 온몸으로 노를 잡고 버틴다. 버텨라. 버텨라. 제발 판옥선아…….
거센 물살에 해일이 해안을 덮치듯 마구 부딪치며 나아가는 12척의 판옥선들!
문득 안위의 판옥선에서 지자포가 작렬한다.

와키자카 저, 저것들이!

동시에 일제히 모든 판옥선에서 쏟아지는 비격진천뢰와 지자포의 포성!

안택선 위 구로다가 미동도 못 한 채 그저 멍한 표정으로 하늘만을 바라보고 있는데.
이어 자욱한 포연 속에 통째로 가려져버리는 전장.
포탄 소리만이 난무하고.

CUT TO

이회와 산 위의 백성들, 포연 속에 가려져버린 전장을 애타게 지켜보는데,

CUT TO

자욱한 포연 속, 후군의 도도가 시선을 뗄 줄 모르고.

CUT TO

포연이 자욱한 명량 바다. 이내 바람이 분다.
바람에 포연이 걷히며 선명하게 열리는 전장의 풍경,
눈앞에 펼쳐진 도저히 믿을 수 없는 광경.
길게 늘어선 왜선들이 뒤얽힌 채 포격에 마구 부서지고 방향도 틀지 못한 채
뒤로 노를 저으며 도주하고 있다. 왜군 중군의 절반이 격침된 상황.
와키자카의 안택선은 화포 한 방 쏘아보지 못하고 부서져 있고,
(갑판 위엔 구로다의 투구만이 나뒹굴고 있다.)
산 위의 모든 사람들이 그저 그렁그렁한 눈빛으로 쳐다볼 뿐인데.

CUT TO

멍하니 쳐다보던 도도가 갑자기 움찔! 그 옆으로까지 포탄이 떨어졌다.

도도 (중얼거린다) 이순신…….
(퍼렇게 질린 채) …… 후퇴하라.
가토 (할 말을 잃은 채) …….

CUT TO

적진에 길게 울려 퍼지는 후퇴의 쇠나팔 소리.
미처 뱃머리를 돌릴 겨를도 없이 뒤로 그대로 달아나는 적선이 태반이다.
와키자카가 바다에 빠져 허우적거리고 있다.
간신히 패주하는 적선에 올라타는 와키자카.

도주하는 적선을 함포로 계속 격파해나가는 판옥선들.

S#68. 승리 / 해 질 녘

만세! 만세! 만세 소리와 함께 감격의 눈물을 흘리는 바다와 산 위의 백성들.
깊이를 알 수 없는 눈물을 끝없이 흘리는 이회.
주체할 수 없는 울음과 함께 주저앉아 버리는 김 노인.

CUT TO

패주하는 적들을 맹렬히 몰아붙이는 판옥선들,
대장선 장루에 선 이순신의 시야로 저만치 패주하기 바쁜 적선들이 보인다.
등 뒤에서는 아직도 왜병들의 비명 소리가 들려온다.
물살과 함께 묵직하게 전진해가던 이순신.

이순신 (문득) 멈추어라! 배를 돌려라!
송희립 예서 멈추시렵니까?
이순신 마침 물살이 다시 돌아섰으니…….

둥! 둥! 둥! 길게 북을 치는 군사.
마침내 12척의 판옥선이 일제히 뱃머리를 돌린다.
뱃머리를 돌리자 다시 고요해진 바다 위,
판옥선이 지나온 바다 위에 파괴된 적선들과 죽은 왜병들의 시신들이 가득하다.
각 전선마다 부장들이 갑판 위를 뛰어다니며
두 손을 치켜들어 사방측량(四方測量)을 한다.
김돌손 역시 사방측량을 하다, 문득 곁에 오둑이가 없음을 알아차리고 두리번,
오둑이의 찢겨진 모자만이 갑판 위에 나뒹굴고 있고.

나대용 (감회에 젖어) 죽은 적을 헤아리는…… 사방측량이옵니다.
실로 오랜만에 보는 풍경 아니옵니까?
이순신 그렇구나…….

이때 어디선가 묵묵한 목탁 소리가 들려온다.
혜희가 목탁을 치며 조용하게 염불을 외고 있다.
혜희를 제지하려 나서는 송희립, 이순신이 만류한다.
창끝에 걸려 있는 구루지마의 효시.
해적왕 구루지마의 머리카락이 쓸쓸히 바람에 나부낀다.

이순신 (담담히) 적장의 수급을 내려주고, 돛을 올려라!

망신창이가 된 대장선의 부러지지 않은 돛 하나가 경쾌한 소리를 내며 펼쳐진다.
기워진 돛이 인상적이다.

CUT TO
격군실의 격군들이 노를 놓고 앉아서, 혹은 누워서 휴식을 취하고 있다.
서로 마주 보고 껄껄껄 웃는 격군들. 저마다 잡담들.
나중에 우리 후손아그들이 우리가 이리 개고생 한 것을 알까?
모르면 참말로 호로자슥들이재! 그들의 수다가 의미심장한데.

CUT TO
저무는 석양 속, 이순신이 뱃머리로 걸어 나가 산과 바다를 쳐다본다.
멀리 바닷가, 물가에 서 뭔가(그녀가 준 나무 부적)를 주워 들고 울고 있는 정씨 여인이 보인다.

이순신 …….

이순신 착잡한 시선을 돌리면,
멀리 해안 절벽 위, 말없이 고개 숙여 절하는 아들 회가 보인다.
석양의 햇살이 반사되어 보이는 명량,
장군! 장군!
멀리 산 위에서, 바다 위에서 감격에 젖어 마구 손을 흔드는 백성들이 보인다.
큰절을 올리는 백성들의 무리도 보이는데.
이순신, 문득 울돌목이, 아니 이 모든 것이 마치 꿈과 같다.
천천히 눈을 감는 이순신. 다시 이 모든 걸 소리로 깊이 느껴본다.
툭! 누군가 이순신의 등을 건드리는 손.

이순신이 돌아보면 수봉이가 서 있다.
수봉이 허리춤에서 쪄놓은 토란을 꺼내 내민다.
토란을 받아서 한 입 먹는 이순신.

이순신 먹을 수 있어…… 좋구나.

수봉이 씨익 웃으며, 이번엔 찌그러진 이순신의 투구를 앞에 내민다.
김돌손이 오둑이 모자를 부여잡고 흐느끼고 있다.
그런데 누군가 툭! 누군가 손을 민다.
바로 눈알 부리부리 오둑이다. 모자를 달라 한다. 급격히 화색이 도는 김돌손의 얼굴.

CUT TO
이순신과 12척의 판옥선이 저마다 영광의 상처를 간직한 채 종렬의 대형을 유지하며 석양이 짙게 물든 서쪽을 향해서 조용히 나아간다.
일체의 미동도 없이 장루에 앉아 있는 이순신에게서 깊은 피로감이 느껴진다.
조용히 그의 곁으로 가 앉는 수봉이. 이순신이 바라보는 곳을 따라 보면,
붉게 물든 태양이 저물고 있다.
F. O.

S#69. 나주 영산포 구선(龜船) 건조장 / 낮 / F. I.

무언가 분주히 일이 벌어지고 있는 강변을 걷고 있는 이순신과 이회.
이회의 느낌이 왠지 깊어졌다.

이회 (문득) 울돌목의 회오리를 이용하실 생각을 어찌 하셨습니까?
이순신 (딴 데 정신을 빼앗겨 미처 듣지 못하고) …… 뭐라 했느냐?
이회 절체절명의 순간에 놈들을 휘몰아친 회오리 말입니다.
그 회오리가 아니었으면…….
이순신 …… 천행이었다.
이회 예? 그렇다면…… 아주 낭패를 볼 수도 있지 않았습니까?
이순신 그래. 그랬지. 백성들이 그 순간에 날 구해주지 않았으면…….

이회 백성을 두고 천행이라 하신 겁니까? 회오리가 아니고요?

이순신 (엷은 미소) 네 생각엔 무엇이 더 천행이었겠느냐?

이순신이 앞서 걸어 나간다.

이회가 잠시 생각에 빠진다.

화면이 이순신과 안위를 따라 갈대밭 쪽으로 멀어지면,

황혼의 황금빛으로 물든 갈대밭 너머

강변에서 건조중인 구선(龜船, 거북선) 세 척이 웅장하게 보인다.

나대용의 감독하에 백성들과 군사들이 분주하게 작업을 하고 있다.

F.O.

S#70. 에필로그 – 2부 한산: 용(龍)의 출현 / 낮 / F. I.

짙은 안개가 드리운 바다.
출렁거리는 왜선 위, 한 왜장수가 긴장하며 외친다.

왜장수 저, 저것이 무엇이냐!

우우웅웅 하는, 마치 울돌목의 용의 울음 같은 소리가 점점 가깝게 들리면서.
서서히 안개 속에서 일사불란하게 젓는 노부터 모습을 드러내는 검은 물체.
위풍당당한 모습의 구선(龜船)이다!
구선의 입에서 터져 나오는 천자포의 위력이 화면을 압도하면.
급박한 CUT OUT!

음악과 함께 -엔딩.

2부

용의 출현

제작 ㈜빅스톤픽쳐스

감독 김한민

각본 김한민, 윤홍기, 이나라

기획의도

나라의 운명을 바꿀 압도적 승리의 전투가 시작된다!

1592년 4월, 조선은 임진왜란 발발 후 단 15일 만에 왜군에 한양을 빼앗기며
절체절명의 위기에 놓인다. 조선을 단숨에 점령한 왜군은 명나라로 향하는 야망을 꿈꾸며
대규모 병역을 부산포로 집결시킨다.

한편, 이순신 장군은 연이은 전쟁의 패배와 선조마저 의주로 파천하며 수세에 몰린 상황에서도
조선을 구하기 위해 전술을 고민하며 출전을 준비한다.
하지만 앞선 전투에서 손상을 입은 거북선의 출정이 어려워지고,
거북선의 도면마저 왜군의 첩보에 의해 도난당하게 되는데…….

왜군은 연승에 힘입어 그 우세로 한산도 앞바다로 향하고,
이순신 장군은 조선의 운명을 가를 전투를 위해 필사의 전략을 준비한다.

1592년 여름, 음력 7월 8일 한산도 앞바다,
압도적인 승리가 필요한 조선의 운명을 건 지상 최고의 해전이 펼쳐진다.

무삭제 각본

S#1. 프롤로그 – 광교산 / 새벽녘 / 밖

새벽녘 어느 벌판. 창공을 가득 메운 까마귀들과 그 아래 피어오르는 검은 연기들…….

화면 천천히 벌판을 낮게 활공하는데 그 아래 무너진 천막들과 나동그라진 무쇠솥들, 그리고 아직도 피어오르고 있는 화톳불들……. 이내 조선 군복을 입은 사체들도 보이기 시작하는데…….

용인 광교산 인근 벌판

1592년 음력 6월 5일 (명량해전 6년 전)

꿈틀거리며 살아 있는 몇몇 조선 병사들…….

푹! 갑자기 날카로운 창들이 들어와 여지없이 꿰뚫어버리고, 타다당! 총소리도 들리는데……. 이내 발가락 갈라진 군화에 창과 조총을 든 왜군들이 무수히 보인다. 전장을 뒤지며 확인 사살 중이다. 푸드득, 착지해 있던 까마귀들이 일제히 하늘을 날아오르면, 어지러이 나는 까마귀들 너머로 멀리 중갑옷의 세 장수와 말을 탄 한 장수가 천천히 다가오고 있다. 그 위로 지도 이미지 중첩되며 음악 및 자막 IN.

1592년 4월 13일 임진왜란이 발발한다.

부산포로 상륙한 왜군은 15일 만에 도성 한양을 점령한다.

평양으로 떠난 임금 선조를 잡기 위해 왜군 주력군들이 북진한 사이,

1592년 6월 5일, 전라, 경상, 충청 삼도 근왕군 5만은 용인 광교산 인근에서

왜장 와키자카 야스하루가 이끄는 2천의 왜군에게 기습을 당하며 궤멸한다.

화면 가까이 다가온 네 장수……. 마침내 멈춰 서면 모두가 얼굴에 귀신 가면을 썼다. 문득 맨 앞에 한 장수(와키자카 사헤에)가 바닥에 떨어진 칼 한 자루를 집어 드는데…… 칼자루에 붙은 장식에 '전라 순찰사 이광'이란 표기가 보인다. 화면, 그들 뒤에서 마침내 더욱 크레인 업 하면, 넓은 벌판 가득 더욱 흩어져 놓인 무수한 병장기들과 사체들이 보이고…….

같은 날 전라 좌수사 "이순신"은 경상도 고성 땅 당항포에서 왜선 20척을 수장시킨다.

한산

용의 출현

S#2. 부산포 왜군 본영 / 낮 / 밖-안

타이틀 사라진 무지의 화면 위로 긴장감 도는 반복적 비트음 작게 들려오고. 그 위로 들려오는 선명한 일본어 목소리.

와키자카 저 와키자카…… 수적 열세 속에서 조선의 삼남 지역 근왕군을 격퇴해 북진 중인 우군들의 염려를 덜고 조선 수도 한양을 온전히 보존해냈습니다. 이는 가히 명국(明國)으로의 진군에 청신호가 켜졌다 할 것입니다. 다만, 조선 남쪽 해안에 수군으로 보이는 적들이 종종 출몰한다 하니, 태합 전하께서 명국(明國)으로 가시는 바닷길에 다소의 장애가 될까 저어되어, 소장이 지금 그들을 소탕하러 가옵니다. 전하께서는 가히 염려 마시고 조선으로의 출행(出行)을 예정대로 준비하소서…….
분로쿠 초년 아와지의 와키자카 올림.

반복적인 비트가 조금씩 커지며 화면 밝아지면,
저벅저벅 포구를 향해 걸어오는 누군가의 뒷모습.
그 앞 포구로는 수백 개의 군막이 쳐져 있고, 흡사 일본의 한 도시를 그대로 옮겨놓은 듯한 부산포 왜성의 전경.

부산포, 왜군 본영 (1592년 6월)

선창에는 크고 작은 전함과 보급선 수백 척이 정박되어 있다.
이제 막 당도한 보급선에서 내려지는 조총들, 화약들, 그리고 군량미들……. 그 양이 엄청나다.
그 사이로 조선인 포로들과 왜군들이 마구 뒤섞여 물자들을 바삐 운반한다.
계속 저벅저벅 걸어가는 화려한 투구와 갑옷 차림의 그 누군가의 뒤로, 또 다른 3명의 장수들이 화면으로 함께 들어선다. 광교산의 네 장수 뒷모습이다.

선창의 조선 포로들과 왜병들, 하던 일마저 멈추고 바라보는데, 그중 한 사람, 구릿빛 피부의 알 수 없는 표정의 조선인 포로 하나(임준영)가 긴장한 채 그들을 바라보고 거침없이 그를 밀치며 쏘아보는 왜장수. 와키자카 사헤에다.
임준영, 엉거주춤 물러서다 넙죽 엎드리는데……. 와타나베가 칼을 잡아 쥔 사헤에를 제지한다.
이내 선창 쪽에 세워진 반파된 안택선 근처 군막 안으로 들어서는 누군가와 세 장수(이하 삼총사로 명명).

CUT TO

군막 안, 초췌한 몰골의 패잔병들 10여 명, 우걱우걱 주먹밥을 정신없이 먹고 있다.
누군가가 들어서 간이 의자에 앉아 그들을 멀거니 쳐다본다.
삼총사가 마치 병풍처럼 그를 둘러싸며 도열해 서는데,

누군가 (다짜고짜) 복카이센(沐海潛, 해저 괴물)?

패잔병 무리들 중 우두머리로 보이는 패잔병 1이 나선다.

패잔병 1 예, 도노! 그 이순신이란 자가 새로 만든 배라고 하는데…… 제가 보기엔 마치 전설 속 괴물 복카이센 같았습니다.

패잔병 1의 밥그릇을 든 손이 잠시 떨리는데,

패잔병 1 도저히 조총이 먹혀들질 않고, 용처럼 생긴 머리에서 불까지 뿜어대는데…… 그냥 머리가 하얘졌습니다.

생각만 해도 치가 떨린다는 듯 고개를 절레절레 젓는 패잔병 1.
비로소 간이 의자에 앉아 있는 누군가의 얼굴이 그 모습을 드러내는데…….
바로 와키자카의 얼굴이다. 패잔병들의 모습을 묵묵히 바라만보며 반응이 없는 와키자카.

와키자카 (나직이) 복카이센…….

와키자카, 일어서며 사헤에와 마나베에게 나직이,

와키자카 두려움은 전염병이다. 조용히 처리하라.
사헤에/마나베 (고개를 끄덕인다) …….

와키자카 군막을 나가면 조용한 칼 바람 소리들…….
군막 안 작은 외마디 비명만 터져 나오는데,

CUT TO

와키자카의 눈에 선체 측면에 커다란 구멍이 뚫린 채 반파되어 선창에 서 있는 안택선이 들어온다. 와키자카 그 안택선에 다가가면,

와타나베 사천 바다에서 표류하고 있던 것을 끌고 왔답니다.

부서진 선체 면을 손으로 만지며 천천히 격군실로 들어서는 와키자카,

와키자카 (혼잣말) 충파인가…….

부서진 선체 중앙 위쪽 대들보, 문득 사람 손만 한 크기, 무쇠 조각으로 보이는 시커먼 이빨 같은 것이 박혀 있는데……. 호기심에 빼내 쳐다보는 와키자카.

S#3. 사천 바다 / 낮 / 밖

쿠쾅! 엄청난 굉음과 함께 왜군 안택선을 들이받는 구선!
콰지직! 드드득! 무쇠로 된 용두(구선 머리)가 안택선 한복판까지 깊숙이 밀고 들어간다.
그 충격에 선수가 반파되고, 갑판 위 층루도 맥없이 무너져 내린다.
아비규환! 왜병들의 비명들이 마구 터져 나오는데, 안택선의 대들보에 끼어버린 용두,

한 달 전 경상 땅 사천

조선 장수 갑옷 투구의 눈빛 하나가(C.U. - 젊은 이순신) 멀리서 그 광경을 뚫어지게 지켜보고 있고, 구선 선수(船首)쪽 문이 쾅앙! 열리며 이내 군관 하나가 튀어나온다.
어지러운 조총과 화포 소리. 용두의 상황을 확인하고 안쪽으로 소리치는 군관.

이언량 뒤로 저어라! 빠져나가야 한다!

군관 이언량

허나 격군들이 아무리 노를 저어도 부서진 적선의 대들보에 깊이 맞물려버려 움직이지 못하는 구선!

이언량, 급히 위층으로 계단을 올라가면, 위층 화포실 안, 또 다른 군관 한 명이 다가오는데,

군관 나대용

이내 이언량이 고개를 가로젓는 것을 보고,

나대용 (화포수들에게) 용두와 선수 쪽 화포들을 일제히 퍼부어라!

"콰앙!" 용두와 선수 쪽에서 일제히 발사되는 서너 발의 총통들!
그 반동으로 간신히 맞물려 있던 잔해들을 부수며 조금씩 뒤로 밀려나던 구선, 다시 잔해에 걸려 움직이지 못하는데, 그때 적선인 세키부네들이 빠르게 구선 측면을 향해 달려와 조총으로 난사한다. 3층형 구선이 받아내는 무수한 적의 총탄들! 대포까지 가세하고. 측면에 구멍이 뚫리기 시작하고 구선 안에선 격군들이 쓰러지기 시작한다. 멀리서 지켜보고 있는 젊은 순신의 표정이 더욱 굳어지고, 아래층 격군들이 쓰러지며 더욱 움직이지 못하는 구선. 나대용이 활을 빼 들고 아래층으로 뛰어가는데, 근접해 사격하고 있던 세키부네가 문득 포격에 박살이 난다.

나대용 !

나대용, 뚫린 측면을 통해 바라보면 멀리 순신의 대장선 쪽에서 포탄들을 날린다. 나대용이 도끼를 든 채 다시 위층으로 뛰어나간다. 구선의 등 위, 등쪽 문을 열고 과감히 몸을 내미는 나대용. 주위는 온통 뿌연 포연들로 자욱하다.

타다당! 사방에서 날아드는 수십, 수백 발의 탄환들! 구선에 처박힌 안택선 위에서도 조총들이 마구 날아온다. 다가오는 대장선의 순신과 눈이 마주치는 나대용, 좁은 십자(十字)로 위로 과감히 튀어나오는 나대용, 구선에 처박힌 안택선 위 병사들을 독려하던 왜군관 하나(준사)가 그런 나대용을 발견하고 조총을 겨누는데, 나대용, 과감히 구선의 좁은 등 위의 길을 타고 선수 쪽으로 뛰기 시작한다. 타앙! 조총 한 발이 구선 위 나대용의 허벅지를 뚫는다. 안택선 위 왜군관(준사)이다. **"아악!"** 비명을 지르며 쓰러지는 나대용……. 순신이 나대용을 엄호하기 위해 활을 들어 쏘면, 왜군관(준사)이 이번엔 순신을 노린다. 왜군관의 투구에 화살이 스치며 이내 방아쇠를 당기는 왜군관.
탕! 순신마저 왼쪽 어깨를 관통당하고 쓰러진다.

S#4. 좌수영 이순신의 처소 / 새벽녘 / 안

지나가는 바람에 흔들리는 촛불. 앉아 있는 누군가의 뒷모습……. 촛불 너머로 뭔가를 생각 중인 누군가의 모습이 보인다. 쓰윽 고개를 돌리며 바닥에 흩어진 종이들을 쳐다보는데……. 젊은 순신이다. (비로소 얼굴이 온전히 보인다.) 비트 완전히 사라지면,

3차 출동 5일 전

진법도(陣法圖)들이 바닥에 어지러이 널려 있다. 순신 가만히 드러난 왼쪽 어깨를 추스르는데, 부상을 당한 듯 상처를 싸맨 왼쪽 팔이 살짝 떨리고 있다.

이순신 (진법도들을 쳐다보다 가볍게 한숨) 구선…….

순신, 두통이 있는 듯 관자놀이를 지그시 누르며 잠시 인상을 찡그리는데,

누군가 (밖에서) 좌수사 영감…… 안에 계십니까?

순신이 일어나 문을 열면,
문 앞에 온화한 표정의 60대 선비 복장의 한 노인이 서 있다.

이순신 향도 어른. 벌써 다녀오신겝니까.

광양 현감 어영담
물길을 잘 알아 '향도向道'라 불림

어영담 상황이 급박하니 바로 돌아왔습니다.
이순신 어서 안으로 드시지요.

CUT TO

어지러이 널린 진법도들을 묵묵히 쳐다보는 어영담,
순신이 이내 주변을 정리하고 자리에 앉아 어영담을 바라보면,
어영담이 품에서 서찰을 꺼내들어 순신에게 전한다.

책상을 사이에 두고 마주 앉은 순신과 어영담,

어영담 순찰사 이광 대감의 서찰입니다.
패배한 장수에게 광교산 상황을 복기시키는 게 쉽지는 않았습니다.

순신, 이내 꼼꼼히 서찰을 살피는데…….
서찰에는 이광이 패배한 용인 전투의 상황이 거친 그림과 함께 자세하게 쓰여 있다.

어영담 협판안치 이자는 이광 대감의 5만 우리 근왕병이 몰려온다는 소식에도 수성이 (어영담의 목소리와 함께 그때의 전투 상황 이미지들이 틈틈이 보인다) 쉬운 수원성에 얽매이지 않고 도리어 용인 광교산으로 나와서 우리 군사들을 피로케 하며 산 쪽으로 유인해 들어갔습니다. 절대적 숫자에서 우세한지라 날이 지고 우리 근왕군들이 방심하며 광교산 아래 벌판서 숙영하던 차, 새벽녘에 과감한 기습으로 아군을 궤멸시켰습니다. 협판안치는 수성을 하지 않고도 실질적으로 수성에 성공한 셈이지요.

협판안치 (와키자카 야스하루)

이순신 (잠시 생각하며) 이런 적장의 기질이라면 이제 자신의 주특기인 해전(海戰)에다 충분한 배와 병력까지 가지고 있으니…… 분명 선제공격을 해올 것입니다.
어영담 그건 좌수사께서도 선호하는 방식 아닙니까?
이순신 …….
어영담 역시 이럴수록 우리가 먼저 부산포로 움직여야 하겠습니다. 결국 누가 먼저 선제타격하느냐가 관건 아니겠습니까.

어영담이 순신을 뚫어지게 바라본다.

이순신 (단호히) 아닙니다. 지금 판옥전선들만으론 넓은 부산 바다에서는 속도가 빠른 적에게 당하기 십상입니다.
어영담 허면…… 어떤 방법이…….

답이 없는 순신, 이내 관자놀이만 지그시 누르는데…….
어영담이 말없이 순신을 쳐다보는데, 밖에서 인기척.

송희립	(OFF SCREEN SOUND) 장군. 소장 희립입니다. 준비는 다 마치었습니다.
이순신	채비할 테니 시종 아이를 들이거라.
송희립	예. 장군.

군관 송희립

시종 아이가 들어서자, 일어서는 순신.

어영담	조금 더 쉬시는 것도…….
이순신	(이내) 먼 길 고생 많으셨습니다.
어영담	(말없이 쳐다보며) …….

S#5. 좌수영 선창 / 아침 / 밖

온전히 갑옷을 차려입은 순신이 송희립을 대동하고 걷고 있다.
진해루 대문을 지나 선창에 이르는 길, 녹음(綠陰)이 한창이다.
그를 기다리고 있던 진해루 앞 녹도 만호 정운이 목례를 한다.

정운	장군! 구선은 역시 훈련에서 제외시켰습니다.

구선 거북선

이순신	(말없이 고개만 끄덕인다.)

이내 순신 송희립과 정운을 좌우로 위시해 함께 걷는데,

녹도 만호 정운

화면이 그들 너머 올라가며 바다로 펼쳐지면 좌수영 성문 밖
선창엔 질서정연한 군사들과 스물네 척의 판옥선이 위용을 뽐내며 서 있다.
천천히 바다로 나아가기 시작하는 판옥선들…….

음악 시작

S#6. 좌수영 앞바다 / 낮 / 밖 음악 계속

둥! 둥! 둥! 둥! 북을 치는 판옥선 격군실의 군관.

판옥선 격군들이 굵은 팔뚝으로 힘차게 노를 젓는다.

힘차게 물살을 가르는 20여 척의 판옥선들이 보인다.

대장선 장루 위에 묵묵히 서 있는 순신…….

그를 따르는 판옥선에 전라 좌수영의 여러 장수들의 모습이 보이는데…….

순천 부사 권준, 사도 첨사 김완, 낙안 군수 신호들이다.

순신의 대장선을 따라 일렬의 장사진(長蛇陣)을 이루며 움직이는 경쾌한 판옥선들.

부감으로 보자 마치 거대한 용처럼 느껴지기도 하는데…….

CUT TO

제법 파고가 있는 훈련 바다. 멀리 갈매기들이 끼룩거리며 배들을 따라 창공을 날고 있고, 일자진으로 들어서고 있는 24척의 전선들.

여수 전라 좌수영 앞바다

사시(巳時, 오전 9시경)

좌선의 갑판 병사 1이 소리친다.

탐망병 1 (소리 높여) 온다!

일제히 한곳을 바라보면,

멀리 20여 척의 또 다른 판옥선들이 장사진으로 좌수영 훈련 바다로 들어서고 있다.

좌수영 장졸들이 일제히 환호성을 내지르면,

다가오는 배들엔 全羅右水軍(전라 우수군)이란 깃발이 펄럭인다.

순신이 그들을 바라보면……

맨 앞 우수군 대장선 위 선풍옥골(仙風玉骨) 풍모의 젊은 장수가 서 있다.

상호 일자(一字) 대형으로 서로를 마주한 채 늘어서는 전선들.

음악 끝

대장선 위의 순신을 향해 다가서며 목례를 하는 젊은 장수, 순신도 반갑게 답례한다.

전라 우수사 이억기

이순신 잘 오시었소. 이 수사.

이억기 별말씀을요. 합동훈련이 그 어느 때보다 중요한 때 아닙니까.

이순신 (그저 머리만 끄덕인다.)

이억기 근데 원 수사는 아직인가요?

원 수사 (경상 우수사 원균)

순신이 별말이 없자, 이억기, 혹시나 싶어 동쪽 바다를 다시 살피며,

이억기 좀 더 기다려볼까요?

이순신 아닐세. 우리끼리 시작하지.

CUT TO

큰 부감 화면 펼쳐지면, 함대와 다섯 마장(2km) 거리에 세 척의 붉은 깃발을 단 뗏목들이 출현해 있고, 함대는 첨자진(尖子陣)을 이루고 있다. 목발을 짚고 서 있는 누군가의 뒷모습. 언덕에서 훈련을 지켜보고 있다. 둥 둥 둥! 북소리와 세 번의 짧은 나발 소리 들려오며…… 배들이 석 삼 자 진을 펼치고 있다.

누군가 (나직이) 삼첩진이군.

삼첩진 (三疊陣, 三자 형태의 진법)

무표정한 대장선의 순신의 얼굴이 보인다.

김완 삼첩진이라……. (기라졸이 가져온 진법도를 펼치며) 어이 해 잘 쓰지 않으시던 진법을…….

신호 왜 이런 수비 대형을…… 결국 수성인가…….

이순신 1열 발포하라!

송희립 1열 발포하라!

이순신 2열 발포하라!

다시 언덕 위 시점, 퍼퍼펑! 대열이 갖춰진 3열 중 1열과 2열이 포를 발포한다.
누군가 목발을 짚은 채 더 다가가 쳐다보는데. 나대용이다.

나대용 …….

이순신 3열 좌수영 함대는 돌진하라.

송희립 발포도 없이 말입니까.

이순신 (대꾸 없다.)

송희립 알겠습니다! 3열 함대는 돌진하라!

이내 뿌우! 나발 소리와 함께 북소리.

정운 (의외인 듯) 돌진?

권준 (역시 의외인 듯) 돌진이라…….

김완 구선이 없으니 우리라도 대신하라는 겐가? 그렇다면 우리 사도함이지.
돌진하라! 우리가 맨 앞에 서야 한다!

노를 강하게 저어라! 힘쓰는 김완의 격군들.
언덕 시점, 3열 함대가 일제히 배를 돌려 돌진한다. 나대용, 유심히 더 지켜보는데…….
1, 2열의 우수영 함대 역시 선수를 앞쪽으로 하며 배를 돌리자 3열 좌수영 함대가 빠져나가며 돌진하기 시작하는데, 좌수영 함대 10여 척이 미처 배를 돌리지 못한 2열과 1열에 부딪히며 흐트러진다. 김완의 사도선은 잘 빠져나가 맨 앞에서 돌진하고 있다.

이순신 다시 첨자진으로 돌려라.

송희립 예! 장군!

다시 이어지는 나발 소리와 북소리.
나대용이 이내 낮은 바위 위에 앉아 진지한 표정으로 지켜본다.

이순신 3열 다시 돌진하라.

송희립 (다소 당황한 기색으로) 화포도 운영치 않고 말씀이십니까.

이순신 …….

송희립 알겠습니다!

긴 나발 소리와 함께 다시 북소리. 좌선(대장선)의 다시 3열의 돌격 신호다.

정운 (의아해하며) 어찌 화포도 운용치 않고…….

김완 이번에도 우리가 앞선다! 속도를 높여라!

정운 (발끈하며) 이번엔 실수치 않는다. 신중히 돌진하라!

CUT TO

정운 격군실 안, 격군장이 창밖을 신중히 내다보다 돌아보며 격군들에게 외친다.

격군장 좌(左)로 너무 쏠린다! 너무 빠른 선회는 제어가 힘들다!
타수는 격군들과 호흡을 맞춰라! 우(右)로! 우로!

정운 부장 (놀라며) 어! 어!

쿠웅! 장수들, 앞다투어 먼저 나서려다 처음부터 자기들끼리 부딪히고 만다.
가까스로 충돌을 피한 전선들도 급히 뱃머리를 틀다가 이내 방향을 잃고 헤맨다.
파고에 쓸려나가고 360도 뱅그르르 돌다 심지어 순신의 좌선에 부딪히는 배까지 등장.

송희립 (놀라며) 이것들이!

이순신 …….

유심히 지켜보던 나대용, 목발을 탁! 되짚는데 뭔가를 깨달았다는 표정!
눈물을 글썽거리기까지 한다.
목발을 쥐며 휭휭 어디론가 사라지는 나대용.
언덕 밑 바다, 노을 지는 태양 속 계속 위치를 바꿔가며 첨자진과 삼첩진을 오가는 전선들.
무표정한 순신과 당혹과 고됨 속에 녹초가 되어가는 장졸들…… 특히 격군들의 노고가 깊다.

S#7. 좌수영 선창 / 낮 / 밖

어둑해진 사위(四圍), 훈련을 마친 전선들이 선창에 들어와 서 있다. 어느 격군실 안, 격군들이 온통 땀에 젖어 널브러져 있고, 선창에는 병사들이 줄줄이 쓰러져 있고 걸어가던 부장들 몇몇은 얼마 걷지 못하고 토를 해댄다. 선창 인근 남문 앞으로 모여들며 불만을 토로하고 있는 네 명의 장수들.

정운 (불만) 대체 오늘 훈련의 목적이 뭐요?

신호 보면 모르시겠소? 다짜고짜 삼첩진부터 펼치지 않았소. 본영을 수성하기 위한 것이 아니겠습니까.

정운 (발끈) 수성이라니? 부산포를 공략하기로 중지가 모아진 것 아니었소?

신호 상황이 바뀌질 않았습니까. 용인서 우리 근왕병들을 무참히 부순 바로 그자가 부산포에 왔다 하지 않습니까. 배들도 무수히 집결하고 있답니다.

권준 맞습니다. 구선도 참여치 않고 삼첩진을 꺼내드신 걸 보면, 장군께서도 이곳을 지키는 게 최선이라 판단하신 것 아니겠습니까?

정운 허나 화포도 운용치 않고 계속 진법 전개만 하는 건 대체 무슨 의미요?

김완 (너스레) 그거야! 구선도 운영치 못하는 마당에 우리 좌수영 배들이 떼거지로 돌진해 구선을 대신하라 뭐 그런 거 아니겠습니까?

정운 뭐요?

김완 그저 내 짐작이요. 흐흠…….

그 누구도 순신의 정확한 의도는 알지 못하고……. 잠자코 듣고만 있는 우수사 이억기! 묵묵히 좌선(대장선)에서 내려서는 순신을 바라본다. 이때 좌수영의 동쪽 소포 쪽에서 반짝이는 불빛! 세 척의 판옥전선이 좌수영으로 진입하고 있다.

송희립 장군, 원 수사의 배들입니다.

이순신 …….

S#8. 좌수영 진해루 / 밤 / 안

멀리 진해루 너머 좌수영 선창에 판옥선들이 달빛에 반사되어 넘실거리는 게 보이는데, 이내 '鎭海樓(진해루, 수군 야전 작전 회의실)'이라는 현판이 크게 보이고, 진해루 안에는 순신, 원균, 이억기, 그리고

20여 명의 장수들이 모여 있다.

원균 (눈이 휘둥그레져 고함) 뭐라? 선제공격? 진정 이자가 미쳤나!

이순신 …….

단단하고 고집스러워 보이는 한 장수(원균)가 정운을 쳐다보며 기가 막힌 표정을 짓고 있다.

정운 (지지 않고) 이럴 때일수록 부산포 공략을 더 이상 미뤄선 안 됩니다! 적들은 도리어 지금 자신들의 병력을 믿고 방심하고 있을 것입니다. 그러니 우리가 먼저 움직여 타격해야 합니다. 연안에 흩어진 잔적들을 아무리 부숴봤자, 적들의 본거지를 끝내 치지 못한다면…….

원균 이거야 원…… 시답잖은 승전 몇 번 했다고 다들 치기가 넘치는 거야 뭐야!

원균 제법 말이 걸다. 좌수영 몇몇 장수들이 발끈하며 원균을 노려보는데,

원균 (아랑곳하지 않고) 적의 수괴가 용인 싸움의 바로 그자네.

조마조마한 표정으로 이순신과 원균의 눈치만 살피는 경상 우수영 장수들…….

원균 기습이 장기인 적들에게 전라 순찰사 이광 영감이 섣불리 움직였다 어찌 되었나? 도리어 기습을 당해 궤멸했어! 대역죄인으로 곧 의금부로 압송될지도 모른단 말일세! 전쟁에는 전세라는 게 있네! 시방 우리는 공세가 아닌 수세야!

원균, 거침이 없다. 묵묵히 듣고 있는 순신.

원균 (순신에게) 말해보게! 진정 자네도 그러한 생각인가. 아님 자네 똘마니들만이 시방 미친 치기를 부리고 있는 것인가!

"뭐요! 똘마니!" 순간 동요하는 기색이 역력한 장수들. 순신은 여전히 말이 없다.
전라 우수사 이억기가 비로소 나선다.

이억기 그럼 원 수사께선 다른 방도가 있으신 겝니까?

휙! 하니 이억기를 바라보는 원균, 그렇게 물어주길 마치 기다렸다는 듯,

원균 수성이네!

이억기 ?

원균 철옹성 같은 수성! 바다에 굵은 철책을 두르고 이곳 좌수영을 철통같이 방어하는 것이야! 어떠한가?

몇몇의 얼굴엔 실망의 기색이 어리지만, 고개를 끄덕이며 동조하는 장수들도 있다.
그중엔 신호 등 좌수영 장수도 있다. 조방장 향도 어영담은 미동도 없고.

원균 (거침없이) 내 돌아가는 대로 임시 우수영을 불태우고 이곳으로 합류하겠네.

순간, 놀란 얼굴로 원균을 바라보는 휘하 장수 이운룡과 이영남.

원균 자네와 내가 힘을 합쳐 적의 공격에 대비한다면 여기가 바로 철옹성이지 않겠는가. 아니 그런가?

대답 없이, 비로소 물끄러미 원균을 바라보는 순신의 얼굴!

S#9. 좌수영 선창 / 밤 / 밖

원균이 못마땅한 표정으로 성큼 배에 오르고 있다.
그 뒤로 이영남, 우치적 등 경상 우수군 소속 장수들이 눈치만 살피고 있는데,
이운룡만이 향도 어영담과 아쉬운 듯 작별 인사를 나눈다.

이운룡 연세도 높으신 분께서 굳이 여기까지 배웅을 나오십니까.

어영담 품계가 높아졌다고 스승을 찾지 않는 제자가 있으니 가는 길이라도 못내 아쉬워 배웅하는 것이 스승된 도리 같아 이러는 거 아니겠습니까.

이운룡 (웃으며) 여전히 농을 잘 치시는 걸 보니, 아주 건강하신 듯합니다.

어영담 건강할 리가요? (한 걸음 다가가 나직이) 지독한 상관을 만나 고생 좀 하고 있지요. 뭐, 우리 제자님도 고약한 상관을 만나 고생하는 건 서로 비슷하다 할 수 있겠습니다만.

마침내 굳어 있던 주변 장수들도 웃음을 짓는데…….

이운룡 (예를 갖춰 인사하며) 그럼 소장은 이만.

S#10. 좌수영 진해루 / 밤 / 안

좌수영 진해루, 홀로 서서 멀리 섬을 돌아 나가는 경상 우수영 함대를 지켜보는 순신.
이내 숨을 고르고 회의 탁자 앞에 앉아 두 눈을 지그시 감고 오늘 훈련을 생각한다.

회상 1) 삼첩진 속 앞으로 돌진하다 부딪치며 뒤엉키는 판옥선들.
회상 2) (나대용) 장군. 어떤 진법이든 돌격선인 구선은 이제 우리 수군에겐 필수적이 됐습니다.

순신, 잠시 생각에 잠기는데…….

이억기 (OFF SCREEN SOUND) 좌수사 영감!

진해루 문 밖에서 들려오는 이억기의 목소리, 이내 문이 열리고,
이억기가 사색이 된 표정으로 순신을 쳐다본다.

이억기 (떨리는 목소리) 평양의 상감께서…….
이순신 ?

S#11. 좌수영 운주당 / 밤 / 안

향도 어영담이 운주당으로 급히 들어선다. 다른 장수들은 보이지 않고
순신과 이억기만이 심각한 표정으로 앉아 있는데…….

어영담 (짐짓) 어인 일이신지요?

순신이 희립에게 눈짓을 주자

희립이 공문 하나를 어영담에게 내민다.

송희립 평양에서 도착한 공문입니다.

공문에는 '御駕義州行' 이라는 글씨가 선명하다.

어가 의주행 (임금의 행차, 의주를 향하다)

어영담 (당황하며) 그럼, 평양성은? 설마 평양성을 그냥 내주었단 말입니까?

이순신 지금은 평양성이 문제가 아닙니다. 문제는 상감께서 의주로 파천하신 이유가 무엇이냐겠지요…….

이억기 (애써 추스르며) 파발수 말로는 도원수 김명원 대감은 평양성을 버리더라도 수성이 좀 더 쉬운 함경도로 향하자 했으나 무슨 연유에서인지 의주로 향하셨다 합니다.

어영담 (순신의 표정을 살피며 떨리는) 설마…… 상감께서 명국(明國)으로 귀부(歸附)를 생각하시고?

귀부(歸附, 그 땅으로 들어가 귀속됨)

어영담 아니 됩니다. 만에 하나 그리 된다면 민심은 더욱 무너질 것이고 이 땅의 운명은…….

어영담, 떨리는 목소리로 더 이상 말을 잇지 못하는데,
순신, 다시 두통이 몰려오는 듯 관자놀이를 지그시 누른다.

이순신 …… 좀 앉으시지요, 향도 어른.

송희립이 의자를 빼준다.

어영담 (앉으며) 만에 하나 상감이 명국으로 귀부한다면…… 우리의 운명을 종국에 명국에 맡기는 꼴이 되는 것입니다. 만일 지금처럼 기세등등한 왜적들에게 명국이 우리 땅을 담보 삼아 협상이라도 벌인다면 어찌 되겠습니까.

순신, 어영담을 바라보다 서찰 하나를 더 꺼낸다.

이순신 (진지하게) 여기…… 영의정 류성룡 대감의 개인 서찰이 와 있습니다.

어영담 !

어영담이 서찰을 급히 읽고 떨리는 눈빛으로 순신을 쳐다보면,

이순신 향도께서 우려한 대로 상감께선 모든 희망을 버리신 듯하다 합니다.

어영담 (어두운 얼굴) …….

이억기 상감이 변변찮은 싸움도 없이 또다시 의주로 파천했다는 것이 실로 믿기지가 않습니다. 정말 상감이 명국으로 귀부라도 한다 치면…….

이순신 (담담히) 설사 종국에 이 전쟁이 불행한 처지에 이른다 해도 이 땅에 임금과 신하된 자라면 마땅히 이 땅 안에서 함께 죽어야 하네.

이억기 …….

어영담, 떨리는 손으로 서찰을 다시 순신에게 내밀며,

어영담 필히 이 전쟁의 첫 큰 승전보를 의주로 가져와달라고 쓰여 있군요. 그리해야 임금을 설득해볼 수 있다고 말입니다.

이순신 …….

송희립 …….

S#12. 좌수영 선소 나대용 작업실 2층 / 밤 / 밖

2층 작업실 안. 창틀 너머 곡선의 방파제로 둘러싸인 선소 안, 한참 측면 수리 중인 3층형 구선 두 척이 보이고, 잔뜩 인상을 찌푸리며 앉아 있는 나대용.

좌수영 선소 구선 제조소

그 앞 탁자 위 설계도를 앞에 두고 눈이 똥그래져 서 있는 돌격장 이기남.

이기남 뭐라굽쇼? 구선의 머리를 떼면 그걸 구선이라 할 수 있습니까요?

구선 돌격장 이기남

듣기 싫은 듯 고개를 반쯤이나 돌리고 앉아 있는 나대용.

나대용 (퀭한 얼굴로) …….

이기남 (뺀질대듯) 차라리 덮개도 떼고 그냥 판옥선에 창칼을 덧대어 위협적인 창칼선으로 만드는 게 낫겠습니다.

나대용 도발하지 마라. 나도 힘들다. 시간도 없는데 어서 문제를 보완하고 출정해야지!

이기남 순천부 선소에 새로 건조하는 구선이 있잖습니까?

나대용 새 거든 헌 거든 문제점은 똑같다.

이기남 아무래도 이 사안은 좌수사 영감께 직접 보고를 드릴 수밖에 없겠습니다.

나대용 (버럭) 시간이 없다니까! 좌수사께는 사후 보고하면 돼.

이기남, 아니라는 듯 고개를 절레절레 흔들며 밖으로 나가버린다.

나대용 저, 저런 무례한 놈을 봤나…….

창밖, 이미 용두를 제거한 구선 한 척을 물끄러미 바라보는 나대용.
이때 왜소한 체구에 반쯤 뜬 눈을 애써 치켜뜬 사내 하나가 다가온다.

화약 담당 군관 이봉수

이봉수 소식 들었습니까? 이번에 부산포에 들어온 적들은 그 위세가 대단허다는데.

나대용 (끊으며) 좌수사께서 시킨 건 어찌하고 있는가?

이봉수 그것이…… 민초들을 통해서 염초들을 최대한 구하고는 있는데, 구선은 또 오죽 많이 처먹습니까요? 화약 처먹는 귀신 아닙니까.

나대용 알았네. 어찌 됐건 장군의 출전 허락을 다시 받아내려면 그 또한 서둘러야 하네. (다시 퀭한 얼굴로) 돌격선이 돌격만 할 순 없잖은가. 화포도 쏘아야지.

이봉수 (나대용을 안쓰럽게 보다가) 알겠습니다.

이봉수 사라지다 문득 돌아서며,

이봉수 참. 요거나 받으시오.

툭! 나대용 앞에 놓이는 한 물체. 꿈틀거리는데…… 보면 자라다.

나대용 뭐냐 이거.

이봉수 자라 아니요. 요 앞에서 한 마리 잡았는디, 울적하거나 한없이 외로울 적에 갖고 놀라고. 하하하!

나대용 너도 도발이냐.

이봉수 (나가며 뒤도 돌아보지 않고) 아님 푹 고아 몸보신이라도 하시든가.

이봉수가 허리를 돌리며 씨익 웃으며 사라지자,

나대용 저런 무례한 놈을 또 봤나!

나대용, 자라를 한쪽으로 툭 쳐서 밀어버리며 눈만 굴리다, 바깥 구선을 쳐다보며,

나대용 (혼잣말) 필히 다시 출정해야 한다…….

S#13. 좌수영 선창 / 밤 / 밖

밤바다, 파도 소리가 가까이 들리고 달빛 아래 판옥선 함대가 어둠 속에서 그 위용을 드러내고 있다. 순신, 횃불을 들고 묵묵히 배 밑을 들여다보고 있다. 잠시 후 초병에게 횃불을 돌려주며,

이순신 (초병에게) 배 밑에 이끼가 많이 끼었다. 조방장에게 모두 제거하라 일러라.

초병 예. 장군.

함께한 이억기가 문득 묻는다.

이억기 만에 하나 상감을 이쪽으로라도 모셔야 한다면 경솔히 싸움에 나서는 것보다 원 수사의 말처럼 이곳을 잘 지켜야 하지 않겠습니까.

순신, 말없이 이억기를 지나쳐 앞서가는데,

이억기 낮에 펼친 삼첩진 말입니다. 소장이 보기엔 필시 수성만을 염두에 둔 진법은 아니었습니다.

이순신 (돌아보며) 그렇게 보였는가? 자네 눈엔?

이억기 영감께선 화포에 운영보단 돌격에 더 신경을 쓰셨습니다.
여전히 공성을 생각하시는 게지요? 틀렸습니까?

이순신 (그저 옅은 미소만 띤 채 다가서며) 그럴 수도 있겠지……. 허나 원 수사의 말대로 시방 우리는 수세에 처해 있네. 부산포 공성은 더욱 신중해질 수밖에 없어.
(진지) 어쩌면…… 다가올 우리의 전투가 이 전쟁의 운명을 결정지을지도 모르겠네.

이억기 그렇다면 역시 수성을?

이순신 허나 어떤 전쟁도 수성만으로는 결코 전세를 뒤집지는 못하지…….

이억기 (답답해하며 다가오면서) 공성도 아니다, 수성도 아니다. 대체 영감께선 어찌하려 하십니까?

순신, 이내 말없이 어딘가를 바라보면,
한창 구선을 수리 중인 선소(船所)다. 선소 안, 구선들이 보인다.
측면 수리 중에 있는 용두 없는 구선 한 척과 용두가 그대로 붙어 있는 구선 한 척.
이억기가 다가와 함께 구선을 바라본다.

S#14. 부산포 왜성 와키자카 처소 3층 / 밤 / 안

INS

부산포 앞바다를 비추는 반달의 달빛, 수많은 검은 배들이 너울대고 있는데…….
탁자 위 조선 배와 화포들에 대한 그림들이 여럿 놓여 있는데,
와키자카가 앉아 있고 삼총사들이 훈련 결과들을 보고하고 있다.
조선 기생 하나(보름)가 묵묵히 차를 따르다 일어선다.

와타나베 포로들을 통해 훈련해본 결과, 조선 수군의 화포 최대 사거리는 약 천 보 정도이나 위력을 가지는 것은 5백 보 안쪽……. 그나마 정확한 조준은 직사포로 백 보 안에서만 가능하다고 판단됩니다.

와키자카 직사포로 백 보 안이라…….

와타나베 헌데 특이한 건 적들의 재장전 방식이었습니다.

와키자카 무슨 말이냐.

와타나베 재장전 대신 아예 배를 돌려 맞은편 포를 발포하는 방식을 선호한다 합니다.

와키자카 재밌구나.

와타나베 허나 배를 선회해 재장전 시간을 단축한다 해도 2백 보부터는 우리 배들이 속도만 가해준다면 충분히 근접해 월선이 가능할 것으로 보입니다.

와키자카 2백 보 안에 월선…….

마나베 주군! 당장 출정하시지요! 이번 역시 기습 선제공격이 중요하지 않겠습니까.

와키자카 허나 그 월선이 만일 막힌다면…….

와키자카, 문득 손에 들고 있는 이전에 주운 검은색 무쇠 덩어리를 뚫어지게 바라본다.
마침내 책상에 탁 내려놓더니.

와키자카 아무래도 찜찜한 것을 들어내야겠다!

와타나베 (눈치 빠른) 복카이센, 아니 메쿠라부네(盲船)를 말씀하시는 건지요?

와키자카 메쿠라부네? 장님 배라……. 복카이센(해저괴물선)보단 그 말이 불리기엔 더 낫구나. (웃음) 그 메쿠라부네가 출정한 건 지금까지 단 한 차례다! 왜일까……?
복카이센이라고까지 불리는 그런 물건을 가지고……. (생각하더니) 사헤에!

사헤에 (와키자카를 본다) …….

와키자카 이틀을 줄 테니 조선말에 능통한 네가 직접 좌수영에 다녀오너라.
아무래도 메쿠라부네에 대해 알아 와야겠다. 그리고…… 이순신에 대해서도.

사헤에 예, 도노.

사헤에가 고개를 숙이며 나간다.

와키자카 와타나베.

와타나베 (와키자카를 보면) …….

와키자카 현재 전주성 인근에 금산성을 공략하고 있는 6군 고바야카와 말이다…….

와타나베 ?

와키자카 서찰을 하나 준비해야겠다.

와타나베 ……?

S#15. 부산포 왜성 본영 전체 회의실 2층 / 밤 / 안

넓은 2층의 공간, 와키자카, 그중에 크게 펼쳐진 조선과 왜국, 명나라가 모두 보이는 동아시아 지도를 물끄러미 들여다보고 있는데! 누군가의 목소리가 들려오고,

누군가 장군을 향한 태합전하의 기대가 아주 크신 듯하오.

50대의 특유의 미소를 띤 도요토미의 군사(軍師) 칸베에.
칸베에를 보자 밝아지는 와키자카의 얼굴…….

와키자카 어서 오시오. 군사.

특유의 인상 좋은 미소를 띠며 와키자카에게 다가서는 칸베에.

구로다 칸베에 (흑전효고, 히데요시의 군사)

엷게 웃으며 다가와 들고 온 두루마리 교지 하나를 와키자카에게 내민다.

칸베에 다행히 육군을 지원한 것에 대한 우려했던 질책은 없었소. 그저 이제 다시 수군 장수로서 자네 본연의 임무를 다하라 하시오!

다소 긴장이 누그러지며 두루마리를 펼쳐 내용을 확인하는 와키자카,

칸베에 (웃으며) 밖에 군사들이 바쁩디다. 다행히 태합전하의 교지는 내렸다지만 너무 서두르시는 것 아닌가.

와키자카 (진지하게) 광교산 전투에서 말입니다. 2천도 안 되는 군사로 5만의 적들을 궤멸시킨 비결이 뭔지 아십니까?

칸베에 그야…… 적들이 방심하는 사이 자네가 적에게 기습 선제공격을…….

"흠!" 그제야 와키자카의 의중을 깨달은 칸베에,
고개 끄덕이며 지도 위의 한 지점을 지목하는 와키자카, 바로 전라도 남쪽 좌수영이 있는 여수다.

와키자카	(거침없이) 곧바로 이순신의 본거지를 칠 것입니다. 그리고…….
칸베에	그리고?

칸베에의 눈빛이 호기심으로 반짝인다.

와키자카	속히 평양의 고니시를 지원해야지요. 그리하면 조선 정벌은 완료될 것입니다.
칸베에	역시! 칠본창의 와키자카야! 고니시가 자네에게 절이라도 해야겠네 그래. (웃으며 떠보듯) 난 또 자네도 다른 장수들처럼 앞다투어 곧장 명국으로 내달린다 할 줄 알고 내심 긴장했네! 자네 또한 어찌 그런 마음이 없겠는가만.
와키자카	…….
칸베에	허나 난 자네의 단독 출정은 불허하고 싶네. 작금의 형세는 그리 무리할 이유가 없어. 한번에 제대로 치고 나가는 게 중요하지.
와키자카	(끄덕) 잘 알고 있습니다. 허여 청코자 하는 게 있습니다.
칸베에	…… 가토 일이겠지?
와키자카	(끄덕) 그렇습니다. 가토가 쓰시마에서 미적거리고 있습니다. 같은 시즈카타케 전투의 칠본창으로서 저의 지휘를 받으려니 자존심이 상하겠지요. 이러하니 (눈빛을 빛내며) 군사께서 친히 한번 다녀와주시면 어떻겠습니까?
칸베에	…….

S#16. 좌수영 선소 나대용 작업실 마당 / 밤 / 밖

선소, 초병들이 횃불을 들고 멀리 서 있고……
순신과 세 사람(나대용, 돌격장 이기남, 돌격장 이언량)이 헐렁한 술잔들을 나누고 있다.
이기남은 문어 등 좌수영 수산물들을 구워 내어 오고,
뭔가 심각해 보이는 나대용은 목발을 짚고 앉아 있다. 다들 제법 얼큰해져 있는데,

나대용	(풀 죽어) 사천의 그날만 생각하면… 소장 너무 송구하고 또 송구스러워서…….
이순신	거참. 난 아무렇지도 않대도 그러는구먼! 보겠는가? 어떤가?

팔을 들어 돌려보는 순신은 표정 하나 변하지 않는데, 아플 텐데? 하는 이기남, 이언량의 표정.
허나 나대용만은 물끄러미 진지한데…….

나대용 외람되지만…… (진지하게) 오른쪽이 아니라 왼쪽 어깨 아니셨습니까?

순신 오른쪽 어깨를 돌리다 멈추며,

이순신 그랬던가?

순신, 이번엔 슬며시 왼쪽 어깨를 돌려보다 **'흐억!'** 하고 얼굴을 찡그리며 비명을 지르면,

세 사람 (눈이 휘둥그레지며) 장군!

좌우에 있던 이언량과 이기남이 순신에게 달려들고, 나대용도 실색하며 역시 달려들고,

이순신 (반색하며) 놀라긴, 농이었네.
언량/기남 (실색하며) 장군!
이순신 많이들 놀랐는가? 그런가? 내가 좀 취해서. 미안들허이…….
이언량 (도리어 당황) 아…… 아닙니다.
이순신 그런데 말이야…… (무거운 얼굴의 나대용을 보곤) 자네야말로 아무렇지도 않은 모양이네.
나대용 ?

그러고 보니 나대용 목발도 짚지 않은 채 다가와 있다. 이기남과 이언량이 웃지만,
여전히 무거운 표정의 나대용.

나대용 (절뚝거리며 돌아가 앉으며 진지하게) 송구하지만 저도 많이 취했나 봅니다.

도리어 머쓱해하는 이언량과 이기남. 이내 썰렁한 분위기…….

이순신 (나대용을 보며) 근심이 큰가? 내 여기 이기남의 보고는 받았네.
용두를 들어내겠다고? 그럼 충파 시 문제가 해결되는 것인가?
나대용 소장 어제 진법 훈련을 지켜봤습니다. 역시 장군께는 반드시 구선이 필요하단 생각에 잠을 설쳤습니다. 허나…… 현재로서는 그 수밖에 없을 듯합니다.
이순신 머리가 없는 구선이라…….

나대용 송구합니다.
이순신 그리되면 구선의 속도 문제 또한 풀리는 것인가?
나대용 (진지하게) 그렇습니다.
이순신 순천부 구선은 언제 완성되는가?
나대용 며칠이면 완성될 듯합니다.

순신이 술을 한 잔 들이켜고 술잔을 탁! 놓으며,

이순신 (이내 진지하게) 구선은 돌격선이네. 빠른 기동과 충파가 그 본질이야. 내 승낙을 하긴 하네만, 실전에선 다시 그 용도에 부합하기를 바랄 뿐이네.
이기남 (화색이 돌며) 장군! 구선을 다시 출정시킬 요량이십니까?
이순신 …….
나대용 (순신의 대답이 없자) 송구합니다. 장군.
이순신 거 송구하단 소리 이제 그만 듣고 싶으니 내 이만 일어남세. 잘들 마셨네.

왠지 예민해진 순신과 왠지 무겁기만 한 나대용. 두 사람의 분위기에 괜스레 눈치를 보게 되는 이언량과 이기남. 나대용 이내 목발까지 집어 던지고 그냥 절뚝거리며 작업실로 들어가버리는데…….

이언량/이기남 우리끼리라도?

이언량과 이기남 썰렁한 분위기에 한 잔씩 들이켜고.

S#17. 산속 고갯길 / 낮 / 밖

산속 길, 피란민들의 행렬이 가득하다. 매우 어수선하다.
서로 정보를 교환하다 어디로 가야 할지 한숨을 내쉬기도 하며 다시 이동하는 피란민들,
그들 틈에 섞여 걸어가는 여러 짚신 발들. 거기엔 변복했지만 낯익은 사헤에가 보이는데…….

CUT TO

전쟁을 피해 피신해 있는 조선 백성들로 가득한 절.
스님과 조선인 복장으로 변장한 사헤에와 첩보대가 대웅전 안에 앉아 있다.

특유의 날카로운 눈빛으로 사람들을 훑어보는 사헤에.
스님들이 주먹밥을 가지고 왔다. 주먹밥에 마구 몰려드는 백성들…….

스님 1 스님들, 요기 좀 하시지요.

절 내의 스님이 주먹밥을 건네자 합장을 하고 밥을 받아드는 사헤에 무리.
주먹밥을 먹던 사헤에가 무심하게 창밖으로 시선을 던지고,
문득 지친 얼굴로 들어서는 임준영을 발견한다. 몇몇 남자들이 임준영을 맞이하고,
임준영의 얼굴이 왠지 익숙한 사헤에, 순간 그의 얼굴을 기억해낸다.

INS
부산포, 임준영을 밀치는 도깨비 가면의 사헤에.

사헤에 저놈은 부산성에 왔을 때……. 재밌는 상황이군.

진지하게 남자들과 이야기 중인 임준영.

임준영 아무래도 적들이 뭔가를 더 기다리는 듯하오.
내부에도 우리 사람이 있으니 좀 더 두고 봅시다.

멀리서 뚫어지게 쳐다보고 있는 사헤에…….
이내 임준영, 피란민들이 들어오는 방향을 거슬러 사라지는데,

CUT TO
어느 해안가를 걷고 있는 임준영, 빠르게 어딘가로 사라져 가는데,
사헤에 첩보대 1 하나가 은밀히 따라붙었다.

S#18. 대마도 아소만 가토 병영 / 밤 / 안

INS
대마도(쓰시마) 아소만의 전경이 배들과 함께 펼쳐진다.

대마도 아소만 가토 요시아키 병영

군사 칸베에가 상석에 앉아 있고, 가토가 수하들과 고개를 숙이고 마주 앉아 있다.

칸베에 겨우 자존심 때문에 태합전하의 명을 어기겠다는 것인가?

가토 그것은 아닙니다!

칸베에 결국 겨우 3만 석 다이묘 따위의 지휘는 받고 싶지 않다는 것 아닌가?

가토 …….

칸베에, 품 안에서 지도 한 장을 꺼내어 가토에게 던진다.
지도에 황토빛으로 칠해진 전라도의 지도…….

칸베에 전라도는 조선에서도 가장 비옥한 곳이다! 열도와는 전혀 다른 곳이지! 태합전하의 부산성이나 지키는 성지기가 될 텐가? 아니면 전라도를 얻고 칠본창 최고의 다이묘가 될 텐가?

가토 (고개를 들며) 허나 그 전라도를 와키와 나누라는 말씀 아니십니까?

칸베에 8백 년 전쯤이었지? 우리 헤이안(平安) 시대에 그곳에 해신(海神)이라 불리는 사람이 있었다. 그곳 섬 하나를 청해진이라 칭하고 그 섬 하나로 산동과 열도를 지배했지. 화려했던 당(唐)과 찬란했던 우리 헤이안쿄(平安京, 교토)를 연결했던 곳. 열도에서는 절대 가질 수 없는 몇백만 석의 쌀이 나는 곳. 그곳이 바로 전라도다. 그런 곳을 다른 이들과 더 나눠 갖지 않는 게 오히려 다행인 듯싶은데…….

칸베에, 말을 끊고 지그시 가토를 쳐다본다. 역시 가토는 말이 없고.

칸베에 또한! 내가 와서 부탁하고 있다. 이 정도면 출정할 명분은 되지 않겠는가?

가토 …….

가토, 뭔가를 생각하는 듯하더니…… 마침내, 넙죽 엎드리며,

가토 제 생각이 짧았습니다. 군사! 출정하겠습니다!

칸베에 …….

S#19. 부산포 / 낮 / 밖-안

왜성 밖에서 빠르게 깃발을 든 전령이 말을 몰고 들어온다.
태풍 문양의 깃발, 6군 고바야카와의 전령이다.
노역 중 왜성 쪽을 주시하던 임준영이 그것을 놓치지 않는다.
그런 그를 또한 지켜보는 사헤에 첩보대 1.

CUT TO

와키자카의 2층 회의실, 고바야카와의 전령이 부복하고 있고
와키자카와 두 부하들, 와타나베와 마나베가 함께 앉아 있다.
무릎을 꿇고 고바야카와의 서신을 대신 읽어주는 일본 중 하나가 보인다.

일본 중 서신은 잘 받았다. 제안은 고마우나, 나 고바야카와 다카카게의 제6군은 예정대로 전주성 공략에 집중하겠다. 이곳 금산성의 민병 토벌도 완료되었으니 곧 출정할 것이다.

와키자카 받아 적어라.

와키자카가 묵묵히 듣다 일어선다.
일본 중이 머리를 조아리고 받아쓸 준비를 마치면,

와키자카 만일 6군이 전주성을 우회하여…… 이순신의 좌수영을 노려준다면, 나 와키자카는 전라도에서의 내 몫을 모두 그대에게 할애하겠다.

놀라는 와타나베와 마나베.

와키자카 이 전쟁의 승패는 전주성보다는 좌수영에 달려 있다.
속히 좌수영을 함께 협공하여 태합전하를 기쁘게 해드리자.

CUT TO

자신의 인장(印章)을 찍은 전령통을 주자 황급히 받아 나가는 전령.

와타나베 주군! 고바야카와에게 정말 전라도를 내주실 생각입니까?

마나베 육군의 도움 없이도 이순신 따위는 잡을 수 있습니다!

두 사람의 반대에 돌아보는 와키자카.

와키자카 …… 따위? 그래 그 이순신 따위를 어떻게 잡을 것이냐?

마나베 먼저 기습 선제공격을 퍼부어야지요. 정신 차릴 틈조차 갖지 못하도록!저 광교산처럼 말입니다.

와키자카 (끊으며) 한 수를 더 보도록 하자. 놈을 육지에서도 잡는 것이다. 그것이 그는 갖지 못했고 나는 가진 필승의 전략이다.

마나베 도노, 하지만 우리는 이미!

와키자카 조선과는 곧 전쟁이 끝난다! 관건은 이제 명국과의 싸움이다. 우리가 먼저 명에 가게 된다면 우린 더 큰 걸 가지게 될 것이다. 전라도 따위가 문제가 아니다. 왜 그걸 모른단 말이냐!

마나베 …….

와타나베 (차분하게) 헌데 가토의 군대가 우리 때에 맞춰 와주겠습니까?

와키자카 칸베에 군사는 믿을 만한 사람이다. 분명 그리해줄 것이다!

와타나베 이틀 남았습니다. 태풍이 오기 전 출정하기로 한 날짜입니다. 그게 가능하겠습니까.

와키자카 와타나베…….

와타나베 …….

와키자카 언제든 출정할 수 있도록 만전을 기해둬라. 네가 유념할 것은 단지 그것이다.

와타나베 송구합니다. 도노!

와키자카 …….

S#20. 좌수영 서문 / 낮 / 밖

성문 안으로 피란민들이 꾸역꾸역 끝없이 몰려들고 있다. 성안 좌우 검문대에선 피란민들과 짐들을 검사하며 들여보내느라 죽을 지경들이다. 녹도 만호 정운이 검문을 책임지고 있다.

정운 (검문받고 있는 노인에게) 어디서 오는 길인가.

노인 진주서 옵니다요.

정운 그곳은 왜적들을 잘 막아내고 있지 않는가.

노인 (고개를 도리도리) 나으리, 곧 나라가 망한다는 소문이 파다합니다요.

정운 뭐라?

노인 허나 이곳 사또 나리는 다르다 해서 찾아왔습니다요. 제발 들여보내주십시오.

정운 …….

정운이 노인을 보내준다. 휑휑 사라지는 노인 너머 한 무리의 스님들과 짐꾼들이 보인다.
사헤에 무리다. 역시 검문을 마친 듯 짐들을 지고 사라지는데, 유심히 쳐다보는 정운.

S#21. 좌수영 자당 / 낮 / 밖

피란민들 상황이 한눈에 보이는 근처 자당 언덕 평상, 그곳에 순신이 앉아 있다.
순신, 그들을 쳐다보며 심각한 표정으로 생각에 잠겨 있다.
웬 노인네가 직접 씻은 과일을 쟁반에 챙겨 내어 나온다.
노인, 심각한 순신의 얼굴을 물끄러미 쳐다보며,

초계 변 씨 (이순신 어머니)

어머니 신아. 온 나라를 네 손으로 다 지킬 수는 없는 노릇 아니냐. 너의 입장에서 최선을 다하면 된다.

이순신 하지만 어머니. 임금의 어가가 국경 끝 의주에 이르렀습니다. 만일 이렇게 전쟁이 끝난다면…….

어머니 (차분히) 그것이 분하고 억울하냐.

이순신 이렇게 전쟁이 끝나버리면 저는 어찌해야 될지…….

어머니 너는 장수된 자의 충(忠)이 어디를 향해야 한다고 보느냐.

이순신 (주저) 그건…….

어머니 지금 보고 있지 않느냐.

이순신 ?

어머니 저기. 오늘도 네게로 수많은 백성들이 몰려들고 있다.

이순신 …….

어머니 저들은 누굴 믿고 여기까지 왔겠느냐.

이순신 …….

어머니 넌 지금껏 잘 해왔다! 앞으로도 그럴 것이다!

이순신 어머니…….

순신의 머리를 가만히 쓰다듬는 순신의 어머니.

어머니 이제 보니 우리 아들 머리에도 하얀 서리가 내리는구나.
이순신 송구합니다. 어머니. 소자 미처 단장을 하지 못했습니다.

옅은 미소를 띠며 순신을 바라보고 있는 어머니 변 씨.

S#22. 좌수영 감옥 / 밤 / 안

으아아아! 감옥에서 들리는 비명들. **으아아아!** 벽면을 타고 횃불에 비친 그림자들이 발버둥 치며 일렁이는데, 순신이 무표정하게 지켜보고 있다. 순신 앞에는 노획물인 듯 왜색 짙은 황금 부채 하나가 놓여 있다. 가운데 형틀에 묶여 고문당하는 왜군 포로들. 그 사이 고통을 이겨내며 눈빛이 살아 있는 왜군관(준사)의 모습도 보이는데,

역관 (일본어) 왜 사천의 육군 별동대가 충청 땅 금산성으로 합류하려 했느냐? 금산성을 넘어 전라도 전주성을 치려는 것 아니냐? 그날이 언제더냐?

으아아! 다시 비명. 왜군 포로들의 고문을 무표정하게 지켜보고 있는 순신.
포로들이 고통 속에 애원하듯 소리치며 비명을 지른다.

왜군 포로 저는 아무것도 모릅니다. 정말 모릅니다. 저는 그저 밑에 하급 무사일 뿐……. 제발 살려주시오!

원하는 대답이 아닌 듯 역관이 순신에게 고개만 가로젓는데,
갑자기 순신에게 또렷한 조선말로 소리치는 형형한 눈빛의 왜군관 준사.

준사 (웃음을 터뜨리며, 조선말로) 이 어리석은 것들아! 전주성이 문제가 아니다! 우리 군사들이 부산에 태산처럼 집결하고 있다! 곧 모조리 너희를 쓸어버리고 명을 넘어 인도까지 갈 것이다! 살려달라고 목숨이나 구걸하는 게 어떠하냐! 하하하하!

역관이 당황한다. 그런 준사를 말없이 바라보는 순신.

언뜻 부채 속 명국을 넘어 크게 열린 바다 지도를 보던 순신, 준사에게 다가가는데.

이순신 너는 누구냐.

준사 비릿하게 웃더니 갑자기 순신의 상처 입은 어깨에 박치기를 한다.
헛! 순신이 뒤로 주춤!
바닥에 엎어지는 준사, 이내 병사들에게 죽을 듯 맞지만 오히려 광인처럼 미친 듯 웃어댄다.

이순신 …….

CUT TO

어둠이 깔린 좌수영의 감옥, 한 왜군 포로가 공포에 떨고 있고,
문득 어수선한 여러 발걸음 소리가 들리며 모퉁이에서 돌아 나오는 횃불들!
횃불을 든 병사 둘 뒤로 조선 병사 두 명이 반쯤 의식을 잃은 준사를 질질 끌고 감옥 복도로 들어선다.
준사가 끌려가는 것을 목창살을 통해 안타깝게 보는 왜군 포로들…….
어느 감옥의 문이 열리고, 준사를 감옥에 처넣는 조선 병사들!

조선 병사 1 독한 새끼!

옆방의 왜군 포로 1이 벽에 바짝 붙어서 준사에게 말을 건다.

왜군 포로 1 도노 같은 분이 있어 우리가 버팁니다!
왜군 포로 2 도노는 우리의 영웅이십니다!

준사, 그대로 바닥에 풀썩하곤 감옥 천장을 바라보는데,

INS

회상) 자신에게 다가오는 순신. 이내 **"너는 누구냐".**
가만히 목에 매달려 있는 도깨비 문양의 목걸이를 손으로 쥐고 눈을 감는 준사…….

S#23. 녹둔도 벌판 – 순신의 꿈 / 낮 / 밖

한겨울, 동복 갑옷의 젊은 순신이 말 탄 부하들과 함께 말 탄 한 무리의 여진족들을 쫓고 있다.
화살을 날리며 뒤쫓고 있는 순신, 비 오듯 땀을 흘리며 힘겨워 보이는데,
일순 휙! 여진족 족장인 듯한 한 사내가 화살을 피하며 뒤돌아보더니 더욱 속도를 낸다.
쫓아라! 순신 또한 부하들을 독려하며 박차를 가하는데,
갑자기 사방에서 날아오는 화살들! 뒤쪽에서 따라오던 순신의 부하들이 마구 쓰러진다.
어느새 앞쪽 사방에서 등장해 반월형으로 순신을 옥죄어오는 여진족들,
순신, 급하게 멈춰 서며 강하게 자신의 칼을 움켜쥐는데,
자신을 둘러싸고 달려오는 여진족들의 말들이 어느새 반월형의 거대한 목책 성벽으로 바뀐다.
순신, 순간 어쩔 줄을 모르고 탈출할 곳을 찾으며 뒤로 말을 돌리려 하는데……
성벽 위 횃불들이 사방에서 치솟으며 무수한 화살들이 순신에게 날아든다!

S#24. 좌수영 이순신의 처소 / 새벽녘 / 안

허헉! 벌떡 일어나 땀을 한 바가지 쏟아내고 있는 순신,
부항과 뜸의 흔적 속…… 몸의 떨림이 서서히 멈추고, 어깨에 난 총탄 상처 자국.
붕대가 풀려 상처가 훤히 보인다.

이순신 어찌해 이런 꿈을…….

다시 방 안의 순신, 여러 진법도들이 어수선하게 펼쳐져 있고, 표정이 어두워지는 순신, 문득 진법도 옆 어영담이 전해줬던 이광의 서찰에 눈이 가는데…….

어영담 (V.O.) 협판안치는 수성을 하지 않고도 실질적으로 수성에 성공한 셈이지요.

더불어 떠오르는 조금 전의 꿈,
자신을 둘러싼 채 달려오는 여진족들의 말들이 반월형의 거대한 목책 성벽으로 바뀌는 모습.

이순신 !

순신, 뭔가 영감을 받은 듯 황급히 관복을 챙겨 입기 시작하는데.

S#25. 당포 근처 바다 / 새벽녘 / 밖

섬들이 그 윤곽을 또렷이 드러내고 있는 동트기 전 아침. 협선을 타고 어딘가로 이동 중인 순신의 모습이 보인다. 송희립이 순신의 뒷모습을 물끄러미 보며 대동하고 있고 배의 선수에는 어영담이 길을 잡고 있다.

어영담 (순신을 돌아보며) 저기가 당포입니다. 그 너머 견내량을 타고 들어가면 바로 부산포로 향하는 길이지요. 이 시간이면 물살도 그리 흐르니 더 속도가 날 겁니다.

송희립 장군. 더는 위험합니다. 돌아가시지요. 적들이 언제 출몰할지 모릅니다.

순신, 대꾸 없이 선수에 어영담에게 다가간다.

이순신 기세 좋은 부산포의 적장 말입니다. 필시 선제적으로 움직이려 하겠지요?

어영담 그래서 그 때가 언제인지를 아는 것이 무엇보다 중요하지 않겠습니까.

이순신 허면…… 우리가 이곳에 와 바다 위에 성을 쌓는다면 어떻겠습니까.

어영담 무슨 말씀이신지…….

이순신 …….

장군! 문득 송희립이 뭔가를 가리키며 순신을 부른다.
순신, 어영담과 함께 돌아보면 뒤쪽에서 판옥선 한 척이 다가오고 있다.

CUT TO

판옥선 갑판 위, 원균이 수하 장수들(이운룡 포함)과 함께 호기로운 표정으로 순신을 맞이한다.
어영담과 이운룡이 서로 눈빛을 주고받는데,

원균 이곳 경상 우수영 구역까지 납시다니 그대의 공무가 참으로 다사(多事)하네그려.

이순신 …….

원균 (이내 속내를 알겠다는 듯 냉소) 여전히 무모한 부산포 공격을 감행하려 한다면 하는 수 없네. 우리 경상 우수군은 빠질 것이네! (원균은 한 치의 양보도 없을 듯 긴장감이 돈

다) 내 말을 정녕 자네가 헛되이 듣는다면…….

이순신 (담담하게) 내 원 수사의 뜻대로 하겠소이다.

모두들 (의아해하며) !

원균 (역시 의아해하며) 수성을 하겠단 말인가?

이순신 그렇소.

원균 (반색하며) 그렇지! 수성이지! 이제야 상황을 제대로 보는구먼! 성을 쌓아야지! 바다에 철책도 치고! 좌수영의 성을 더 견고하게 쌓아 방비해야지! 그럼 나도 이만 돌아가서 임시 우수영을 정리하고 서둘러 좌수영으로 이동하겠네!

이순신 아니오.

원균 ……?

이순신 (우)수영은 유지하시지요. 적의 시선을 분산시키는 건 중요하오. 필요할 때 연합하면 되니 그리하시지요.

원균 크흠…… 그건 뭐…… 그리하지. (뭔가 찝찝한 느낌이다.)

순신이 협선으로 옮겨 타면, 곁에 송희립이 순신에게 조심스레 되묻는다.

송희립 장군…… 진실이신지요?

이순신 ?

송희립 수성을 하겠다 하셨던 말씀 말입니다.

이순신 (끄덕이며) 상황이 그렇지 않느냐. 적은 분명히 거세게 공격을 해올 것이고, 그렇다면 원 수사의 말대로 더더욱 성을 쌓아야 되지 않겠느냐.

송희립 ?

어영담 …….

S#26. 훈련 바다 – 훈련장 / 낮 / 밖

파도치는 너른 바다 위, 빠르게 타고 들어오는 적선 세키부네 다섯 척이 보이는데,
맞은편 첨자진을 펼친 판옥선들이 보이고, 삼도 수군 장수들 모두에게 긴장감이 흐른다.
가장 앞선 세키부네 위, 포로 준사가 타고 있다. 준사 뒤쪽으로 몇몇 조선 군관들이 아래쪽 노를 젓는 왜포로들을 독려하고, 빠르게 다가오는 세키부네들. 순신이 찬찬히 파도치는 바다를 살핀다.

김완 부장 (침을 꿀꺽 삼키며) 아무리 나포한 배들이라지만 저리 기동하니 정말 실전 같습니다요.

김완 (순신 쪽 좌선을 흘낏거리며) 장군의 눈빛이 심상치 않다. 오늘도 역시 예감은 좋지 않다. 다들 각오하자!

3차 출동 3일 전

권준 (역시 순신 눈빛을 보고 부장들에게) 오늘 진법 훈련이 최종진이 될 가능성이 높다. 다들 힘내자!

권준 부장 아마도 삼첩진을 완성하려 하지 않겠습니까.

권준 (작게 끄덕인다) …….

첨자진을 이루고 빠르게 물살을 가르며 나오고 있는 50여 척의 삼도 수군 함대가 보인다. 순신이 한층 결연하고 진지한 표정으로 바다를 쳐다보고 있고…….
이억기를 비롯 원균조차 순신의 좌선(대장선)을 주목하고 있는데.

이순신 (마침내) 학익진(鶴翼陣)을 펼쳐라!

송희립 (상기된 채) 학익진 말씀이십니까?

더는 말이 없는 이순신, 송희립이 뜻을 알았다는 듯 장루 계단을 뛰어 내려가며 외치면!

송희립 학익진을 펼쳐라!

좌선에서 올라오는 깃발을 보고 의외라는 표정의 권준을 비롯한 좌수영 장수들.
일제히 기라졸이 가져다주는 진법도를 챙겨보기 시작하는 장수들.

권준 학익진이라…….

신호 …….

정운 …….

어영담 …….

신호연 하나가 파앙! 하늘 높이 솟아오르고,

대장선에서 나발과 북 소리가 울리자 이내 흩어지는 삼도 수군의 판옥선들.

CUT TO

학익진도를 유심히 보고 있는 원균.

원균	이게 수성의 진법이냐? 공성의 진법이냐?
이운룡	(망설이다) 바다 위에 마치…… 성을 놓는 수성의 진법 아니겠습니까.
원균	바다 위에 성?
이운룡	(왜선 세키부네들을 가리키며) 저기 보십시오. 왜선들이 쳐들어오는 것을 가정하고 있지 않습니까.
원균	(의심스럽다는 듯이) 흠…… 우린 좌측 날개로 움직인다.
이운룡	예! 장군!

CUT TO

이억기	(이내 학익진도를 펼쳐 들고) 좌선을 기준으로 전라 우수군은 우측 날개를 맡는다. 좌선을 기준으로 수시로 방향을 잡아야 한다. 명심하라!
억기 부장	예! 장군!

억기 부장이 소리를 지르며 명을 하달한다.
이내 순신을 지그시 쳐다보는 이억기.

이억기	(혼잣말) 영감의 최종 진이 혹여 이것입니까. 허나…….

더 이상 말이 없는 이억기.

CUT TO

김완	격군을 보강해 더 빨리 저어라! 우리가 가장 중요한 좌측 날개 끝이다!

둥둥둥! 울려 퍼지는 북소리! 격군실에서 북소리에 맞춰 죽어라 노를 젓는 격군들,
대기하고 있던 격군들까지 함께 노를 잡고!

CUT TO

속도가 빠른 세키부네들이 바짝 월선 사다리를 들고 접근해오고 있고,
상대적으로 다른 수군들에 비해서 느린 경상 함대, 심지어 배들끼리 충돌할 뻔한다.

이순신 ……….

이운룡 (고함치며) 거제 배는 더 좌측으로 물려라!
우리 배가 날개 중앙으로 가야 한다!

순신의 좌선을 중심으로 말의 편자형 U자 모양을 갖추기 시작하는 수군 함대!
그러나 세키부네들이 이미 빠르게 조선 함대 사이를 속속히 파고들며 지나쳐 간다.

이순신 ……….

순신이 이내 우측 날개 쪽을 바라보면, 이억기 쪽은 겨우 날개를 펼친 상태이고 좌측 날개를 돌아보면, 원균 쪽의 함선들은 아직 더 엉망인 상태다. 판옥선들을 지나친 준사가 가쁜 호흡을 내쉬며 돌아보면, 이내 다시 원위치를 명령하는 북소리와 나발 소리가 좌선에서 들려오고.

CUT TO

순신이 장루 뒤 기라졸 영역에서 통문을 펼쳐 새로운 대열의 위치를 붓으로 그려 넣고 있다.

송희립 (다가서며) 장군. 아무래도 다섯 마장 내에서는 무리인 듯싶습니다.
더욱이 훈련도 부족한 원 수사의 함대까지 데리고서는…….

다섯 마장 (2킬로미터)

이순신 아니다. 원 수사는 그대로 두어라.
(통문을 주며) 그리고 이걸 이 수사에게 전하거라.

송희립 예! 장군!

CUT TO

통문 화살이 이억기함에 날아든다. 기라졸이 이억기에게 전하면,

이억기 함선 위치를 변경한다! 목포와 어란포 함대의 위치를 교체한다.

억기 부장 예! 장군! (돌아서며)

다시 북소리와 함께 움직이는 삼도의 함대들,
이억기, 순신을 쳐다보며 염려스러운 표정을 짓는데,

이운룡 이번에는 실수해서는 안 된다! 더 빨리 저어야 한다!

원균 …….

신음이 흐르는 각 함대의 격군실. 점점 힘이 빠져가는 격군들…….

CUT TO
빠르게 다가오지만 아직 지나치지 않은 준사의 세키부네들을 쳐다보고 있는 순신 마침내,

이순신 선회(旋回)하라!

송희립 선회하라!

선회! 격군실, 일제히 천장의 종들이 울리고 좌선 격군장이 복창하며 소리치면,
함대들이 일제히 수직에서 수평으로 배를 돌린다. 허나 준사와 세키부네들은 빠르게 판옥선들을 지나쳐 가고, 함대들 일부가 급격한 회전을 제어하지 못해 아예 빙글빙글 돌고 있기까지 하다.

이기남 (고함) 좌우 노를 계속해 어긋나게 저어서는 안 된다!
선회는 조타병과 격군들의 호흡이 중요하다 내 몇 번을 일렀느냐!

송희립 (곤혹스러워한다) …….

이순신 …….

다시 이어지는 나발 소리와 북소리.
선회다! 선회! 선회하라! 이제 학익진은 다가오는 세키부네들에 맞춰 선회 연습에 집중되고 있다.

S#27. 좌수영 인근 해안 절벽 / 낮 / 밖

절벽 위, 숲속에 사헤에와 수하들이 숨어 일제히 선회하는 판옥선 함대를 지켜보고 있다.
말없이 세세히 기록만 하고 있는 사헤에.
그때 부스럭 소리를 내며 뒤에서 다가오는 첩보대 수하 하나.

첩보대 2　　보고합니다! 사천 이후 메쿠라부네는 훈련에 한 번도 나오지 않았다 합니다!

다시 훈련 중인 조선 함대를 뚫어지게 쳐다보는 사헤에.

사헤에　　분명 메쿠라부네에 무슨 문제가 있다. 그걸 알아내야만 한다.
아무래도 안으로 직접 침투해봐야겠다. 가자!

첩보대 2　　예! 도노!

S#28. 좌수영 본영 주변 / 밤 / 밖

밤이다. 진중이 고된 훈련 뒤라 병영이 조용한데
웬 놈들이냐! 문득 날아든 수리검에 보초들이 쓰러진다. 감옥의 포로들이 잠을 깬다. 준사도 깨어나는데, 사헤에 첩보대들이 빠르게 감옥 문을 열고 포로들을 빼내기 시작한다.

왜군 포로　　누구요? 당신들은?

준사　　!

CUT TO

불이다! 불을 꺼라! 포로들이 도망친다! 잡아라! 혼란 속,
선소 옆 나대용 작업실로 조용히 잠입하는 누군가…….
사헤에다. 작업실 앞 구선 쪽 보초들마저 이동하기 시작한다.
이내 조심스럽지만 빠르게 움직이는 사헤에, 1층을 뒤지다 2층으로 올라서면,
언뜻 구선의 설계도로 보이는 종이들이 눈에 띄자 가슴팍에 빠르게 쑤셔 넣는데…….
이때 그를 향해 다가오는 거대한 그림자, 이내 사헤에를 향해 겨누는 검의 빛!
재빨리 옆으로 몸을 비키며 수리검을 던지는 사헤에,

하지만 그것을 가볍게 쳐내고 앞에 있는 책상을 그대로 밀어붙이며 직진하는 그림자!
사헤에가 품 안의 단도를 빼 들며 방어하지만 상대의 강력한 힘에 창가로 몰리는데,
바로 녹도 만호 정운이다.

정운 웬 땡중이 살기(殺氣)가 넘친다 했더니 첩자였느냐.

이때 창밖으로 크게 일렁거리는 불길. 동시에 창틀이 부서져나가며 마당으로 떨어지는 두 사람. 마당 안팎엔 이미 이기남의 돌격대와 사헤에 첩보대와 왜군 포로들 간의 치열한 싸움이 벌어지고 있다.
불이야! 구선에 불이 났다! 누군가, 외친다. 구선에까지 불이 일렁거리고 있다. 일순 더욱 어수선해진다. 힘겹게 일어서는 사헤에, 정운의 칼이 사헤에의 머리를 향해 내려칠 찰나!
어디선가 날아온 수리검이 정운의 손에 꽂힌다. 사헤에 정운을 밀어젖히며 허겁지겁 빠져나오는데!
조선군 돌격대 하나가 사헤에를 향해 달려온다. 허나 이내 목에 수리검이 꽂히며 쓰러지고, 그 뒤로 준사가 서 있다.

사헤에 !
준사 이쪽으로!

격렬한 칼싸움 속, 첩보대와 포로들, 대부분 죽음을 맞이하는데
끝까지 사헤에를 찾는 정운.

CUT TO
멀리 연기로 뒤덮인 좌수영이 보이는 언덕길, 동이 트고 있다. 가까스로 좌수영을 벗어나는 데 성공하는 준사와 사헤에. 포로 둘이 함께하고 있다.

준사 아와 수군(水軍) 무라하루의 부장 준사라 합니다.

비로소 인사를 던지는 준사.

사헤에 …….

S#29. 좌수영 선소 구선 앞 / 낮 / 밖

왜군 첩보대의 시체를 치우고 있는 조선 병사들, 좌수영의 분위기는 살얼음판이다.
순신이 송희립과 함께 급히 선소로 들어오고,
조선 군사들 앞에 널브러져 죽어 있는 왜군 첩보대들을 보는 순신.
정운이 분을 이기지 못한 듯 씩씩거리며 다가온다.

정운 애석하게도 놈들의 수괴를 잡지 못했습니다. 송구합니다, 장군.

포승줄에 엮여 지나가는 살아남은 왜군 포로들이 보이고,

송희립 (나직이) 장군…… 몇몇 포로들은 함께 빠져나간 듯합니다.
이순신 …….

구선 쪽에서 이기남이 뛰어온다.

이순신 구선에 이상은 없느냐?
이기남 다소 그을렸을 뿐, 큰 문제는 없습니다.

순신, 고개를 돌려보자 구선의 일부가 검게 그을려 있다.

정운 헌데 장군…… (낭패스럽다) 그 수괴로 보이는 자가 구선의 설계도를 훔쳐 달아났습니다. 허여 끝까지 잡으려 했지만…….

나대용의 작업실을 쳐다보는 순신, 정운과의 싸움으로 생긴 부서진 창문틀이 보인다.

이순신 (다급히) 나대용은 어디 있느냐.
이기남 이틀 전부터 순천부 선소에서 나오질 않고 있습니다.
이순신 (심각하게) 순천부 선소에는 문제가 없느냐?
송희립 확실치는 않으나…… 아직 적들은 순천부 선소의 존재를 모르는 듯합니다.
이순신 (그을린 구선을 보며) 협판안치란 자…… 보통 적이 아니다.
어서 순천부 선소로 가보자!

S#30. 순천부 선소 / 낮 / 밖

외딴 곳에 보이는 굴강 선소 하나. 순신이 송희립을 대동하고 협선에서 서둘러 내리는데.
대나무와 동백나무가 우거진 숲길…… 처음 보는 장소다.

순천부 선소

화면 벗겨지면, 놀랍게도 수많은 일꾼들이 목책들이 잔뜩 둘러쳐진, 용두 없는 완성되지 않은 구선 주위에서 일하는 상황이 보이는데…… 나대용 대신 이언량과 이봉수가 급히 다가온다.

이언량 소식 들었습니다. 좌수영 선소에 왜놈들에 첩자들이 들었다고…….
이순신 (대뜸) 순천부는 괜찮으냐?
이언량 예. 괜찮습니다만.

순신, 활기 띤 선소를 둘러보면 별 이상은 없어 보이는데,

이순신 나 군관은 어디에 있느냐?

이봉수, 위쪽 비어 있는 용두 부분을 손으로 가리키면, 나대용이 밧줄에 매달려 있다.
용두 구멍 부분에서 한창 뭔가 작업 중이다.

이봉수 첩자들 소식을 듣고 더 서둘러야 한다더니 갑자기 다시 용두를 달아보겠다고 저러고 있습니다요. 여하튼 불러드리겠습니다.
이순신 (작업 중인 나대용을 올려다보다) 아니다. 내가 올라가보겠다.

CUT TO

순신이 구선 안으로 들어선다. 용두 쪽 구멍 나 있는 자리,
나대용이 바깥쪽에 매달려 일꾼들에게 뭐라 소리친다.
한쪽 탁자 위에 예전 이봉수가 주고 간 자라만 그릇에 담긴 채 꿈틀대고 있고
"장군!" 나대용이 순신을 발견하고 급히 용두 구멍 안으로 들어선다.

나대용 안 그래도 왜놈 첩자들 얘길 들었습니다! 무엇보다 본영의 구선 피해가 크지 않아 다

행입니다.

이순신 출정이 얼마 안 남았네.

순신이 말없이 구선 내부를 둘러보는데,

이순신 이 구선을 이번 출정에 쓸 수 있겠는가?

나대용 …… 언제입니까.

이순신 빠르면 며칠 내일 수도 있네. 이번 출정에 쓸 수 있겠는가?

나대용 불철주야 노력하고 있습니다! 저에게 시간을 조금만 더 주시면!

이순신 놈들이 자네 작업실에서 설계도까지 훔쳐 달아났네.

나대용 !

이순신 필시 협판안치도 옛 구선의 문제점을 파악할 것이야.

나대용 장군! 이 순천부 구선은 다릅니다! 다만 시간이 조금 필요할 뿐입니다.

이순신 (나대용의 어깨에 손을 올리며) 내 이번 출동에서는 구선을 쓰지 않음세.

나대용 (놀라며) 하, 하지만 장군! 장군께서도 방도가 없지 않으십…….

이순신 내 이만 가네.

나대용 장군!

냉정히 나가는 순신,

나대용 (밀려드는 당혹감에 떨린다) …….

S#31. 부산포 왜성 와키자카 처소 3층 / 낮 / 안

거북선 설계도를 유심히 바라보고 있는 와키자카!
그 앞에 돌아온 사헤에가 준사를 뒤에 두고 함께 앉아 있다.
3층 설계의 구조도, 돌출된 용두 그림. 기생 보름이 묵묵히 차를 따르고 있고.

와키자카 측면에 문제가 커 보여. 화포를 쏘기는 좋으나 그만큼 노출되는 면적도 크니…….

와타나베 (가만히 끄덕인다) …….

와키자카 더구나 무거운 머리에다 덮개까지 쓰고 있어. 그 기동력이 어떨지 궁금하구나. (준사를 보며) 준사라 했느냐? 네가 그 배를 직접 겪어보았다지?

준사 (나서며) 예! 당항포에서 제가 직접 그 배와 부딪혀보았습니다. 역시 배가 기동하는 것에 상당한 무리가 있어 보였습니다.

와타나베 …….

와키자카 계속해보거라.

준사 사천에서 저희는 이순신의 유인전에 당했습니다.

와키자카 유인전에?

준사 예. 허나 도노 말씀처럼 만일 우리가 제대로 대비하고 싸웠다면 얼마든지 잡을 수 있는 배로 보였습니다. 간혹 우리 배들을 들이받기도 했는데 그 뱃머리가 우리 안택선에 끼어 옴짝달싹 못 했습니다.

와키자카 (의아하다는 듯) 뱃머리가 배에 끼어?

준사 예! 도노!

그러자 전에 파손된 안택선에서 발견한 부러진 용의 이빨을 보는 와키자카.

와키자카 결국…… 그것이었느냐. (엷게 반색) 충파 시에 문제가 있구나.

하지만 와키자카, 끝내 의구심을 놓지 못하는 표정으로,

와키자카 하지만 복카이센이라 불리며 우리 군에게 두려움을 심어주지 않았느냐? 그게 다 허황된 거짓이란 말이냐!

준사 …….

와키자카 와타나베! 어찌 생각하느냐?

와타나베, 뭔가 아리송한 얼굴로,

와타나베 훈련에서 계속 빠졌다는 건 문제가 있어 출전하기 쉽지 않음을 의미하는 게 맞습니다. 헌데 자꾸 마음에 걸리는 건 사헤에가 보고 왔다는 학익진입니다.

와키자카, 사헤에가 자세히 그려서 보고한 학익진도를 본다.

와타나베 제 생각에는 적극적인 공세진으로 보입니다만…….

아무래도 우리 쪽 부산포를 에워싸 공격할 생각이 아닌지…….

준사 (나서며) 그렇지 않을 겁니다.

와타나베 (인상을 쓴다) !

준사 (아랑곳하지 않고) 이순신은 우리 포로들까지 동원해 훈련에 임하며 수성할 생각으로 가득 차 있었습니다. 더구나 메쿠라부네의 출전도 불가능한 지금 무리할 이유가 없어 보입니다.

와키자카 (준사를 빤히 보더니 흥미로운 듯) 더 근거를 대어보아라.

준사 (고개를 치켜들며) 제 임금조차도 국경 끝까지 도망간 판국 아닙니까.
필시 이순신은 이런 수세의 국면에서 결국 퇴로를 찾지, 감히 앞으로 나아가지는 못할 것입니다.

와키자카가 크게 웃는다.

와타나베 (못마땅스럽다) …….

와키자카 정세 판단이 좋구나. 준사. 가까이 오거라. 죽은 네 주군 무라하루 밑에선 얼마의 녹봉을 받았느냐?

준사 80석입니다.

와키자카 2백 석을 주마. 이곳서 당분간 보급관으로 일하라. 더욱 내 눈에 차면 내 배에 직접 너를 탈 수 있도록 해주겠다.

준사 (고개 숙이며) 감사합니다, 도노.

와키자카 허나 이순신은 여전히 만만치 않은 자다. 내게 이 정도의 고민을 심어주다니. 여지껏 봐왔던 조선의 장수들과는 확실히 다르다.

문득 밖에서 뿔고둥 소리가 들려온다. 군관 하나가 급히 들어와 뭔가를 마나베에게 알리면,
마나베 반색하며 와키자카에게 알린다.

마나베 주군! 가토의 함선들이 들어옵니다!

와키자카가 돌아서 창가로 간다. 삼총사 또한 다가서서 보면,
멀리 수많은 함선들이 포구로 들어서고 있다. 압도적 크기를 가진 36척의 안택선들과 세키부네들.
배들마다 하얀 천에 검은 십자가가 그려진 가토의 깃발이 바람에 펄럭이고
뾰족한 선수부부터 온통 철판이 둘러져 있는 배까지 보이는데, 그 위에 대장인 듯 푸른 갑옷의 한 장

수(가토 요시아키)가 서 있고 그 뒤로 사슴뿔 투구의 구키 요시타카가 함께 서 있다.

와타나베 참으로 시의 적절할 때에 들어옵니다. 주군!

와키자카 역시 군사님이시다. 하치만 신(八幡神)이 나를 돕는구나…….

조용히 찻잔을 정리하고 있던 보름이 흘낏 와키자카를 쳐다보는데,
그런 보름을 쳐다보는 준사. 그의 눈에 보름의 도깨비 문양의 비녀가 들어온다.

S#32. 좌수영 진해루 / 밤 / 밖

달밤, 고요한 좌수영 선창이 내려다보이는 진해루.
횃불 속 탁! 탁! 홀로 활을 쏘며 깊은 고뇌에 잠겨 있는 순신,
다시 활을 드는 순신, 그의 얼굴에 문득 나대용의 외침이 들려온다.

나대용 (OFF SCREEN SOUND) 장군! 구선 없이도 승리해 돌아오실 수 있습니까!

굴강 쪽으로 걸어가던 순신이 뒤돌아본다. 얼마 전, 순천부 선소를 빠져나오던 순신이다.
나대용이 따라 나왔다. 눈물까지 글썽이며 외치는 나대용의 모습이 보인다.

이순신 (쳐다보면서) …….

나대용 장군! (뚫어지게) 정말 구선 없이도 승리해 돌아오실 수 있습니까!

순신이 마침내 시위를 당기면, 탁! 과녁 귀퉁이에 꽂히고 마는 화살…….

이순신 …….

이억기 (OFF SCREEN SOUND) 평소 영감의 활 솜씨 같지 않으십니다.

이순신 (돌아보면서) !

이억기가 어느 사이 와서 서 있다.

이억기 (다가서며) 고민이 있으신 게지요. 혹여, 구선 때문 아닙니까.

이순신 …… 함께 활이라도 몇 순 쏘시겠소?

이억기 (통아에 화살로 향하는 순신의 손을 막으며) 솔직히 소장은 진법들을 운영할수록 우리에게는 구선이 더 필요하다는 생각이 듭니다. 아닙니까.

이순신 …….

송희립 (OFF SCREEN SOUND) 장군!

이때 대청문이 열리며 황급히 마당으로 뛰어 들어오는 송희립.

송희립 임준영이 전갈을 가지고 직접 찾아왔습니다!

이순신 직접?

이억기 !

S#33. 좌수영 진해루 / 밤 / 안

(다시 낯익은 반복적 비트음이 천천히 살아나며)

늦은 밤. 진해루에 모여 있는 전체 장수들! 그 규모가 상당한데.

핼쑥한 낯빛의 임준영이 서서 보고를 한다.

임준영 지금까지 협판안치란 자가 이끌고 있는 적의 전선은 대선이 총 30척, 중선이 약 70여 척, 총 1백여 척이었습니다.

정운 이었다?

임준영 헌데 이번에 대마도에서 가등가명이란 자가 이끌고 온 대선 20척과 소선 20여 척을 합쳐 도합 140여 척으로 늘었습니다. 협판안치가 기다리던 자였으니 이제 곧 출병할 듯합니다.

이순신 …….

신호 (모두 상기되어) 드디어…….

임준영 헌데 이번에 들어온 가등가명의 배들이 특이했습니다.

정운 특이해?

임준영 그의 대선들 중엔 그간 보았던 배들과 달리 선체가 두껍고 화포들을 매단 배들이 여럿 보였습니다. 특히 대장선인 듯한 배는 화포는 물론이거니와 배 전체를 철판으로 덧대고 있었습니다.

그러자 웅성거리는 장수들.

김완 화포를 달았다고? 적들의 배에 화포를 달 수 있답디까?

신호 대장선인 듯한 배는 전체를 철판까지 둘렀다고?

어영담이 담담하게 말한다.

어영담 예상할 수 있는 일입니다. 적들도 우리의 화포와 충파와 같은 전술에 당연히 대비하려 하겠지요.

권준 장군! 이번 적선들의 특징은 우리를 직접 타격하고 서해를 뚫어 바로 소서행장이란 자가 웅거한 평양성으로 해상 보급을 하는 것이 목적 아니겠습니까.

이순신 …….

신호 헌데 지금 전주성 인근 금산성으로도 적의 육군이 집결하고 있지 않습니까.

정운 적은 수륙병진입니다. 필시 전주성과 우리 좌수영을 동시에 노릴 것입니다. 만일 적의 뜻대로 우리가 뚫리면 의주에 있는 우리 조정의 운명은 끝입니다. 아니! 조정은 물론 이거니와 바닷길로 바로 이어지는 명국(明國)조차도 위태로워질 겁니다!

이억기 …….

당혹스러운 표정의 장수들, 동요하는 기색이 역력하다.

어영담 우리도 우리지만 전주성이 큰 걱정입니다. 용인 전투 이후 현재 순찰사께서 방어할 정신이나 있으실지……. 여하튼 전주성에도 속히 이 사실을 알려야 하지 않겠습니까.

이순신 …….

신호 결국 어찌 수성할지의 문제만 남지 않았습니까? 도리어 우리 병력이라도 쪼개어 전주성을 도와야하지 않겠습니까?

정운 (발끈하며) 뭐요?

권준 (끄덕) 그렇긴 하지요. 전주성이 무너지면 이 좌수영도 시간문제이니…….

정운 지금 제정신들이오? 수군을 쪼개다니요. 수군을 어찌 쪼갠단 말이오!

신호 어이 역정을 내시오. 상황이 그렇지 않소이까?

김완 상황이라니? 수군이 무슨 춘궁기에 나눠 먹을 감자 쪼가리도 아니고.

신호 어허! 그거 참! 상황이 그렇다 하지 않았소!

장수들이 분열되며 술렁이자 어영담이 나선다.

어영담 그만들 하십시다! 좌수사 영감. 어찌하시겠습니까.

어영담이 묻자 모든 장수들이 일제히 순신을 쳐다본다.
말이 없던 이억기도 순신의 판단에 귀를 기울이는데…… 순신이 마침내 천천히 일어선다.

이순신 다들 주지했듯 중요한 결전의 순간이 다가왔다. 허여…….

모두들 집중한다.

이순신 (담담히) 내일 밤 자정에…… 출동할 것이다. 준비하라.

정운 등 장수들 모두 놀란다.

신호 수, 수사 영감. 수성이 아니었습니까!

대꾸 없이 진해루를 나서는 순신. 상기된 표정의 임준영이 지나치는 순신에게 고개를 숙이고, 출정이라…… 결국 공성인가…… 이내 긴장감이 강하게 감도는 진해루.
어영담 이하 장수들 모두가 침묵한 채 일어나질 못하고,
이억기가 묵묵히 사라지는 순신을 바라보는데…….

이억기 …….

S#34. 좌수영 선창 - 대장선 갑판 / 낮 / 밖

매우 분주한 좌수영, 각 함선에 물과 쌀, 그리고 매끄러운 총통들이 분주히 배 안으로 들어간다.

3차 출동 하루 전

1592년 7월 4일

순신이 갑판 위에서 어영담 및 정운, 김완, 권준과 긴밀한 대화를 나누고 있다.

어영담 육지 쪽으로 지금 믿을 것은 의병과 승병들밖에 없습니다. 허나 지금 순찰사의 명으로는 의승병들이 모이지 않으니 차라리 좌수사 영감의 명에 의해 의승병들을 모아 전주성으로 보내는 게 낫다는 게 소장들의 판단입니다.

이순신 (천천히 고개만 끄덕인다) …….

어영담 그럼, 그리 조치하겠습니다.

권준 (걱정스럽게 순신에게) 영감…… 정말 우리가 가지 않아도 괜찮겠습니까.

이순신 (빤히 쳐다보며) 권 부사. 시방 바다를 버리는 것은 조선을 버리는 것이네.

권준 …….

이때 이봉수가 뛰어온다.

이봉수 장군! 명하신 대로 화약들을 최대치로 맞추었습니다.
다 하나된 민초들 덕분입니다. 염초를 이렇듯 원 없이 구했으니…….

이순신 참으로 애썼다.

이봉수 헌데 어찌 이리 많은 화약들을 실으시려고…….

이순신 화포 안에 조란탄과 포탄을 함께 장착하는 게 가능하지 않느냐.

조란탄(작은 알갱이 산탄)

이봉수, 모든 장수들이 자신의 대답을 기다리며 바라보고 있자 침을 꿀꺽 삼킨다.

이봉수 화포 안에 격목을 한 층 더 쌓는다면 뭐. (갑자기 깨달은 듯) 아!
그래서 화약을…… 허나 거리가 매우 가까워야 효과가 클 터인데…….

장수들도 그 말에 동의하는 듯 진지하게 고개를 끄덕거리는데.

이순신 알겠다. 헌데 나대용은 어찌하고 있느냐.

이봉수 이틀째 식음을 전폐하고 뭔가에 몰두하고 있습니다.

이순신 …….

이때 송희립이 급히 다가온다. 순신이 송희립을 데리고 한쪽으로 빠져 둘만의 대화를 나눈다.

송희립 장군. 원 수사는 만일 부산포를 급습하려 한다면 본인은 출정치 않겠다 합니다.

이순신 (무표정으로) 통문을 다시 보내라. 그런 일은 없을 테니 남해 노량에서 꼭 보잔다고 전하거라.

송희립 예! 장군. (이내 사라지면서)

순신이 이내 돌아보면,

정운 (상기된 채) 그렇다면 직사포의 거리가 생각보다도 더 가까워야 한다는 얘긴데…….

김완 적을 거의 코앞에 갖다 대는 격이겠지요.

순신의 시선, 이봉수와 장수들이 그들끼리 계속 진지하게 얘기를 나누며 서 있는 게 보인다.

S#35. 부산포 왜성 본영 전체 회의실 2층 / 밤 / 안

왜성에 다양한 왜장들의 깃발 문양들이 나부끼고 있고, 전통 노(能) 공연이 호기롭게 펼쳐지고 있다. 와키자카와 가토, 구키가 나란히 상석에 앉아 있고, 그들의 가신들이 양열으로 죽 늘어앉아 각자의 술상을 받고 있다. 보름과 기생들이 분주하다. 함께 우의의 술잔들을 기울이고 있는 듯한데……. 상석 중앙에 앉은 구키가 술잔을 든다.

구키 시즈가타케의 두 영웅들을 이리 함께 조우하게 되니 소인은 그저 감개가 무량할 뿐이오. 칸베에 군사께서도 함께하셨으면 더 좋았겠지만 태합전하께서 불러 가셨으니 어쩌겠소. 자자! 우리끼리 기분 좋게 한잔들 하십시다!

와키자카와 가토가 마지못해 술잔을 든다.

가토 (와키자카에게) 그나저나 이순신이란 자는 어떤 자인가?

와키자카 생각보다 만만치 않은 장수다. 그게 우리가 함께할 이유다.

가토 조선엔 쓸 만한 장수가 많지 않다 들었는데 그자는 좀 다른가 보군.

구키 (웃으며) 이제 두 영웅이 함께 납시었는데 이순신 따위가 문제겠소.

안 그래도 심심한 전쟁이 더 일찍 끝날 것 같습니다만. 하하하!

이때 문이 열리며 와타나베와 함께 6군 고바야카와의 전령이 들어온다. 와타나베가 눈짓을 주자 무릎을 꿇고 앉는 전령. 와키자카가 마나베에게 빠르게 눈짓을 준다.
마나베가 순식간에 술자리를 물리며 자리를 정리하는데.

마나베 어서들 나가라! 꾸물대는 놈은 바다에 던져 물고기 밥을 만들어줄 테다!

공연자들과 보름과 기생들이 한달음에 밖으로 내쫓기고 문이 닫히면,
이내 고바야카와 전령이 말을 전한다.

고바 전령 고바야카와 님께서 좌수영으로의 육로 공격을 받아들이셨습니다.

순간 놀란 눈빛의 가토와 구키, 허나 구키는 이내 뭔가를 계산하는 듯 표정이 복잡해지고,
말석에 앉아 있는 준사 또한 표정이 심각해진다.

와키자카 그렇다면 그 때를 언제로 본다 하느냐?
고바 전령 오히려 도노께 때를 묻고 그 때를 받아오시라 했습니다.
와키자카 (화색) 그래? 그럼 오늘 밤 자정이다. 곧바로 가서 알려라.

가토와 구키가 황당해한다.

가토 (일어서며 버럭) 지금 무슨 개소리냐! 한마디 상의도 없이 오늘 자정이라니.
구키 와키자카. 아무리 그래도 그렇지. 일에는 순서가 있는 법.
와키자카 태풍이 오기 전 쳐야 하오. 어쩔 수가 없소. 양해하시오.
(전령에게) 한시가 급하다! 가서 그렇게 전하라.

"이 개자식이 그래도!" 가토가 순식간에 와키자카의 목에 칼을 댄다. 서슬 퍼런 칼날!
순식간에 와키자카의 가신들과 가토의 가신들이 모두 일어나 칼을 잡고,
가토의 행동에 구키마저 당황! 전령도 몹시 당황해 그저 납작 엎드린다.

가토 내가 이래서 천박한 너와 함께할 수가 없다는 것이다! 출병이 애들 장난이냐! 와키자카!

와키자카 경거망동하지 마라 가토! 앉아라!

구키 왜 이러나? 가토! 칼을 집어넣게!

가토 단도직입적으로 묻자! 넌 진정 나와 함께하고 싶은 뜻이 있긴 있는 거냐?

와키자카 나도 네가 싫다. 허나 태합전하의 명이니 어찌하겠느냐. 그 칼을 치우면 이번 일은 없던 것으로 하겠다.

구키 가토!

가토, 스스로를 간신히 참아내다 칼을 집어넣은 뒤 자리를 박차고 나가버린다.
나가는 가토를 지그시 쳐다보는 와키자카. 그러다 이내,

와키자카 (전령을 향해) 한시가 바쁘다. 어서 가서 전하라.

고바전령 예! 도노!

전령이 빠르게 사라지자, 와키자카가 구키를 향해 식어버린 술잔을 들어 사과한다.

와키자카 양해해주시오. 저 다가오는 태풍처럼 내친김에 휘몰아쳐버려야 하지 않겠소.

구키 …….

S#36. 부산포 왜성 복도 2층 / 밤 / 안

왜군 장수들이 모두 상기된 채 걸어 나간다.
조용히 고개를 숙인 채 복도에 대기하고 있는 일련의 기생들과 보름.
사헤에를 따라 나가던 준사,
보름 앞을 지나치다 문득 그녀와 눈이 마주치는데, 시선을 회피하는 보름.

S#37. 부산포 왜성 본영 전체 회의실 2층 / 밤 / 안

모두가 사라진 왜성 복도, 모퉁이에서 다시 돌아 들어오는 보름,
와키자카와 가토 등이 있던 그 방 안으로 다시 들어온다.
텅 빈 방, 치워야 할 술자리만이 남아 있는데…… 문득 보름이 병풍을 향해 조용히 외친다.

보름 …… 나오셔요!

보름의 말에 반응하는 인기척, 놀랍게도 기다란 병풍 뒤에서 임준영이 나온다.

임준영 고맙소……. (잔뜩 상기된 채) 덕분에 놀라운 걸 들었으니 속히 좌수영에…….

이때 드르륵! 하고 열리는 문!
놀랍게도 사헤에가 첩보대 1을 포함한 병사들을 데리고 방 안으로 들어선다.
몹시 놀라는 보름과 임준영! 사헤에가 비릿한 미소로 쳐다본다.

사헤에 네놈이 어디까지 이어졌나 지켜봤다. 바로 네년까지 이어졌구나!
임준영/보름 !

이때 더욱 놀라운 건, 와키자카가 복도 쪽에서 천천히 걸어 들어온다.

와키자카 놀라운 일이군. 첩자들이 저런 기생들에게까지 뻗어 있었다니.
(보름을 보며) 조금 아깝구나. 아와지까지 데려가고 싶었는데.
보름 …….

잔뜩 긴장해 서 있던 임준영이 소매에서 천천히 비수를 뽑아내는데,
갑자기 보름이 임준영보다 먼저 외마디 괴성과 함께 도깨비 비녀를 뽑아 자신을 틀어쥔
무장의 목에 꽂는다. 헉! 단말마의 비명과 함께 나가떨어지는 무장.
비녀 끝이 예리하다. 그리고 다시 전광석화처럼 와키자카에게 달려드는 보름!

보름 죽어!

보름이 놀랍게도 와키자카의 어깨에 비녀를 꽂았다. 창가로 밀어붙이는 보름.

와키자카 ……!
사헤에 (경악하여) 주군!

와키자카가 순식간에 보름의 두 뺨을 틀어쥐며 창가 벽에 붙여 세운다.

보름이 빠르게 사헤에를 막아선 임준영에게 소리친다.

보름 어서 나가요!

잠시 망설이던 임준영이 창문으로 순식간에 몸을 내던진다.

와키자카 (소리치며) 저놈을 잡아라!
사헤에 (망연자실하여) 주, 주군!
와키자카 어서!
사헤에 예! 주군!

사헤에가 부하들을 이끌고 빠르게 뛰어나간다. 헌데 복도, 기생을 끼고 다시 들어오던 마나베와 마주치고, 이내 함께 뛰어나가는 두 사람.

CUT TO

툭! 피 묻은 도깨비 비녀가 바닥에 떨어진다. 와키자카가 보름의 턱을 틀어쥐고 벽으로 더욱 몰아붙인다. 부하들이 보름에게 달려든다. 부하들을 다가오지 못하게 막는 와키자카.

보름 (분해서 몸이 떨린다) …….
와키자카 어디까지 정보를 빼돌렸느냐. 말해라. 그럼 고통 없이 죽여주겠다.

보름, 엷은 냉소와 함께 갑자기 굳게 다문 입에서 피를 벌컥벌컥 흘린다.
와키자카가 두 뺨을 더욱 틀어쥐며 입을 강제로 벌리면,
보름, 혀를 반쯤이나 깨물고 비웃더니 이내 의식을 잃는다.
와키자카가 손을 놓자 바닥에 나뒹구는 보름.
어깨에 피를 흘리는 와키자카를 보며 부장들이 사색이 되어 일제히 무릎을 꿇는다.

부장들 주군! 죽을죄를 지었습니다! 저희 목을 치소서!
와키자카 (무표정으로) 세작들을 모조리 색출하라. 저 계집은 살려라.

와키자카가 사라진다. 부장들도 잔뜩 상기되어 이내 모두 빠져나가는데…….
쓰러져 있는 보름의 입에 천을 물리며 피 묻은 도깨비 문양 비녀를 주워 드는 누군가,

남아 있던 준사다. 준사, 무표정하게 의식을 잃은 보름을 쳐다보는데,

S#38. 부산포 외곽 해안가 / 밤 / 밖

헉헉! 임준영이 숨 돌릴 틈도 없이 쫓기고 있다. 허겁지겁 해안가에 대기하고 있던 목선에 뛰어 올라탄다. 두 명의 세작들이 빠르게 노를 젓기 시작하고, 임준영은 가쁘게 숨을 내쉬는데, 어깨와 옆구리에 총을 맞아 출혈이 심하다. **"저기다! 어서 쫓아라! 반드시 잡아야 한다!"** 사헤에가 애꾸눈 마나베와 함께 다수의 왜군들을 데리고 달려와 달아나는 목선을 향해 조총과 불화살을 퍼붓기 시작한다. 조총수들을 지휘하는 사헤에와 불화살들을 지휘하는 마나베. **쏴라!**
노를 젓던 세작 하나가 죽어나가고 마나베가 이번엔 직접 불화살을 들어 병사들과 함께 쏜다.
이내 하늘을 밝히며 날아가 목선 위에 떨어지는 수십 발의 불화살들.
노를 젓던 나머지 한 명도 불화살을 맞고 죽어나간다. 목선의 돛과 돛대마저 불타며 화염에 휩싸이는데, 임준영, 절망적이다. 마침내 바다로 몸을 던지고…….
몇몇 왜병들이 아예 옷을 벗어던지고 수영까지 해나가기 시작하는데,
마나베, 화염에 휩싸인 배에 멈추지 않고 더욱 불화살을 날리고,
사헤에 역시 조총을 쏘다 씩씩거리며 불타고 있는 배를 지켜보는데…….

S#39. 부산포 조선 세작 몽타주 / 밤 / 밖

달무리가 진 밤바다 부산포 왜성 전경.
어지러운 호각 소리들과 함께 부산포 여기저기에서 조선 세작들이 끌려 나온다.
초병들이 지키는 왜군 막사 안. 향불이 피워져 있고.
보름이 의식을 잃은 채 죽은 듯 누워 있다.

CUT TO

선창 부둣가, 굴비 두름처럼 엮여 무릎이 꿇린 채 울부짖는 세작들.
왜군의 칼날에 일제히 목들이 날아간다.

CUT TO

본성 3층 처소에서 상처를 싸맨 와키자카가 와타나베와 함께 그 광경을 내려다보고 있다.

와키자카 기왕지사…… 마저 정리할 것들은 정리하고 출정하는 게 어떠하냐.

와타나베 (알았다는 듯 천천히 고개를 끄덕인다) …….

S#40. 남해 노량 앞바다 / 밤 / 밖

차가운 달빛, 잔잔히 굽이치는 파고 속, 50여 대의 조선 함대가 미끄러지듯 이동하고 있다.
동쪽으로 전진하는 지역명들이 보이는 해도(海圖)와 중첩되며 나아가고 있는데,
해도상 남해도 노량 해역 즈음,

3차 출동 1일 차
1592년 7월 5일

선수 격군실 문을 열고 횃불을 든 광양 현감 어영담이 함대를 인도하고 있다.

어영담 (횃불을 들고 물길을 살피며) 좌현 쪽의 암초들을 조심하라.

영담 부장 예, 장군.

이내 남근처럼 생긴 어느 섬 앞,

어영담 (섬을 지그시 횃불로 비춰 보다) 당도했다. 좌수사께 알려라.

영담 부장 예, 장군.

천천히 이동 중인 순신의 좌선에서 횃불을 피워 올린다.
순신, 누구를 기다리는 듯이 아무 말 없이 전방만을 주시하면
섬 뒤편에서 횃불들이 솟아오르며 일제히 빠져나오는 배들이 보인다.

이순신 …….

순신의 함대로 다가오는 횃불들, 또 다른 판옥선들 7척이다.
선두 배의 장루에서 누군가 일어나 순신을 쳐다보는데, 원균이다.

S#41. 부산포 선창 / 밤 / 밖

구름을 뚫고 나온 달, 그 달빛 속에 부산포 선창에 고함과 비명이 난무하고 있다.
이내 보이는 어지러운 칼날들의 칼부림! 가토의 함대 앞 선창에서 핏빛 선혈들이 낭자하다.
왜군 장수들끼리 칼싸움을 하는 해괴한 장면이 연출되고 있다.
와키자카 수하들과 가토 수하들의 칼싸움!
악에 받친 가토가 끝을 보고자 와키자카를 노린다.
가까스로 막아내는 사헤에와 와타나베. 헌데 와키자카가 두 사람을 제치고 전광석화와 같은 솜씨로 가토를 제압하고 마는데, 결국 와키자카와 수하들이 가토와 그의 수하들을 완벽히 제압하는 데 성공을 거둔다. 칼을 빼앗긴 가토는 와키자카를 마주 보고 분을 참지 못해 치를 떤다.

가토 대체 넌 누굴 믿고 이런 짓을 벌이느냐. 칸베에 군사냐.
와키자카 너와는 타고난 견원지간. 같이 한들 분란밖에 더 있겠느냐. 난 그저 싸움에 집중하고 싶을 뿐. (다가서며) 어서 배들을 내놓고 사라져라. 그러면 목숨은 살려주마.
가토 내 배들을 빼앗고 네놈이 진정 무사할 성싶으냐! (기어이 달려드는데)

마나베가 발길질로 가토를 넘어뜨린다.

가토 (모멸감에 떨며) 내 이 치욕은 절대 잊지 않으마.
와키자카 전쟁에서 승리만 한다면야. 지금 나의 관심은 하루빨리 명국으로 가는 바닷길을 여는 것뿐! 그리만 되면…… 태합전하께서는 모든 걸 용서하실 것이다.

이미 항복한 채 그저 눈만 지그시 감고 있던 구키가 게슴츠레 눈을 뜨며 일어선다.

구키 (차분히) 이제야 알겠군, 자넨 처음부터 이럴 생각이었던 게야.
와키자카 …….
구키 여하튼 내 배들은 상관없겠지.
원하는 대로 우린 사라져줄 터이니 어디 한번 잘해보시게.

일어나 자리를 뜨는 구키.

마나베 (구키와 가토를 떠밀며) 목숨들 부지하고 싶으면 어서 가라!

구키와 가토가 황망히 사라진다.

와타나베 (다가와) 놓아줘도 괜찮겠습니까.

와키자카 만에 하나…… 책임 지울 희생양들도 필요하다. 저들이 서로 짜고 싸움을 회피했다고 하면 그뿐.

CUT TO

선창과 멀어지고 있는 구키의 안택선. 갑판 위에 서 있는 구키와 가토.
멀리 빼앗긴 가토의 안택선들 위로 와키자카의 깃발이 걸리는 게 보인다.
모멸감에 떨던 가토가 문득 뒤에 눈짓을 보내면, 가토 부장이 지도를 가져와 펼쳐 보인다.

가토 (진해 땅 안골포를 가리키며) 이곳으로 갑시다.

구키 대마도가 아니고?

가토 난 이곳에서 기다릴 거요. (눈빛을 빛내며) 혹여 또 모르니.

구키 (뜻을 알겠다는 듯) 하긴! 좋은 생각 같소.

가토 (다시 선창을 뚫어지게 바라보며) 참으로 묘한 싸움이오. 오히려 이순신을 응원하고 싶어지는…….

그렇게 부산포에서 멀어지는 가토와 구키…….

CUT TO

쿠웅! 마침내 120척 규모의 와키자카 함대가 일제히 노를 저으며 나아간다.
거대한 함대가 부산포를 나서고 있다. 차갑게 앞만 보고 앉아 있는 와키자카.
차츰 서쪽 해역으로 이동을 표기한 해도와 중첩되고,

같은 날 와키자카 출전 1일 차

S#42. 와키자카 안택선 누각 안 / 밤 / 안

낮은 탁자 위, 낯익은 황금 부채 하나와 서신 한 장.
와키자카와 삼총사가 탁자에 둘러앉아 있다.

다소 상기된 와키자카가 구로다 칸베에(黑田官兵衛)라 적힌 그 서신을 뜯어 읽는다.

칸베에 (V.O.) 태합전하의 부름으로 난 오사카성으로 돌아왔다. 와키자카 야스하루 그대는 (서신을 적고 있는 칸베에 모습이 보이고) 조선 수군을 격파하는 즉시 명국(明國) 하늘 나루(天津)로 들어가라! 그리고 그곳을 접수하라! 그리하면 태합전하는 조선이 아닌 명국으로 직접 출행할 것이다! 그곳에서 그대가 태합전하를 영접하라! 부채는 태합전하의 기대를 반영하는 것이니 소중히 간직토록 하라.

와타나베, 마나베, 사헤에 모두가 그저 상기된 표정으로 와키자카를 쳐다본다.

와키자카 (착 가라앉은 목소리) 형제들아. 우리가 1군 고니시나 2군 기요마사보다도 먼저 명에 갈 것 같구나!

삼총사 (놀라) 예?

와키자카 (잔뜩 흥분해) 변방 아와지의 이 와키자카가! 가장 먼저! 명에 도달할 것이라고 열도 땅 그 누가 상상이나 했겠느냐.

삼총사 (반색하며 일제히 일어서서) 감축드립니다! 주군!

애써 감정을 누르지만 표정까지 누를 수는 없는 와키자카
황금 부채를 가만히 만져보는데…….

S#43. 고성 땅 미륵도 당포 / 밤 / 밖

해도와 중첩되며 동쪽으로 이동 중인 조선 함대. 순신의 연합 함대가 당포(통영 앞 미륵도 이면)에 조용히 닻을 내린다. 파도 소리만…….

경상 고성 땅 당포

원균 이하 경상 우수영 장수들(이운룡, 이영남, 우치적)이 순신의 좌선으로 넘어온다.

원균 (미심쩍어하며) 대체 어쩔 요량이신가.

이순신 바다 위에 성을 쌓으려 하오.

원균 바다 위에 성을 쌓아? 무슨 해괴한 소린가. 납득이 되지 않으면 결단코 난 돌아갈 것이네.

이순신 적들이 필시 조만간 기동할 것이니 곧 알게 될 것이오. 우선 여기서 정박하며 부산포에 적들을 탐망해보지요.

원균 (뭐라 하려는데)

이운룡 (나서며) 여기 경상 앞바다는 소장이 잘 알고 있습니다. 견내량을 타면 부산포까지는 반나절입니다. (원균에게) 장군. 소장이 다녀온 뒤 모든 걸 결정하셔도 늦지 않을 것입니다. 소장! 다녀오겠습니다!

원균 !

이순신 …….

S#44. 부산포 왜성 / 새벽녘 / 밖

텅 빈 듯한 부산포 왜성 전경. 한적한 초소 앞에 보초선 왜병 하나가 서성이는 것이 보이는데.
그 앞으로 따각따각 말발굽 소리가 들려오고…….

왜병 (갸우뚱) 누구냐! (암구호를 대며) 태풍!

따가닥 따가닥…… 말발굽 소리가 점차 빨라지는데.

왜병 (다시 외쳐보는) 태풍!

휘익! 들리는 칼 바람 소리…… 왜병의 목이 순식간에 날아간다.
빠르게 뛰어가는 말 두 마리…….
바로 준사다. 빈 말 한 마리를 더 대동하고 달리고 있는 준사.
그런 준사의 뒤에 누군가 함께 타고 있는데,
입안에 배어든 핏물을 무명천에 뱉어내며 연신 기침을 해대는 보름이다.

CUT TO

어느 덧 보이는 갈림길, 준사가 말에서 내린다. 보름은 말 위에 있고,

준사 괜찮소?

물어오는 준사를 당혹스러운 눈으로 바라보는 보름,

준사 나는 항왜 준사라 하오. 난 이미 전라 좌수사께 투항한 몸이오.

문득 준사의 도깨비 목걸이에 시선이 머무는 보름.
준사가 품속에서 서신 하나를 꺼내 보름에게 건넨다.
이어 도깨비 문양의 목걸이까지 떼서 주는 준사.

준사 이것이 함께 있어야 믿을 것이오.
보름 …….
준사 많은 사람들이 이것 때문에 목숨을 잃었소. 헛되지 않게 꼭 좌수사께 전해주시오! 상황이 급하니 이제는 혼자 가야만 합니다. 저는 북으로 올라가 전주성에 그 서신 속 내용을 알려야 합니다. 괜찮겠습니까?
보름 (고개만 끄덕인다) …….

CUT TO
보름이 말을 타고 가며 준사를 뒤돌아본다.
준사, 이내 대동한 말을 타고 빠르게 어디론가 달려가기 시작하고.

S#45. 숲 – 준사 에피소드 / 낮 / 밖

산길, 달리던 준사가 뭔가를 발견한 듯 이내 말을 멈춘다.
산길 아래 멀리 평원에서 진군해 가는 엄청난 수의 고바야카와 군사들이 보인다.
태풍 문양의 무수한 깃발들이 인상적인데…….
말에서 내려 지도와 나침반을 펴보는 준사. 이내 산길로 뛰기 시작하는데!
산속 어느 갈라진 길에서 우뚝 멈춰 서며 길을 살피는 준사, 헌데 툭! 하고 준사 앞으로 날아오는 돌멩이 하나.

준사 !

준사, 본능적으로 몸을 피하려 뒤돌아서는데, 순간 누군가 뭔가를 내려친다. 쓰러지는 준사.
이내 끌려가는 준사의 몸. 어떻게든 정신을 차리려는 준사, 하지만 도리어 의식을 잃어가고…….

CUT TO 준사 회상

무지 속, 누군가(순신)의 목소리가 들려온다.

누군가	(목소리만) 목숨을 거두지 마라. 분명 다른 뜻이 있는 자다. 모두 나가 있으라.

희미하게 비추는 화톳불과 그 너머에 누군가……. 순신이 서 있다.
좌수영의 고문장, 모두가 나간 자리, 순신이 홀로 구타당해 쓰러진 준사를 쳐다보고 있다.
준사, 두 손이 자유롭게 풀려 있다. 힘겹게 일어서는 준사. 휘청거리며 위협하듯 순신에게 다가오는데.

준사	(불쑥) 이 전쟁은 무엇입니까.
이순신	…….
준사	(간절하게) 간절히 청컨대 대답해주소서. 대체 이 전쟁은 무엇입니까.
이순신	의(義)와 불의(不義)의 싸움이지.
준사	(떨리는 목소리로) 나라와 나라의 싸움이 아니고 말입니까?
이순신	그렇다!
준사	(휘청거리며 더욱 다가서다 털썩 무릎을 꿇으며) 사천에서 제가 당신을 쏘았습니다. 그랬기에 더욱 똑똑히 봤습니다. 자기 사람을 구하기 위해서 앞서 나오는 모습을……. 헌데 나의 주군은 자신이 살기 위해 우리를 방패막이로 삼더이다.
이순신	…….
준사	(마침내 고개를 숙이며) 부디 저를 거두어주소서.

준사 회상 끝

S#46. 경상 우수영 탐망선 / 밤 / 밖

어두운 밤, 을씨년스러운 부산포. 근처 작은 섬 뒤에 떠 있는 이운룡의 복병선이 보인다.
이운룡이 노심초사 서 있는데, 이윽고 배 가까이 헤엄쳐 다가오는 사람들, 이운룡의 탐망병들이다.
이운룡이 배 난간으로 급히 다가선다.

탐망병 1 (물속에서) 부산포에 배가 한 척도 없습니다.

이운룡 (놀라며) 뭐라고?

탐망병 2 그리고 우리 백성들로 보이는 사람들의 목들이 모조리 베인 상태로 선창에 놓여 있었습니다.

탐망병 2가 1을 바라보며 눈짓을 주자 이내,

탐망병 1 (피 묻은 도깨비 호패 하나를 건네며) 아마 우리 쪽 세작들 같습니다.

이운룡 (불안하게) 실로 영악한 적이다. 세작들까지 모조리 죽이고 이렇듯 조용히 움직이다니……. (부산포 쪽을 바라보며) 어서 가자. 이 사실을 좌수사께 속히 보고 드려야 한다.

부장들 예.

배를 돌려 급히 이동하는 이운룡의 복병선.

S#47. 웅포(진해만) 근처 바다 / 밤 / 밖

이동 중인 와키자카의 웅장한 함대가 보인다. 그들을 향해 맞은편에서 작은 탐망선 두 척이 다가오는데, 거기에 타고 있는 왜군관 하나, 와키자카 함선 갑판 위로 올라와 사헤에에게 뭐라 말하자,
급히 누각 밑에 앉아 지도를 보고 있는 와키자카에게 보고하는 사헤에.

사헤에 도노! 이순신이 지척인 고성 땅 앞 당포에 와 있다 합니다.

와키자카, 멈칫 고개를 들며 갑자기 차가운 표정,

와키자카 과연…… 만만치 않은 자다.

삼총사와 함께 급히 지도를 살피는 와키자카.
잠시 시간을 끌며 지도를 쳐다보던 와키자카 마침내 한 지점을 가리킨다.

와키자카 (지도를 짚으며) 당포와 웅포 사이…… 여기를 한번 봐라.

삼총사가 바짝 다가와 와키자카가 던지는 말에 집중한다.

와키자카 지금 이순신과 우리 사이…… 이 좁은 길목 말이다. 견내량이란 곳이다. 어딘가가 연상되지 않느냐?

와타나베 용인 전투 때 한양으로 가는 좁은 길목 광교산을 말씀하시는 겁니까.

와키자카 (옅은 미소) 지금 즉시 견내량으로 들어가 매복한다. 이순신이 어찌 나오는지 한번 두고 보자.

삼총사 예! 도노!

빠르게 흩어지는 삼총사. 이어지는 뿔고둥 소리.

S#48. 당포 선창 - 군막 안 / 밤 / 밖

당포 앞 밤바다, 삼도 연합 함대가 정박해 있고 선창에 임시 군막들이 펼쳐진 게 보인다.

경상 고성 땅 당포

이운룡이 급히 대장 군막으로 들어서면, 순신, 이억기, 원균이 함께 있는 게 보인다.
송희립도 보이는데…… 급히 보고하는 이운룡.

이운룡 부산포에 적들이 보이지 않습니다. 이미 어디론가 움직인 듯합니다. 그리고 선창에는 우리 세작들이 무수히 목 베여 죽어 있었습니다.

모두 (놀란다) !

이억기 (순신에게) 협판안치란 자. 참으로 무서운 자입니다. 어찌합니까.

이억기와 이운룡이 순신의 명을 기다리는데, 원균조차도 어정쩡 순신의 반응을 기다리고,

이순신 이미 기동한 적들을 두고 물러설 수는 없다. 우리가 적들을 마주치지 않은 이상, 이곳을 지나갔을 리는 없다. 즉시 적의 위치를 파악해야 한다. 동쪽으로 탐망선을 크게 늘려라.

이운룡/송희립 (동시에) 예, 장군.

CUT TO

일제히 빠르게 바다를 빠져나가는 협선 10여 척들…….

CUT TO

보름이 말을 타고 달리고 있다. 휘청! 정신이 아득하고 힘에 겹지만 다시 고삐를 쥐는데.
입에서 다시 새어 나오는 피…… 급기야 말 위에 고꾸라지고 마는 보름…….

CUT TO

턱! 어느 해변 바위 위를 힘겹게 올라서는 누군가의 손. 온몸이 만신창이가 된 임준영.
힘겹게 바위를 올라서다 주루룩! 이내 다시 미끄러져 떨어지고 마는 임준영.

S#49. 견내량 – 바다 초원 / 낮 / 밖

거센 바닷바람이 불어오는 초원 절벽, 절벽 아래 견내량으로 들어가는 좁은 해협 입구가 보인다.

견내량

그 초원 위, 누군가 걸어오고 있다.

김천손 염순아! 염순아! 야가 어데 갔지?

길 잃은 염소를 찾는 젊은 목동 김천손, 절벽 쪽으로 접근하다 눈이 휘둥그레진다!
천손의 눈에 초원 절벽 아래로 무수한 왜선들이 들어서는 것이 보인다. 견내량 안쪽, 흉도(胸島, 현 고개도)를 중심으로 곳곳에 매복 정박하기 시작하는 백여 척의 왜선들. 천손, 놀라며 어딘가로 허둥지둥 도망치다 이내 다시 돌아오는데. 이내 하나하나 일일이 적선의 척수를 세기 시작하는 천손…….

김천손 (중얼중얼) 한 놈. 두식이. 석 삼. 너구리…….

CUT TO

점점 강해지는 바닷바람 속.
짚신 발의 누군가 숨이 차도록 뛰고 있다. 마침내 그의 시선으로 보이는 조선 수군이 있는 당포 선창.

으헉! 짚신 발이 돌부리에 채여 구른다. 가쁜 숨을 몰아쉬고 있는 천손이다.

S#50. 당포 선창 군막 안 / 낮 / 안

군막 안 펼쳐진 탁자들, 이순신과 이억기 등 여러 장수들이 오가는 탐망병들의 보고를 받고 지도를 살피며 분주하다. 원균이 작정한 듯 군막 안으로 들어온다. 이운룡과 이영남이 함께하고 있다.

원균 그래 기동한 적이 어디 있는진 찾았는가.
이순신 곧 찾을 듯싶습니다. 탐망선들이 보고하는 여러 정황으로 보아, 우리와 상당히 가까운 곳에 있을 가능성이 높습니다.
원균 내 아까는 애써 이곳까지 와서 적에게 등을 보이는 거 같아 참았네만, 만일 오늘 내로 적이 발견되지 않는다면 경상 우수군은 철수해 전주성에 힘을 보탤 것이네.
이순신 오늘 내로 발견될 것입니다.

원균, 순신의 자신감 있는 태도가 지극히 못마땅한데…….
이때 송희립이 황급히 뛰어 들어온다.

송희립 장군!
이순신 무슨 일이냐.
송희립 적을 발견했습니다.
원균 !

모든 장수들이 집중하는데,

이순신 어디냐?
송희립 견내량입니다.

"뭐? 견내량이라고!" 장수들이 술렁인다.

이억기 견내량이면 여기서 지척 아닙니까.
송희립 거제 쪽으로 120척이 정박해 있다 합니다.

순신의 눈에 군막 밖에 천손이 숨을 헐떡이며 서 있는 게 보이는데,
갑자기 원균이 호기롭게 순신에게 다가선다.

원균 당장 밀고 들어가세! 이런 천운이 어디 있나?

이순신 (고개를 저으며) 견내량에서 멈춰 있다는 건 적도 이미 우리가 여기 있는 줄 알고 있다는 걸 의미하오.

원균 그렇다고 뭐가 달라질 게 있나?

이순신 신중할 필요가 있소.

순신이 탁자에 펼쳐진 지도 앞으로 다가간다. 원균도 다가가는데,

이억기 여기 주변 탁자들을 치우거라.

이억기의 명령에 중앙 탁자 외 치워지는 탁자들. 장수들 이내 중앙 탁자를 둘러싸며 모여든다

이순신 (지도를 유심히 들여다보며) …….

모든 장수들 또한 탁자의 지도에 집중한다.

이순신 (한 곳을 짚으며) 여기 한산도 앞바다로 끌어내어야 한다.
견내량은 폭이 좁아 우리 판옥대선들에게는 싸우기가 적절치 않다.

원균 (냉소) 아니지! 비록 폭이 좁다 한들 날뛰는 적보단 여기 멈추어 있는 적을 처리하기가 오히려 쉬워 보이네. 지금까지 우리 수군이 벌여온 전투 형태와도 맞지 않는가?

몇몇 장수들이 동조하듯 끄덕인다.

이순신 (고개를 저으며) 폭이 좁고 물살이 세어 아군 배들이 전후좌우로 들고 나기에 적절치 않소. 아군의 피해가 상당할 것이오. 더구나 적들이 육지로 피해 도망친다면 큰 효과를 기대하기도 어렵습니다.

원균 (오기가 발동해) 싸움에 임해서 작은 피해까지 걱정하는 건 대장부의 자세가 아니네. 더구나 육지로 도망친다 함은 (지휘봉으로 지도를 찍으며) 기껏 여기 거제 섬일 텐데, 섬에서 육군 지원도 못 받는 적을 뒤쫓아 오랜만에 땅에서 승리하는 쾌감도 맛볼 수

있을 거 같네. 난 들이치는 게 맞다고 봐!

이순신 그럼 경상 우수군이 먼저 들이쳐 싸워주시는 건 어떻소이까?

원균 뭐라? 우리만 들어가 싸우다 처죽으란 말인가!

오기가 발동한 원균의 말이 특유의 험악함으로 점차 치닫는다.

이순신 적들을 (지도를 짚으며) 여기 한산도 앞바다로 끌어내달라는 얘기입니다.

원균 유인전을 펼치란 말인가?

이순신 (고개를 끄덕인다) …….

원균 그리고 그곳에 학익진을 펼치겠다?

이억기 !

장수들 ……!

이순신 …….

원균 (알겠다는 듯) 그게 바로 그대가 말한 바다 위에 성을 쌓겠다는 것인가?

이순신 …….

원균 (냉소) 허나 자네 나를 바보 천치로 아나? 7척의 우수군 배로 들이치라니! 그건 그냥 자살행위 아닌가. 그리고 저 협판안치 또한 바보 천치인가? 누가 순순히 따라 나온단 말인가? (오기를 부리며) 함께 들이치든가! 아니면 난 이 무모한 작전에서 빠지겠네!

이순신 원 수사! 적들이 바로 우리 앞에 있소!

원균 바다 위에 성이라니 가당치도 않네! 차라리 난 전주성에 힘을 보태겠네!

다짜고짜 나가려는 원균. 이운룡과 이영남도 어찌할 바를 몰라하고,
문득 어영담이 나선다.

어영담 향도가 한번 유인해보지요.

이순신/원균 ?

순신과 원균이 동시에 돌아보는데,

어영담 견내량 물길은 향도가 소상히 잘 알고 있으니 제가 유인해보겠습니다.

이순신/원균 …….

이때 이운룡이 나선다.

이운룡 제가 가겠습니다! 경상의 물길을 전라 좌수영의 노구께 맡긴다면 이것은 천하의 조롱거리가 될 것입니다! (원균에 고개를 숙이며) 장군! 부디 청컨대 허락해주소서!

원균 (대체 상황이 어찌 돌아가는 거야 하는 표정) …….

어영담이 이운룡에게 옅은 미소를 짓더니 순신을 향해 다시 말한다.

어영담 장군…… 이 노구의 마지막 바람이니 그리 해주시지요.

일순 모두가 감동한 듯 어영담을 바라볼 뿐인데…… 원균만은 매우 탐탁지 않은 표정이다.

S#51. 당포 - 대장선 처소 / 낮 / 안

처소 안, 순신이 제명(題名)만 쓰여 있을 뿐 텅 빈 학익진도 앞에서 골똘히 생각에 빠져있다.

이억기 (회상, 운주당) 영감께선 아직 저에게 답을 주시지 않았습니다.
대체 어찌 싸우시려 합니까. 진정 학익진이 답이 될 수 있습니까.

매우 진지하게 묻는 이억기다.
순신, 두통이 오는 듯 관자놀이를 지그시 누르는데…….
그 앞에 놓인 '군관 나대용'이라 적힌 서찰 하나가 보인다. 이내 송희립의 목소리가 들려오고…….

송희립 장군, 소장 희립입니다.

이순신 들어오너라.
(자세를 고쳐 잡으며) 어인 일이냐.

송희립 장군. 이 일은 은밀히 전하는 게 맞을 듯싶어…….
(순신에게 서신 하나를 전달하는데) 준사의 전갈이 왔습니다.

이순신 !

급히 쓴 듯한 서신 하나. 바로 준사가 보름에게 건넨 서신과 도깨비 문양 목걸이가 보인다.

순신이 서신을 펼쳐보면, 그 위로 준사의 목소리,

준사(NA) 6군 고바야카와 부대가 전주성이 아닌 좌수영을 치러 갈 계획입니다.
수군과 서로 때를 맞춰 수륙병진으로 좌수영을 공동 목표로 삼았습니다.
함대는 5일 자정 출동했습니다.

순신, 읽다 크게 놀라 희립을 쳐다보는데,

송희립 (이미 읽은 듯) 적의 육군이 전주성을 우회하여 우리 좌수영을 친다면 큰 낭패 아닙니까.
이순신 (상기되어) 전주성에 이 소식이 갔느냐.
송희립 시간이 촉박하여 준사가 직접 소식을 알리러 떠났다 합니다. 허나 왜인(倭人)의 말을 믿어줄지 모르겠습니다.
이순신 헌데…… 이 소식을 준사가 아니라면 누가 우리에게 전해온 것이냐?
송희립 …….

송희립이 처소의 문을 열어젖히면, 밖에 보름이 서 있다.
힘겨운 표정으로 순신을 쳐다보다 마침내 쓰러지는 보름…….
"처자!" 송희립이 달려가고,

이순신 …….

S#52. 어느 계곡 / 낮/ 밖

희미하게 다시 떠지는 준사의 시선. 커다란 깃발. 커다란 글씨 義(의) 자가 보이는데…….
퍼뜩 정신을 차리는 준사, 움직이려다 나무에 몸이 묶여 있음을 안다.
그러자 준사 앞에 나타나는 산적 같은 외모의 의병 사내들…….

준사 여기는 어디요?
의병 1 음메? 조선말을 허는디요?
의병장 (나서며) 네놈은 누구냐?

산적 같은 사내와는 달리 다포 차림의 한 남자가 나선다.

의병장 황박

준사 나는…… 좌수영에서 왔소!

황박 좌수영에서 왔다는 놈이 왜복을 입었다는 게 말이 되느냐?

그때 나타나는 조선군 장수 복장을 한 김제 군수 정담.
의병장 황박과 의병들 인사하며 비켜서면.

정담 뭐가 나온 것이 있는가?

황박 아직 아무것도 없습니다.

준사 좌수영에서 왔다 하지 않았소! 어서 풀어주시오! 당장 전주성으로 가야 하오!

정담 왜놈들이 전주성을 향한다더니 이젠 첩자들까지 설치는구나. 어서 죽이게.

칼을 뽑아 준사를 죽이려 하는 의병장 황박! 준사가 묶인 상태로 발버둥을 친다.

준사 난 항왜다! 금산의 왜군이 전주성이 아닌 좌수영을 노리고 있다!
수군과 육군이 동시에 좌수영을 노리고 있단 말이다!

그러자 멈춰서 돌아보는 정담. 황박과 의병들도 놀라 정담을 보면.

의병 1 (속삭이듯 황박에게) 나리! 항왜가 뭡니까요?

황박 우리 의병처럼 불의에 항거해 우리 쪽에 투항해서 싸우는 왜군들이 있다고 들었다. 나도 소상한 것은 모른다.

의병 1 아…….

정담 (준사에게 다가서며) 다시 한번 말해보거라…….

준사 적이 노리는 건 전주성이 아닌 좌수영이란 말이다!

정담 좌수영?

준사 그렇다!

준사의 말을 믿어야 할지 고민하는 정담.

비록 묶여 있지만 강렬한 눈빛으로 쏘아보는 준사.

정담 (이내) 지도를 가져오게.

CUT TO

준사에게서 다소 떨어진 채 서서 정담, 의병장 황박과 함께 가져온 지도를 펼쳐보고 있다.
금산에서 좌수영 가는 길을 살펴보면 바로 그들이 서 있는 이곳 웅치를 통과해야 됨을 깨닫는다.

황박 저 말이 사실이라면 금산성의 적은 이곳 웅치를 필히 통과해야 하지 않습니까?

정담 (묵직이) 난 가서 새로 부임한 순찰사 권율 장군께 연통하겠소. 우리는 전주로 가지 않고 이곳 웅치에 방어선을 만들 것이오!

황박 예! (하고 돌아서 정담이 사라지자 군사들을 준비시키면)

준사 나도 싸우게 해주시오! 함께 싸우겠소!

황박 (돌아보는) …….

준사에게 다시 다가가는 황박, 준사를 뚫어지게 쳐다보다 이내 몽둥이로 준사를 내리친다!
다시 의식을 잃고 마는 준사.

S#53. 당포 선창 - 대장선 처소 / 밤 / 안 음악 시작

삼경(밤 11시)을 알리는 가느다란 호각 소리. 이지러진 반달이 떠 있고, 파고가 다소 거칠다.
50여 척의 판옥선들이 삐거덕거리며 서로 묶여 장관을 이루고 있는데…….
대장선 순신의 처소 안, 탁자 위에 여전히 백지의 학익진도(鶴翼陣圖)를 앞에 두고 지그시 눈을 감고 앉아 있던 순신, 천천히 눈을 뜨며 붓을 드는데,
마침내 학익진도 위에 신중히 글을 써가기 시작하는 순신……. 이내 순신의 목소리가 들려오고,

이순신 (V.O.) 적의 기세를 이용해 적을 제압하려 하나니…….
이곳 한산도 앞바다에 성을 쌓는 학익진을 펼치려 한다. 좌선을 기준으로 나의 의도와 전장 파악에 제일 능통한 전라 우수사 이억기를 우측 날개 중앙으로.

순신, 중군(中軍)의 중심에 전라 좌수사 본인의 좌선을 시작으로 우익(右翼)의 중앙에 전라 우수사 이

억기를 적는다.

이순신 좌선을 기준으로 좌측 날개 중앙에는…….

순신, 좌익(左翼)의 중앙에 이름 적기를 잠시 머뭇거리다 마침내 원균의 이름을 적는다.

이순신 경상 우수사 원균을……. 경상 우수사 원균의 곁으로는 매사에 침착하며 조선 최고의 향도라 할 수 있는 광양 현감 어영담을, 또한 그의 장수 중 가장 기민하며 유일하게 충언을 아끼지 않는 장수 이운룡을 배치한다. 또한…….

이내 (그 유명한) 학익진도가 순신의 붓놀림과 함께 채워지며 화면에서 점차 커져간다.

이순신 배의 운용과 그 날렵함이 삼도 최고라 할 수 있는 사도 첨사 김완의 사도선을 좌측 날개 맨 끝으로. 빠른 기동과 백병전에서 그 누구보다 빠르게 적을 제압할 수 있는 순천 부사 권준은 우측 날개 맨 끝으로. 무사로서의 능력과 돌파력이 우리 수군 최고라 할 수 있는 녹도 만호 정운의 녹도선은 좌선을 보좌하는 바로 옆 좌영선으로…….

진지한 붓놀림의 순신의 모습과 목소리 위에 진법도에 이름들이 채워진다.
마침내 그렇게 모든 이들의 이름을 적고 붓을 내려놓는 순신.
장수들의 이름이 빼곡하게 적힌 완성된 학익진을 진중히 내려다본다.
음악 끝
순신, 문득 창밖으로 시선을 옮기면…… 밤하늘에 빛나는 북두칠성이 보이고
이미 은하수를 파고든 견우성과 직녀성이 서로 가까이 머무르고 있음을 본다.
순신, 창밖으로 손을 뻗어 바람을 느껴보며…….

이순신 벌써 칠석인가? 자칫하면 비가 내리겠구나…….

S#54. 전주성 - 성문 위 / 밤 / 밖

(다시 긴장감 도는 비트음이 살아나며) 전주성이 보인다.

전주성

성벽에 펄럭이는 '全羅巡察使(전라 순찰사)'의 깃발!
성벽 위에서 방어 준비를 하는 군사들 너머로 좌수영 전령의 보고를 받는 신임 순찰사 권율.

신임 전라 순찰사 권율

좌수영전령 순찰사 영감께 아룁니다!
속히 좌수영으로 가는 길목에 군사들을 마련해주소서.

권율 …….

이때 또 다른 전령이 들어온다.

권율 부장 웅치에 김제 군수 정담의 전령입니다!

황급히 권율에게 통문을 전하는 전령, 권율, 서찰을 보면 '김제 군수 정담'이라 적혀 있다.
내용을 찬찬히 읽어보더니 눈썹을 꿈틀하는 권율.

권율 하나같이 좌수영을 걱정하는구나.
(자리에서 일어나) 관내 지도를 가져오라.

권율 부장 예, 장군.

마침내 지도를 펼치고 금산에서부터 좌수영이 있는 여수로 향하는 길을 짚어보는데,
그 길목에 웅치가 보인다. 그러자 아뿔싸 하는 표정이 되는 권율.
주먹을 꽈악 쥐더니 지도를 보며 고민하는 권율!
금산에서 웅치로 가는 길과 이치로 가는 길이 함께 눈에 들어온다.

권율 부장 (권율을 돌아보며) 적들이 웅치를 넘는다면 과연 좌수영으로 향할 수도 있겠습니다.

권율 (정담의 전령에게) 정담의 전령은 들으라. 정담의 웅치 방어를 허락한다!
더불어 전주성으로 들어오고 있는 모든 의병들은 전주성이 아닌 웅치로 모이라 일러라!

정담 전령 예, 장군.

권율 (좌수영 전령에게) 좌수영의 전령은 들으라. 넌 속히 가서 좌수사께 육지의 상황은 잘 파악했으니 전 순찰사 이광의 명은 그만 잊고 수군의 일에만 집중하라 일러라.

좌수영 전령 예! 장군!

권율 (부장들에게) 제장들은 들으라. 성내에 군사들을 모으거라. 우리는 전주성을 나가 이치로 가야겠다.

권율 부장 허나 장군. 본성인 전주성을 비우다 행여 웅치가 뚫리고 적들이 이곳을 향한다면 우리의 형세가 매우 위험해질 수도 있습니다.

권율 그럴 수도 있겠지. 허나 천혜의 요지인 이치를 그냥 내주는 건 더욱 위험하다. 어서들 시행하라!

부장들 예! 장군!

S#55. 웅치 고개 / 새벽녘 / 밖

푸르스름한 새벽 여명이 비춰오는 웅치 고개 숲속.
좌우 언덕으로 이동 중인 여러 총통 및 개인용 승자총통들을 든 의병들이 보이고.

전라도 웅치 고개
제1선 방어선

제1선 의병장 황박의 지휘 아래 군사들과 의병들이 목책을 설치하고 있다.
의식을 차린 준사가 비탈진 곳에 서 있는 나무에 묶여 있다. 그런 준사를 쳐다보는 황박.

의병 1 (황박에게) 저는 아직도 믿지 못하겠습니다. 어째서 적이 가까운 전주성 대신 좌수영으로 갑니까? 지금이라도 저자를 없애고 본래 계획대로 전주성으로 이동하는 것이……!

황박 적이 여기를 통과해 그대로 남하하면 좌수영까지는 빠르면 한나절이다.
전령이 오면 어찌할지 정해질 것이다. 그동안은 이곳을 방어하는 게 맞다.

이때 준사의 시선, 산 밑에서 척후병이 다급히 올라와 뭐라 황박과 얘기 나누는 것이 보인다.
심각해지는 황박, 이내 칼을 빼 들고 준사에게로 성큼 다가오는데,

준사 ……

황박이 칼을 내리친다. 동시에 비탈길을 구르는 준사. 멀쩡한데…… 밧줄만이 풀렸다.

황박 함께 싸우자 했느냐. 따라오너라!

준사 ……!

S#56. 순천부 선소 / 새벽녘 / 밖

새벽녘, 조용하다 못 해 고즈넉한 대나무 숲 너머,
돌격장 이언량이 홀로 무언가를 홀린 듯 올려다보고 있다.
눈이 시뻘겋게 부은 나대용이 다가오며 묻는다.

나대용 어떤가?

새롭게 완성된 구선인 듯 다시 함께 올려다보는 이언량과 나대용.
(화면상 목책들이 빠진 신형 구선의 모습이 정확히 보이지는 않는다.)
그저 구선 너머 두 사람의 모습만 보일 뿐…….

이언량 할 말이 없네.

돌격대원들이 꾸역꾸역 몰려들며 하나같이 넋이 빠진 얼굴로 쳐다보는데…….

S#57. 당포 선창 / 새벽녘 / 밖

새벽 여명 속에 출동 준비를 하는 수군 군사들.

3차 출동 4일 차

1592년 7월 8일 한산해전 당일

송희립 (어딘가를 가리키며) 장군. 향도께서 출발하셨습니다.

장루 뒤, 순신이 송희립과 함께 희미하게 멀어지는 어영담 함대를 끝까지 지켜본다.
이억기가 그런 순신을 쳐다보고 있다. 그다지 표정이 밝지 않은데.

이순신 (송희립에게 나직이) 화포들을 모두 이중으로 채우라 전했느냐.
송희립 예. 조란탄과 포탄을 화포에 함께 채우라 전 함대에 전했습니다.

순신, 마침내 돌아서 자신의 명을 기다리고 있던 갑판 위 장수들과 군사들을 보고는.

이순신 (담담히) 전군…… 출정하라!
송희립 전군! 출정하라!

그러자 일제히 흩어지는 장수들과 군사들.

S#58. 견내량 선창 - 와키자카의 군영 / 낮 / 밖

안개가 짙다. 견내량 절벽 밑 곳곳에 매복 중인 와키자카의 함선들이 언뜻 보인다.

견내량

훙도 앞, 갑판 위에서 와키자카에게 빠르게 달려와 보고하는 사헤에.

사헤에 도노! 이순신이 출정했다 합니다. 당포에 적선의 수는 정확히 56척.
와타나베 전부 판옥선으로 역시 메쿠라부네는 보이지 않는다 합니다.
(경계하듯) 혹시 적의 전략은 아닐지요?
와키자카 아니다. 메쿠라부네는 이제 무시해도 좋다.
지금쯤이면 고바야카와가 웅치를 넘고 있겠구나.

이내 말없이 견내량 서쪽 입구 촛대 바위가 차츰 안개로 사라지는 것을 지켜보는 와키자카.

S#59. 웅치 고개 아래 / 낮 / 밖

웅치 고개 아래 평원, 하늘을 반쯤 가릴 정도로 펄럭이는 고바야카와의 깃발들.
고바야카와의 군사들이 사방에서 떼를 지어 나타나고 있다.
어느새 고개 아래까지 나와 정탐 중인, 황박과 몇몇 의병들, 그리고 준사.
그들 시선에 말을 탄 대장 고바야카와가 부장들을 거느리고 나타나는 게 보인다.
그들을 중심으로 사방에서 꾸역꾸역 나타나는 왜군들을 보곤 침을 꿀꺽 삼키는 의병 1.
그 사이에 섞여서 앞을 주시하고 있는 준사!

황박 만일 살아남는다면…… 내 술 한 상 거하게 내도록 하지.

황박을 쳐다보는 준사. 이내 황박도 준사를 쳐다보는데…….

준사 …….

'진격하라!' 대장 고바야카와의 명령 아래 마침내 무수한 깃발을 펄럭이며 고갯길로 진입하기 시작하는 왜군들. 황박과 준사 일행이 빠르게 안쪽으로 사라진다.

S#60. 견내량 길목 / 낮 / 밖

물을 타고 흐르는 바다 안개. 문득 화면에 모습을 비추며 나타나는 다섯 척의 판옥선들!
(긴장 어린 비트음 나직하게 살아나며) 배를 이끌고 견내량으로 들어서는 어영담의 모습이 보인다.

어영담 적을 끌어내는 것이 우리의 목적이다!
적선과는 반 마장 이상의 거리를 꼭 유지하도록 해라.

"예, 장군!" 하고 돌아서는 어영담의 부장!
어영담함이 견내량 길목 안으로 더욱 들어가자 마침내 희미하게 안개 속에 정박해 있는 왜군 함대가 눈에 들어오기 시작하는데.

어영담 …….

S#61. 견내량 선창 – 와키자카의 안택선 / 낮 / 밖

흐르는 바다 안개 속, 갑판에서 경계를 서고 있는 왜군 초병들.
문득 안개 너머에서 들리는 끼익끼익 소리에 천천히 돌아보다 점점 눈들이 커진다!

왜경계병 1 적이다! 적이 나타났다!

북을 치고 뿔고둥을 부는 왜군 경계병.
안택선 층루 안에서 나와보는 와키자카.
어디선가 콰앙! 하는 화포 소리 들리자 휘이익 하는 바람 소리와 함께 포탄이 떨어져,
세키부네 하나의 갑판을 박살 낸다! 와키자카의 안택선 위 철포병들을 데리고 나온 사헤에, **"발사!"**
라고 소리치자, 타다다다당! 하며 포탄이 날아온 안개 속을 향해 조총들이 어지러이 불을 뿜는다.
그러자 이내 안개 속으로 사라지는 어영담 함대.

와키자카 (장루 끝에 나와 서서) 드디어 왔느냐. 사헤에! 적이 보이느냐!
사헤에 (달려와) 예! 헌데…… 적선이 다시 보이지 않습니다.
와키자카 몇 척이나 되어 보였느냐?
사헤에 그것이…… 아직 잘…….

이때 다시 우측에 **"적이 출현했다!"**는 고함. 퍼버벙! **"다시 쏴라!"** 이어지는 조총 소리들.
허나 다시 이내 잠잠해지고 맨 앞의 왜병들이 침을 꿀꺽 삼키며 긴장해 있는데…….
이번엔 좌측에서 다시 희미하게 다가오는 판옥선들이 보인다.

왜경계병 2 좌측이다! 좌측에서 적들이 나타났다!

흐르는 안개 속에서 퍼버벙! 불꽃이 튀는데, 이내 조총 화염을 뿜어내는 주위의 배들. 다시 판옥선들이 안개 속으로 사라지면, 사헤에가 낭패스러운 얼굴로 와키자카를 돌아본다.

와키자카 (예리하게 살피는) …….

다시 안개 속 어지러운 교전 상황 속, 좌우에서 달려오는 부장 1과 부장 2.

와키 부장 1 우측에 매복한 마나베 도노께서 출전할 것인지를 물어오셨습니다!

와키 부장 2 좌측에 와타나베 도노께서도 마찬가지로 물어오셨습니다!

와키자카 각자의 위치를 벗어나지 말며 응전하지도 말라 하라! 매복이 중요한 시점이다.

와키 부장 1/2 예! 장군! (사라진다.)

와키자카 사헤에! 우리 본대 역시 위치를 벗어나지 않는다. 다만 적들이 더 다가오지 못하도록 응전만은 계속하라. 적의 화포를 전부 소비시키는 것을 목적으로 한다! 알겠느냐!

사헤에 예! 도노!

선수 쪽으로 달려간 사헤에가 이내 **발사!**를 외친다. 다시 어지러이 조총들이 불을 뿜는데!
이내 다시 들려오는 판옥선의 포성 소리.

와키자카 …….

흐르는 안개 속, 좌측 절벽 쪽에서 매복한 채 어지러운 응전 상황을 쳐다보고 있는 누군가,
갑판 위에서 서성이며 씩씩대고 있는 마나베다.

S#62. 견내량 - 어영담의 판옥선 / 낮 / 밖

안개 속에서 날아와 판옥선의 선체 앞부분에 어지러이 박히는 총탄들!
어영담함 갑판 군사들 몇몇이 총탄에 맞아 쓰러진다.

영담 부장 (다가서며) 장군! 다시 배를 이동시키겠습니다!

어영담 (결연하게) 백 보 거리만큼 앞으로 전진하라!

영담 부장 (당황하며) 이 이상은 위험합니다! 자칫 적진 한복판에 들어갈 수도 있습니다!

어영담 적이 이미 우리 전술을 파악했다. 이대로라면 적은 꿈쩍도 하지 않을 것이다! 놈들을 끌어내려면 반드시 더 타격을 입혀야만 한다. 곧 해가 뜬다. 그러면 안개마저 걷힐 것이다. 어서 노를 저으라!

영담 부장 (어쩔 줄 몰라하며) …….

곧 다섯 척의 어영담함이 노를 움직여 짙은 안개 속으로 더욱 파고드는데…….

S#63. 견내량 밖 한산 바다 – 대장선 / 낮 / 밖

견내량 입구 쪽에서 떨어져 첨(尖)자진을 형성한 채 바다에 정선해 있는 좌수영 함대…….

견내량 서쪽 바깥 한산 해역

송희립이 말없이 지켜보고 있는 순신에게 다가와,

송희립 (불안해하며) 적이 걸려들겠습니까?
이순신 연락할 병선(兵船)은 내보냈느냐?
송희립 예. 명대로 견내량 입구 쪽으로 두 척의 연락 병선을 보내놨습니다.
이순신 …….

그때 **"우측에 파도!"**라는 외침과 함께 조선 함대를 향해 밀려오는 높은 너울.
판옥선들이 순서대로 너울 파도를 타고 높이 올라갔다가 내려온다.

CUT TO
배가 흔들리자 격군실에서 이리저리 균형을 잡지 못하는 격군들.

CUT TO
갑판의 군사들도 균형을 잡지 못하고 넘어지고 미끄러진다.
장루 위의 순신만이 똑바로 선 채 흔들리지 않는다.

송희립 너울이 이리 높아선 포를 제대로 쏠 수가 없을 터인데…….
이순신 견내량은 다를 것이다.

송희립, 왠지 불안한데…… 이때 다시 들려오는 견내량 쪽의 포격 소리.
순신이 무표정하게 바다를 훑어보며, 조류가 견내량에서 본인 쪽으로 천천히 바뀌고 있음을 본다.
다시 견내량 입구를 쳐다보는 순신.

S#64. 견내량 안 / 낮 / 밖

퍼버버버버벙! 포성과 함께 안개 속에서 번쩍이는 수십 개의 불빛들!
또 한 차례 퍼버버벙! 하고 불빛들을 번쩍이며 다섯 척의 어영담 함대가 모습을 보인다.
흉도 앞의 적선들이 더 깨져나가고 있다. 다시 치열하게 응사하는 왜군들의 조총들.
어영담 함대의 갑판 군사들도 여럿 쓰러져나간다. 허나 발포를 멈추지 않는 어영담 함선.
문득 거센 비명과 함께 어영담 좌측 함선의 여장이 깨져나간다. 놀라는 어영담!
와키자카의 배 우측 갑판에서 뭉실거리는 포연. 사헤에가 블랑기포를 쏘았다.

와키자카	…….
어영담	(중얼거린다) 화포를 쏘아?

이어지는 블랑기포 공격. 아슬아슬하게 자신의 함대를 비껴가는데,
교전 속 어영담 부장이 뛰어온다.

영담 부장	안개가 걷혀갑니다. 곧 화약과 포탄도 떨어집니다. 물러나야 합니다. 장군!

태양빛이 뜨거워지며 안개가 빠르게 걷혀간다. 와키자카 함대가 선명히 드러나기 시작하는데,
와키자카의 시선에서 어영담 함대가 선명히 드러나는 것도 마찬가지다.

와키자카	겨우 다섯 척……. 과감하구나 이순신. 허나! 네놈이 살아남는다 해도 오갈 데 없는 신세. 곧 좌수영을 비우고 나온 걸 후회하게 될 거다.
어영담	(안타까운 마음) …….
영담 부장	(초조하다) …….

문득 어영담의 우측 함선에서 비명과 함께 조총 세례가 쏟아져 들어온다.

어영담	!
영담 부장	장군! 우측에서 불현듯 적이 출몰했습니다!

쏜살같이 전진해 오는 마나베의 안택선과 그의 세키부네들 20여 척!

마나베, 어영담함을 냉소를 띠며 쳐다보는데,
어영담, 적이 이미 코앞까지 다가오고 있어 피할 수도, 도망칠 수도 없는 상황!

어영담 (아차하며) 매복!

마나베의 세키부네들이 어영담의 배에 빠르게 다가오기 시작한다.
어영담의 배가 선수를 뒤로 돌려보지만 다가오는 적선들의 속도가 너무 빠르다.

영담 부장 장군! 어서 배들을!
어영담 늦었다! (소리치며) 모두 백병전에 대비하라!

어영담, 허리춤의 칼을 잡아 쥐며 소리치면,
마나베가 씨익! 차가운 미소를 짓는데,
와키자카와 사헤에는 (그리 명령을 내린 듯) 차분히 그 상황을 지켜보고 있다.

와키자카 (나직이) 용기는 가상했다만 겨우 다섯 척으로 우리를 끌어낼 수 있다 보았느냐.
네놈들 유인선 다섯 척이 불타고 나면 이순신이 어찌 나올지 궁금하구나.

와아! 조총 세례와 함께 월선 사다리가 일제히 들고 마나베의 왜군들이 어영담함으로 돌격해 들어가기 시작한다. 이때 갑자기 펑! 펑! 펑!
어디선가 포탄이 날아와 세키부네들을 맞춘다, 놀라 돌아보는 마나베!
와키자카 또한 돌아보면, 뜻밖에 뒤에서 나타나는 네 척의 경상 우수영 함대.
어영담도 뒤를 돌아보자 판옥선들을 이끌고 들어오는 이운룡이 보인다!
어영담, 빠르게 부장에게 지시를 내린다.

어영담 배를 더 저어라! 이곳을 빠져나간다!
영담 부장 예! 장군! 배를 저어라! 속도를 높여라!

빠르게 울리는 방울 소리와 함께 힘껏 노를 젓는 격군들.
이운룡의 판옥선들이 쏟아내는 포격에 세키부네들이 박살 나자 분노하는 애꾸눈 마나베!
그 틈을 타 일제히 뒤로 후퇴하는 어영담 함대가 보인다.

마나베 (선수 쪽으로 달려 나가며) 전속력으로 조선 수군 놈들을 따라붙어라!
다시 철포를 퍼붓고 어서 들러붙어라!

마나베 부장 1/2 예! 도노!

마나베 부장 1 노를 저어라! 속도를 높여라!

마나베 부장 2 발포 준비! 발포하라!

왜군 철포병들이 갑판 앞으로 나와 일제히 조총을 발사한다.
마나베의 함선들이 일제히 어영담을 쫓기 시작하는데,

와키자카 (벌떡 일어서며) 사헤에!

와키자카가 벌떡 일어서며 사헤에를 부른다.

와키자카 마나베에게 급히 신호를 보내라. 견내량을 절대 벗어나서는 안 된다 전하라.

사헤에 예! 도노!

조총병들과 격군들을 독려하며 쫓고 있는 마나베.

마나베 후미함을 집중해서 쏘아라!

마나베 부장 2 발포하라!

뿌우! 와키자카함에서 보내오는 뿔고둥 신호와 깃발들.

마나베 부장 2 도노! 저기 보십시오!

마나베 (돌아보며) …….

마나베 부장 2 (난감한 표정으로) 어찌합니까? 도노?

마나베 칼은 이미 뽑았다! 놈들을 잡는다. 다만 견내량을 벗어나지 않으면 그뿐.
도노께서도 그걸 바라는 것이다. 어서 쫓아라!

마나베 부장 2 허나 자칫하면 견내량을 넘어설 수도…….

마나베 그 전에 잡을 수 있다! 어서 노를 더 저어라!

마나베 부장 2 노를 저어라!

CUT TO

"타다다당!" 소리와 함께 퇴각하는 어영담함 후미에 마구 박히는 총탄들!
어영담이 장루에서 칼을 집어넣고 장루 뒤 공간으로 뛰어온다.

어영담 역시 적선 전체가 기동하지는 않는구나…….
와키자카 …….

빠르게 다가서는 어영담에게 이운룡이 목례를 하면,
어영담, 이운룡에게 무언의 눈빛을 주며 앞서가기 시작하는데,
어영담함이 해안가 쪽으로 방향을 튼다.

이운룡 (깨달곤) 광양배들의 물길을 쫓아라!
운룡 부장 허나 저쪽은 암초 지대입니다!
이운룡 우리는 배 밑이 뾰족한 왜적의 배와는 다르다!
물길은 스승님께서 알려주실 거다!

선미에서 힘을 주어, 키를 돌리는 타공(舵工, 조타수) 군사.
여럿이 붙어 더욱 힘껏 노를 젓는 이운룡함의 격군들.
이운룡함들 또한 일제히 어영담 함대를 쫓기 시작한다.
그런 판옥선들을 뒤쫓아 가는 마나베 함대.
해안 근처 두드러져 솟아 있는 바위 하나(암태 바위)가 보이는데, 그쪽으로 2열 장사진으로 파고 들어가는 어영담과 이운룡의 판옥선들. 허나 더 빠르게 2열 판옥선들 사이를 파고 들어오는 세키부네들. 이내 좌우로 판옥선들과 뒤섞이기 시작하고, 화살과 조총을 서로 퍼붓는 양쪽의 군사들. 마나베의 안택선도 후미의 판옥선에 바싹 따라붙고.

마나베 (다그치듯) 갈고리를 던져라! 어서 올라타라! 적들을 베어라!
어서 쏴라! 적들을 쏴라!

세키부네의 왜군들 일제히 월선 사다리로 방패 삼으며 갈고리를 던지는데,
갑자기 세키부네들 크게 흔들리며 균형을 잃는다.
마나베의 안택선도 좌우로 크게 흔들린다.

마나베 부장　도노! 암초입니다!
마나베　적선에 올라타면 그만이다! 어서 월선을 시도하라!

허나 판옥선에 밀린 세키부네 하나가 갑자기 크게 기우뚱하며 그만 암태 바위에 부딪힌다.
뒤따르던 세키부네 몇 척이 연달아 부딪히며 기우뚱! 정체되고,
앞서고 뒤서며 있던 어영담과 이운룡이 뭔가 서로 눈빛을 주고받는데,
어영담의 눈에 암태 바위를 휘돌며 빠르게 감아나가는 조류가 보이고,
이운룡의 후미를 쫓던 마나베 안택선, 갑자기 펑 하는 화포 소리와 함께 쿠웅! 하며 크게 흔들린다.

마나베　암초냐?
마나베 부장　(대꾸를 못 하며) 그, 그것이! (다급히) 우현으로, 우현으로 틀어라!

연이어 펑! 하며 다시 들리는 화포 소리. 마나베가 쳐다보면 해안 절벽과 암태 바위를 빠져나가던 이운룡 함대가 일제히 암태 바위와 해안 좌우 양 측면을 포격해 무너뜨리고 있다.
낭패스러운 표정의 마나베! 이내 놀라는 표정으로 바뀌는데,
어영담과 이운룡 함 아홉 척이 휘감는 조류를 타고 암태 바위를 U자로 빠르게 돌아 나오고 있다.
마나베 함대를 향해 일제히 화포를 겨누는 어영담과 이운룡 함대 아홉 척.

마나베　어떻게 이럴 수가! (중얼거리며) 놀라운 일이군…….
이운룡　발포하라!

'퍼버버벙!' 하며 일제히 화포를 발사하는 선두에 선 이운룡 함대.
직사로 쏟아지는 포탄들이 마나베의 안택선에 쏟아져 들어가면,
무수한 파편들과 함께 부서지는 안택선 측면과 누각!
마나베와 왜군들이 바다로 몸을 던진다.
와키자카 벌떡 일어나 선수 쪽으로 달려가 그 사태를 지켜본다.
'마나베!' 사헤에 역시 달려 나와 분한 듯 소리친다.

사헤에　(잔뜩 상기된 표정으로 와키자카를 돌아보며) 도노!
와키자카　(차가운 얼굴) …….

좌측 절벽에 매복한 와타나베의 표정도 일그러지는데…….

S#65. 견내량 밖 한산 바다 - 판옥선들 / 낮 / 밖

송희립이 순신에게 달려온다. (낮은 비트음이 살아나고)

송희립 장군! 견내량 쪽 연락 병선의 보고입니다!

이순신 …….

송희립 (안타까운 듯) 옥포만호 이운룡의 함대까지 들어갔지만 일부만 움직일 뿐 적선 대부분은 여전히 기동치 않고 있다 합니다. 아무래도 적이 우리의 유인책을 읽고 있는 듯합니다.

멀리 견내량 안쪽에서 어지러이 포성과 조총 소리들이 들려온다.
긴장하며 견내량 쪽을 쳐다보는 대장선의 군사들…….

이순신 (결연히) 함대 전체를 견내량 입구까지 이동해 삼첩진을 펼친다.
이동기를 올려라!

송희립 (조류를 보며 당혹스러워한다) 장군! 그러다 행여 적들이 치고 나온다면 위험할 수도……. 현재 조류도…….

이순신 그걸 바라는 것이다. 어서 신호기를 올려라!

송희립 …… 예! 장군!

전 함대 이동한다! 신호기를 올려라! 순신의 명을 군사들에게 복창하는 송희립.
긴 나팔 소리와 함께 대장선 위로 이동 깃발이 올라간다!
이동을 시작하는 좌선, 순신이 견내량 쪽이 아닌 문득 서쪽 바다를 바라본다.

이순신 아직인가…….

S#66. 견내량 안 / 낮 / 밖

선수 쪽 와키자카의 부장 1이 소리친다!

와키 부장 1 도노! 저기 보십시오!

와키자카 부장 1이 가리키는 곳을 쳐다보면, 놀랍게도 견내량 입구 쪽으로 순신의 본대가 어른거리며 다가오고 있다. 기다렸다는 듯 눈빛을 빛내는 와키자카!
점차 다가서는 판옥선 함대들, 첨자에서 삼첩진을 이루며 다가오자 와키자카의 시선에선 마치 일자로 확장해 펼치며 다가오는 것 같다.

사헤에 (격하게) 적의 본대가 드디어 들어옵니다!
와키자카 …….

이때 와키 부장 2가 급히 뛰어온다.

와키 부장 2 우측 와타나베 도노께서 마나베 장군을 구원할 것인지를 여쭙니다!
와키자카 …….

와키자카, 대답 없이 차갑게 순신 함대를 노려보면,
순신의 함대가 더욱 선명하게 횡렬 함대를 이루며 다가오는 게 보이는데,
지그시 지휘 부채만 움켜쥐는 와키자카, 차갑게 순신 쪽을 노려보고,
좌선 장루 위의 순신, 또한 날카로운 눈길로 적장 와키자카 쪽을 응시한다.
보일 리 없음에도 서로의 존재를 실감하며 팽팽히 맞서고 있는 순신과 와키자카.

S#67. 웅치 고개 / 낮 / 밖

'파비비박!' 총탄에 맞아 사방에 흩날리는 나무 파편들!

황박 뭣들 하느냐! 활을 쏘아라! 총통을 퍼부어라!

하지만 왜군들이 목책을 뚫고 끊임없이 올라오기 시작한다.

황박 목책을 버리고 속히 뒤로 후퇴한다! 후퇴하라!

뚫려버린 목책 방어. 그런데 쏟아져 들어오는 고바야카와 군이 목책 너머에 형성된 십자포화 지점에서 화살과 포탄에 맞고 줄줄이 쓰러진다. 양쪽 산 위에서 화살을 날리고 승자총통을 쏘는 의병들. 그

것을 본 쫓기던 황박의 병사들이 일제히 돌아선다.

황박 작전대로 되었다! 다시 돌격하라!

하지만 왜병들의 수가 너무 많다. 다시 끊임없이 올라오는 왜병들. 좌우 언덕까지 치고 올라오기 시작하는 왜병들. 언덕 위 긴 막대에 달린 승자총통에 허겁지겁 장전해 불을 붙여 겨누는 조선군 하나, 하지만 심지가 다 타들어가기 전에 왜병 하나가 달려와 창을 찔러버리고!
연이어 왜병 창병의 몸에 날아와 연달아 박히는 화살 두세 개.
활을 든 의병이 와선 승자총통병(兵)을 살펴보는데, 왜군이 다시 올라와 뒤통수에 조총을 쏴버린다!
하지만 그 순간 미끄러져 내려와 다시 왜군 철포병을 베어버리는 준사!
수많은 왜군들이 목책 너머 십자포화 지점 좌우 언덕도 장악했다. 더욱 쏟아져 들어오는 왜군들.

준사 측면도 무너졌습니다! 2선으로 후퇴해야 합니다!
황박 모두 제2선으로 후퇴하라! 어서!

준사와 의병들이 우수수 중턱의 2선으로 내달린다.
내달리며 계속해 치고 올라오는 왜병들을 베는 준사의 몸이 온통 피로 물들어가고…….
준사, 호흡을 고르며 돌아보면 또다시 끝없이 왜병들이 올라오고 있다.
의병 1이 황박에게 뛰어온다.

의병 1 적의 수가 너무 많습니다! 2선은 금방 무너집니다.
제3선으로 바로 후퇴해야 합니다!
황박 (결연) 아니다! 여기서 물러나면 우리도 좌수영도 모두 끝이다!
아니 전라도 전체가 끝장이다. 뭣들 하는가!
정담 장군께서도 그걸 알고 저기 내려오고 계시다! 다같이 맞서 싸우자!

준사, 돌아보면 과연 김제 군수 정담도 제3선 위쪽에서 오히려 2선으로 가세해 들어오는데,
기세를 몰아 함성을 토해내며 뛰어나가는 정담과 의병들.
와아아! 이내 다시 맞붙기 시작하는 양측의 군사들! 살육전……! (느린 화면)

S#68. 견내량 - 와키자카의 안택선 / 낮 / 밖

다시 살아나는 비트음. 견내량 밖 입구 쪽, 빠르게 좁은 견내량 해협을 빠져나가는 물살 위에서 선수를 앞으로 두고 그저 머무르고 있는 순신의 함대. 그런 순신의 함대를 바라보고 있는 와키자카! 견내량 중간, 와키자카가 궤멸한 마나베 함대의 잔해 쪽을 쳐다보면, 이운룡 함대가 어영담 함대에서 육지로 도망치는 마나베의 잔병들에게 화살과 포를 쏘아대는 것이 보인다. 심지어 이운룡 함대에서 어영담 함대에 빠르게 화약과 포탄을 보급하기까지 하는데……. 다시 순신 쪽을 쳐다보는 와키자카.

와키자카 (나직이) 사헤에……. 이순신과 이 정도 거리라면? 우리가 저자를 잡을 수 있겠느냐? 없겠느냐?

사헤에 (결연히) 물살도 더욱 빨라졌습니다. 문제없습니다!

와키자카 바다를 보면, 과연 물살이 순신 쪽으로 빠르게 흘러간다. 그 물살 위에 출렁이는 순신의 함대가 그저 무질서하게 보인다. 고개를 들어 머리 위에 뜬 태양을 보는 와키자카,
태양이 어느덧 정오를 가리키고 있다. 그런 와키자카를 뚫어지게 바라보고 있는 사헤에와 부장 1.

와키자카 고바야카와도 웅치를 통과했겠구나…….

다시 순신 쪽을 맹렬히 쏘아보는 와키자카!
찰나의 순간, 순신 쪽으로 거세진 물살 소리만이 마치 초침 소리처럼 들린다.
순신, 와키자카 쪽을 무표정하게 쳐다보고 있고 (반복적 비트음 오히려 사라지고)
천천히…… 와키자카가 쥔 군바이(지휘 부채)가 배 난간에 내려지고,

CUT TO

어영담과 이운룡 함선의 격군실 사이, 정신없이 보급품을 나르던 한 병사의 눈이 휘둥그레진다!

보급병 1 저, 적이다! 적이 다가온다!

병사들, 나르던 보급품마저 떨어뜨리며 각자의 배로 돌아서는데,
돌아보는 어영담, 역시 동공이 커진다! 와키자카의 본 함대가 몰려나오고 있다.
흉도(胸島) 뒤쪽에서도 절벽 좌우에서도 시커멓게 몰려나온다.

어영담 당장 보급을 중지하고 노를 저어라! 속히 견내량을 탈출해야 한다!
갑판의 병사들은 화포를 준비하라!

이운룡의 배에도 비상이 걸렸다.

이운룡 호각을 불고 노를 저어라! 견내량을 빠져나가야 한다!
후미 쪽으로 속히 화포들을 보강하라!

어영담과 이운룡의 함대가 호각을 불며 재빠르게 선회하기 시작한다.
와키자카의 본 함대가 추격해오기 시작한다. 선두에 사헤에, 중군에 와타나베, 후미에 와키자카가 붙었다. 와키자카, 바다 위 마나베의 잔해를 보고 더욱 표정이 굳어지는데…….

S#69. 견내량 바깥 입구 - 대장선 / 낮 / 밖

견내량 안쪽, 누군가의 시선으로, 어지럽게 달아오른 바다 아지랑이 속 기다란 호각 소리와 함께 이운룡과 어영담의 배들이 속도를 내며 달려오고 있다. 삼첩진의 일렬 좌측, 우수사 이억기가 견내량 안을 쳐다보다 눈동자가 커진다. 일렬 중앙, 순신이 쳐다보다,

이순신 (결연히) 전 함대 배를 돌려라! 격군들을 최대로 보강하라.
송희립 (군사들 향해) 배를 돌려라! 격군들을 보강하라!

송희립이 초요기를 세우고 나발을 분다. 북을 친다.
격군실의 방울들이 딸랑거리며, 2인 1조의 격군들에 일제히 예비대가 붙으며 4인 1조가 된다.
격군들이 힘차게 노를 젓기 시작한다.

각 장수들 배를 돌려라!

이억기, 원균, 김완, 권준, 정운 등 전 함대가 일제히 제자리에서 돌더니 퇴각한다.
헌데, 모든 배들이 완전히 진법을 무시하며 마구 사방으로 흩어진다.

CUT TO

와키자카의 시선, 순신의 함대가 그야말로 어지러이 후퇴하고 있다.

그런 모습에 와키자카의 눈빛이 빛난다!

와키자카 최대로 노를 추가하라! 속도를 더욱 올려라! 속도가 곧 승리다!

부장들 예, 도노! (뛰어가며) 노를 추가하라! 속도를 올려라!

안택선 격군실 안, 격군 수를 보강하는 판옥선과는 다르게 추가 노들을 끼워 넣는 왜군들.

1백여 척의 와키자카 함대가 순신의 함대를 맹렬히 추격한다!

CUT TO

쫓기는 순신의 본 함대와 쫓는 와키자카 함대의 중간 지점,

와키자카 함대를 돌아보는 이운룡, 왜선들의 속도가 너무 빠르다.

그때 가느다란 호각 소리와 함께 파앙! 하늘 높이 떠오르는 신호 방패연!

방패연 너머 부감 화면으로 어지럽게 퇴각하고 있는 판옥선들이 보이는데,

후퇴하고 있는 순신의 본대 쪽을 다시 초조히 돌아다보는 이운룡…….

CUT TO

터터덕! 후미 난간으로 왜선에서 갈고리가 날아와 걸리는 이운룡과 어영담 함.

타타탕! 연이어 왜선들 쪽에서 조총 사격을 가해온다. 선두에 섰던 사헤에 함대다.

사헤에가 그의 안택선에서 차갑게 지켜보고 있고,

이운룡 (칼을 빼 들며) 줄을 끊어내라! 반드시 진에 복귀해야 한다!

어영담의 배에도 갈고리들이 날아든다.

어영담 (활을 치켜들며) 줄을 끊어내고 화살을 퍼부어라!

어영담함, 선미 난간 쪽 무수히 꽂히는 조총들.

화살로 응전하는 어영담과 판옥선 후미 병사들. 허나 마침내 월선 사다리들이 터터덕! 놓이고,

이운룡함에선 선미 쪽 포까지 발포되지만, 엉뚱하게 바다로 날아간다.

허억! 활을 쏘던 어영담이 왼쪽 어깨에 총탄을 맞았다! 놀라는 이운룡!

이운룡 스승님!

"와아아!" 함성과 함께 일제히 월선해오는 왜병들!
어영담과 이운룡이 서로를 바라본다. 마구 날아오는 조총의 탄환들, 화살을 날리고 장창을 찌르며 응전하는 수군들, 하지만 각각의 배에 세 척 이상의 세키부네들이 마구 들러붙었다.

이운룡 (결연히 칼을 빼 들며) 돌격하라!
어영담 (역시 칼을 빼 들며) 막아서라!

와아! 판옥선 후미 쪽 갑판, 서로 강하게 맞부딪치는 군사들…….

CUT TO

송희립 장군! 어 향도와 이 만호가 위험에 처했습니다. 만일 그들이 도착하지 못한다면, 진을 펼친다 한들 진이 온전할 수 없을 것입니다.
이순신 …….

CUT TO

와키자카 시선 속, 어지럽게 후퇴하던 순신의 좌선과 배들이 점차 반원호를 형성해가는 것이 보인다.

와키자카 (혼잣말로) 학익진……. (차갑게) 예상했던 진법일 뿐.

와키자카, 이운룡 어영담과 싸우고 있는 사헤에 함대를 그냥 지나쳐 간다.

와키자카 따라잡은 적들은 사헤에에게 맡기고 우린 어린진(魚鱗陣)으로 그대로 돌파한다.
와키 부장 1 엣! 어린진을 펼쳐라!

그러자 '부웅 부우웅' 하고 뿔고둥을 부는 왜군 신호병.
물고기의 비늘들처럼 화살촉(∧) 형태를 갖추며 편대를 이루기 시작하는 와키자카 본 함대.
헌데 갑자기! 와키자카의 눈빛이 뭔가에 꽂혀 심상치 않다.
2시 방향 전방, 무언가에 그의 시선이 잡혀 있는데…….
뒤로 후퇴하며 진을 펼치고 있는 순신의 우측 날개 중앙 쪽이 구멍이 심하다. 어영담과 이운룡 함들이 빠지고 원균이 이끄는 배들 세 척마저도 대열에 합류가 지체되어 있어 그 구멍이 커 보이는데. 와키자카, 한눈에 그곳이 순신이 펼치는 진법의 구멍임을 알아차린다.
와키자카, 사헤에 쪽을 뒤돌아보면,

CUT TO

사헤에, 더욱 어영담과 이운룡 함대를 몰아붙이고 있고,
이운룡과 시선을 주고받는 이미 부상당한 어영담. 서로 좌절한 표정이 역력한데,

와키자카 (미소) 사헤에 그놈들을 꼭 붙들고 있어라. (이내 확신에 차서) 와타나베에게 돌격 신호를 보내라! 이순신의 오른쪽 날개를 노려라. 그 날개 중앙을 먼저 돌파하라!

뿔고둥 소리! 이미 선두에 선 와타나베도 그 구멍을 보았다. 흘낏! 와키자카를 돌아다보면,
와키자카 안택선 2층 장루 위 기라졸들의 깃발이 학익진 우측 날개 중앙 방향을 가리키며
펄럭이고 있다.

와타 부장 도노! 적에 오른쪽 중앙으로 돌진 신호입니다!

와타나베 이미 보고 있다! 우리 선봉 함대는 모두 저 우측 배들로 돌진한다!
승리가 눈앞이다!

와타 부장 예! 도노!

커다란 뿔고둥 소리와 함께 어린진의 선두에서 분리되어 사선으로 치고 나가는 와타나베의 함대.

원균 부장 (손으로 어딘가를 가리키며) 장군, 저기 보십시오!

(다시 살아나는 반복적 비트음) 자신 쪽을 향해 돌진해오는 와타나베 함대를 더욱 크게 느끼고 당황한 원균. 아직 전체 진열에 진입하지 못한 자신의 함대를 보고,

원균 (급하게) 뭐하느냐! 어서 함대를 뒤로 물리고 속히 화포를 재어라!

CUT TO

"퍼버버벙!" 순신의 시야, 멀리 선미 쪽에서 화포를 발사하며 후퇴하고 있는 원균함이 보인다.

이순신 ……!

원균함, 계속해 화포를 쏘아보지만! 출렁이는 파고 때문에 적선들에게 전혀 타격을 주지 못하는데,

정운 (분노하며) 저자가 지금 무슨 짓을 하고 있단 말인가!
이런 높은 파고에 함부로 포를 퍼붓다니 포격의 기본도 모른단 말인가!

와타나베 (냉소만 짓는다) …….

정확히 뒤처진 원균 함대 세 척을 향해 가고 있는 25척의 와타나베 선단.

CUT TO

와키자카 (차가운 미소) 잡았다.

CUT TO

쐐기형으로 돌진해오는 와타나베 함대 한참 너머에 떨어지는 포탄들.
갑판에서 2열로 조총을 겨누고 있던 왜병들이 자신감에 찬 와타나베의 신호에 일제히 조총을 발사한다!

와타 부장 2열 앞으로! (앞으로 나오며) 발포하라!

CUT TO

피유웅 하는 바람 소리와 함께 소나기처럼 원균 함대에 쏟아지는 총탄들.
원균과 원균 군사들, 난간과 계단 뒤에 숨고 방패를 들어 총탄 세례를 막는다.
어느새 근접해 온 와타나베 함대를 보며 당황하는 원균…….

원균 부장 장군! 적들이 너무 빠릅니다.

원균 그냥 안으로 치고 들어갔어야 했다. (분노해) 이순신 이놈……!
화포도 쏘지 않고 뭐한단 말인가! 적의 기세에 얼어붙어 버린 것이냐!

원균 부장 (그런 원균에 당혹스러워하며, 지금 누가 할 소리냐는 표정) …….

CUT TO

대장선에서 몹시 당황한 송희립이 순신에게,

송희립 장군! 저대로 두면 진 전체가 흐트러져 더 위험해집니다!

속히 전 함대에 발포를 명하소서!

순신의 좌선 바로 옆, 왼쪽을 맡은 정운이 대장선을 향해 강하게 신호를 보낸다.
적의 본대 역시 맹렬히 좌선이 있는 중앙을 돌파할 듯 치고 들어오는 것이 보인다.

송희립 어서 함포 사격을 명하소서!
이순신 (꿈쩍하지 않으며) 진을 완성하는 것이 우선이다.
송희립 장군! 날개가 뚫리면 그 즉시 앞뒤로 적에게 둘러싸일 것입니다!

더는 대답하지 않는 순신. 날개 우측 중앙에 위치한 이억기도 다급한 표정,

이억기 (순신을 쳐다보며) 영감. 이젠 공격을 명하소서.
곧 적선들이 우리 함선들에 마구 들러붙을 것입니다.
이순신 …….

CUT TO
의미심장하게 순신 쪽을 바라보는 와키자카.

와키자카 (나직이) 미카다가하라 전투에서, 다케다 신겐이 도쿠가와의 학익진을 무너뜨릴 때 신겐은 조총이나 칼로 적을 죽이지 않았다. 기병대의 말발굽으로 밟아 죽였지. 가라. 와타나베! 나와 함께 앞뒤에서 짓밟아버리는 거다! 저 용인 땅 광교산처럼!

CUT TO
원균함 바로 앞까지 돌진해온 와타나베 함대.
와타나베, 원균함들을 보며 갑판 위에서 천천히 칼을 뽑아들더니. 특유의 차가운 미소,

와타나베 너희만 충파를 하는 게 아니다. 이 칠본창 안택선의 위력을 보여주마!
충파로 적을 뚫는다! 그대로 돌진하라!
와타 부장 그대로 돌진하라!

파도를 가르는 와타나베 안택선 앞, 나무를 덧대어 견고한 형태로 두른 철판.
뾰족하게 만들어진 선수부가 위압적으로 보인다! 원균이 참담하게 쳐다보는데,

와키자카 (나직이) 학이 날개도 못 펴고 잡아먹히는구나.

우측 맨 끝에서 좌절한 얼굴로 전체 진을 보고 있는 권준.
조선 수군의 괴멸의 위기가 적나라하게 보이는 그때!
어쩔 줄 모르는 원균함의 뒤편 바다에서 검은 물체가 빠른 속도로 다가오고 있다.

CUT TO

퍼버벙! 어디선가 왜선들 쪽으로 쏟아지는 포탄들.
절망적인 원균의 눈이 점점 놀람으로 바뀌어 커지면,
대열에서 이탈한 원균함을 빠르게 지나가는 검은 물체,
아니 검은 물체들이다. 그대로 와타나베 안택선을 향해 돌진!

이순신 …….
와타나베 ?

묵직한 화포 소리와 함께 안택선의 장루가 무너져 내리더니,
와타나베가 놀랄 새도 없이 서로 충돌! 와타나베가 흔적도 없이 사라져버린다!
상판에 침못이 촘촘히 박힌 덮개…… 구선들이다!
원균이 놀라고, 정운과 장수들이 놀란다. 이억기 역시 놀라는데,

이순신 (무표정하게 쳐다본다) …….
와키자카 !

순식간에 지휘관을 잃어 어찌해야 할지 몰라 우왕좌왕 하고 있는 와타나베의 왜병들.

와타 부장 댓뽀…… 댓뽀다! 댓뽀를 가져와라!

댓뽀를 가져온 병사들.

와타 부장 발사!

갑판 난간으로 달려와 구선 지붕을 향해 커다란 조총, 댓뽀를 발사하는 왜병들.

하지만 단단한 구선 뚜껑에 막혀 아무런 피해도 주지 못한다.
와타나베 함대 한복판에 더 파고 들어가는 구선들…….
다시 사방의 포문을 열곤 왜선들을 향해 화포들을 쏜다!
일제히 무너지는 왜선들! 포연 속 두 척의 구형 구선을 사이를 다시 뚫고 나오는 낮고 매끈한 2층형 구조의 철갑 신형 구선 한 척. 바로 순천부 신형 구선이 온전히 그 모습을 드러낸다. 총 세 척의 구선들. 와아아아! 모든 판옥선들에서 일제히 함성들이 터져 나온다. 사기충천한 조선 장졸들.

CUT TO

와키자카 (차갑게) 메쿠라부네…….

와키자카의 시선 속, 순천부 신형과 구형 구선 2척이 방향을 달리하는 게 보인다. 순천부 신형은 사헤에 쪽을 향하고, 구형 구선 두 척은 순신의 좌선 쪽으로 돌진하고 있는 자신의 본대 오른쪽 측면으로 나란히 치고 들어오는 것이 보인다. 퍼버벙! 와키자카 본대 측면에 어린진 한 편대가 무너진다. 곧바로 와키자카 본함을 노리며 3층 구선의 선수에서 다시 화포들이 발사된다. 이내 포탄들이 선체를 때리는데 철판으로 보강한 선체가 버텨낸다. 그러자 후미 쪽으로 돌아 들어가는 구형 구선들. 그런 구선들을 쳐다보던 와키자카,

와키자카 (옅은 미소) 느리다. 역시 메쿠라부네(장님 배)는 메쿠라부네(장님 배)일 뿐!

와키자카, 이제 순신의 함대 왼쪽 날개가 완성되어가는 것을 보며,

와키자카 함대는 그대로 돌진한다! 전 함대에 전하라!
와키 부장 2 예! 도노!

이내 들리는 뿔고둥 소리. 와키자카가 부장 1에게 외친다.

와키자카 (일어서며) 후미 블랑기포로 가자! 저놈들은 내가 직접 잡는다!

와키자카가 구선들에 블랑기포를 직접 겨누고 있다. 포수 1명이 포열 지지대로 포 앞쪽을 붙들고, 포수 1명이 탄창을 장전하고 횃불을 치켜들면,

와키자카 분명 선회하려 들 거다. 그때 측면을 노린다.

흔들리는 블랑기포 조준자 사이, 과연 구선들이 일제히 선회한다.
조준자 사이 구선의 측면,

와키자카 (나직이) 맞아라. 메쿠라부네야. 발포!

퍼엉! 블랑기포가 마침내 발사된다. 3층 구선 측면 선체에 박히는 블랑기포!
구선이 잠시 후 연기를 내뿜으며 기우뚱, 속도가 현저히 느려진다.

와키자카 (반색하며) 먹힌다! 우측 화포도 발포하라!
와키 부장 2 우측 화포 발포하라!

우측 후미포가 구선에 다시 한번 발포하자 구선의 측면이 와해되며 완전히 기동을 멈춘다.
우측 블랑기포수들의 환호성!
그때 '퍼버벙!' 순식간에 부서지는 와키자카의 안택선의 누각!
동시에 환호하던 우측 블랑기포수들이 흔적 없이 사라지며 포와 투구들만 갑판 위에 나뒹구는데…….
이미 선회한 또 다른 3층 구선이 포연을 내뿜으며 와키자카의 안택선 측면으로 붙었다.
퍼버벙! 다시 발포하는 구선의 화포들. 좌측 편대의 세키부네들이 부서져나간다. 이내 와키자카의 안택선 측면으로 더욱 과감히 접근해 들어오는 3층 구선. 돌격장 이기남이 타고 있다. 안택선에서 마구 댓뽀와 조총을 쏘아보지만 소용이 없다.

이기남 (진지한 모습)…….
블랑포수 (난감해하며) 도노! 메쿠라부네가 우리 화포가 측면 공격이 불가하다는 것을 알고 옆으로 기동하고 있습니다.
와키자카 메쿠라부네……. (뭔가 생각난 듯) 준사 그놈이 감히 나를…….

와키자카, 이제 눈앞에 자신을 지그시 쳐다보는 순신이 또렷이 보인다.

와키자카 이순신……. 이게 너의 최종 수였느냐…….
이순신 …….

이때 갑자기 다가오던 3층 구선 측면이 박살 났다. 연이어 어디선가 날아온 포를 얻어맞으며 기우뚱!

멈춰 서는데, 희뿌연 연기 속 뻥 뚫려버린 구형 구선의 측면. 쓰러진 격군들 사이 조선 병사들이 우왕좌왕하는 게 보인다. 이기남이 소리치고 있다.

와키자카 !

와키 부장 2 도노! 저기 보십시오!

와키자카의 부장이 놀라며 소리친다.
놀랍게도 사헤에의 안택선이 다가오며 포를 쏘았다. 그 옆에 세키부네 대여섯 척이 따르고 있고,

와키자카 (나직이) 사헤에?

와키자카의 시선, 사헤에가 군사들을 독려하며 서 있다.
멈춰 선 구선에는 빠르게 본대의 세키부네들이 달라붙어 일제히 조총을 사격을 가한다.
구선 측면 내부, 격군들이 무수히 쓰러진다. 이기남도 마침내 쓰러진다.
지켜보던 판옥선에 장졸들이 이번엔 모두 얼어붙는데,

와키자카 사헤에…… (감동하며) 역시 나의 조카다. (이내) 두고 봐라 이순신.
메쿠라부네는 이제 도리어 너의 약점이 될 것이다.

이순신 …….

와키자카의 시선, 사헤에의 안택선 장루가 갑자기 부서져나간다.
사헤에가 다급히 후미 블랑기포로 뛰어가는 게 보인다.
와키자카 더 돌아보면, 뒤에서 순천부 2층 신형 구선이 파고에 잠길 듯 낮게 사헤에의 배로 돌진해오고 있다. 퍼버벙! 다시 신형 구선의 포연과 화포 소리에 사헤에 안택선의 후미와 장루가 다시 무너져 내려간다.

와키자카 (혼잣말) 저놈은 선체가 낮아 포격하기가 용이치 않겠구나.

CUT TO

사헤에 메쿠라부네를 향해 어서 배를 돌려라!

사헤에 부장 예, 도노! (선미 쪽으로 달려가며) 메쿠라부네를 향해…… 펑!

포를 맞고 순식간에 날아가는 사헤에 부장. 잠시 멍해진 사헤에. 구선을 향해 고개를 돌린다.
마치 충돌할 듯 강하게 돌진해 들어오는 신형 구선.

사헤에 (비장하게) 그래! 세게…… 더 세게 부딪쳐라. 메쿠라부네야.
그래야 네 머리가 이 아타케부네에 깊이 박혀 옴짝달싹 못 할 것 아니냐.

펑! 충격에 잠시 흔들린다.

사헤에 (비장하게, 칼을 뽑으며) 모두 월선을 준비하라!

구선을 결연히 노려보는 사헤에. 이내 냉소를 띠며 마침내 충격에 대비해 층각 기둥을 붙잡는데,
갑자기 선체 안으로 쑤욱! 들어가버리는 구선의 용두.
사헤에 동공만 커질 뿐! 아무 말도 못하고 충격 속에 그저 바라만 보는데!
다시 전방 화포 공격과 함께 콰콰콱! 사헤에 안택선을 들이받는 순천부 신형 구선.
구선 밑 귀면 충파 돌기가 배 밑을 뚫어버린다. 순식간에 물이 차며 가라앉기 시작하는 사헤에의 안택선. 넋이 나간 사헤에. 주위에 죽거나 다쳐 나뒹구는 군사들만 가득하다.

와키자카 ……!

CUT TO

마침내 보이는 신형 구선 내부, 격군과 포수, 활 사수들이 어우러져 생각보다 질서정연하다.
화포의 수가 생각보다 적어 보인다. 하지만 모두 개량형 정철(正鐵)포들로 그 만듦새가 천자포보다 단단해 보인다. 구선 안에서 묵묵히 창밖을 보던 나대용. 이내 내부에 돌격장 이언량에게 신호를 보내면.

이언량 다시 모든 화포 개방!

믿기지 않을 정도로 숙달된, 합이 척척 맞는 이언량의 포수들. 그리고 격군들.
심지어 격군들이 포수들을 보조하기도 하는데,

CUT TO

그러자 들어갔던 용두는 물론, 선미와 선체 좌우에서 모든 화포를 내놓는 순천 구선.

다시 튀어나오는 용두를 보고 있는 안택선의 사헤에, 화를 감추지 못한다.

사헤에 (중얼거리듯) 복카이센!

'퍼버버버벙!' 하는 굉음과 함께 구선이 동시에 모든 화포를 발사한다!
근접 포격에 완전히 밀려나 박살 나버리는 사헤에와 안택선!

와키자카 (의자에서 벌떡 일어선다) …….
와키 부장 1 (망연자실하여) 도, 도노!

CUT TO
그러자 각자의 배에서 신형 구선을 보고 다시 놀라는 이억기, 권준, 김완, 정운, 그리고 병사들!
원균 역시 놀라 그저 쳐다볼 뿐이다. 순신, 부상당한 왼쪽 팔이 가만히 떨린다.

이순신 …….
송희립 장군. 순천부 구선이 도와줘 어 향도와 이 만호도 진에 복귀했습니다!

순신이 보면, 반원형의 학익진 좌측 날개가 놀랍게 복구되고 있다.
이운룡과 어영담이 상기된 표정으로 순신을 쳐다본다.
헌데 와키자카의 본선들이 어느새 지척의 거리로 다가온 게 보인다.

송희립 (외치며) 장군! 적선들이 지척입니다! 이젠 발포해야 합니다!
이순신 …….
송희립 장군!

순신의 눈에 순천부 구선이 와키자카의 어린진 후미로 더욱 파고드는 게 보인다.

송희립 (놀라며) 구선이 어찌 빠져나가지 않고.
나대용 퇴로는 없다! 돌진!
이순신 …….

(짧은 회상) 순천부 선소 굴강 앞, 나대용이 말없이 쳐다보는 순신에게 다가선다.

나대용 (결연하지만 떨린다) 장군. 이번 구선은 분명 돌격선 그 이상을 해낼 것입니다. 부디 출정을 허락해주소서!

이순신 …….

와키자카의 눈에도 그런 구선이 보인다.

와키자카 (차갑게 순신을 돌아보며) 2백 보 앞, 충분히 월선이 가능한 거리다!
전군! 어린진을 풀고 자유롭게 기동한다! 최대한 속도를 높여 적선들에 들러붙어라!
우리가 승리할 수 있다!

뿔고둥 소리! 어린진으로 돌진하던 70여 척의 와키자카 본대가 순식간에 쫘악 펼쳐진다!
원균함에서 원균이 붉으락푸르락,

원균 (흥분하여) 이자가 대체 무슨 생각을 하고 있는 게야! 적들이 코앞인데!
부장은 뭐하는가! 어서 포를 쏘아라!

원균 부장 (난감해하며) 그게…… 포탄이 떨어져서…….

원균 !

이억기 …….

이억기는 (무엇을 생각하는지) 차분히 더 이상 말이 없고, 어영담 역시 말이 없는데,
어린진으로 파고들었던 순천 구선, 더 이상 적을 쫓지 않는다.

나대용 (담담히 순신의 좌선을 쳐다보며) 반드시 승리해야 하는 전투 아닙니까.
장군…… 그냥 쏘소서.

이언량도 담담히 좌측 선수 쪽 창만을 내다보고 있는데, 나직이 휘파람까지 분다.

CUT TO

순신의 좌선 격군실, 격군들과 격군장, 커다랗게 다가오는 적선들을 지켜보며 침만 꿀꺼덕 삼킨다.

CUT TO

와키자카를 응시하고 있는 순신. 순신을 응시하고 있는 와키자카.

와키자카 (차갑게) 1백 보…….

서로 간의 모습이 더욱 또렷이 보이는데…….

와키자카 …….
송희립 !
이순신 (묵직이) 선회하라.

거친 나발 소리와 함께 격군실의 방울들! 세차게 울려대기 시작하면,

좌선 격군장 (고함) 선회하라!
부장들 선회하라!

순신의 좌선이 마침내 빠르게 90도 회전을 한다. 일제히 회전하며 횡렬로 돌아서는 판옥선들.

와키자카 !

격군들이 어느 때보다도 집중하고 질서정연하게 노를 젓고 있다.
일제히 90도 회전을 하며 횡렬진으로 막아서는 판옥선들, 그야말로 바다 위에 성을 쌓았다.
하지만!

와키자카 (눈빛이 변하며) 50보! 이제는 늦었다! 이순신!

칼을 빼 들고 갑판을 뛰기 시작하는 와키자카. 함성과 함께 있던 왜군들이 일제히 칼을 치켜들고 돌진하는데……. (느린 화면)

이순신 (차갑게) ……발포하라.
송희립 (큰 소리로) 발포하라!

학익진의 좌익과 우익의 전선들!
일제히 포문을 열어 총통을 발사한다.
쾅! 쾅! 쾅! 콰과쾅! 쾅! 쾅! 천지를 뒤흔드는 폭발음!

빠르게 직사로 날아가 꽂히는 이중으로 채워진 조란탄과 포탄들!
펼쳐진 와키자카의 함대에 마구 꽂히는데!
갑판 위 왜군들이 작열하듯 일제히 쓰러지고 사라져버리는데,
와키자카의 날카로운 시선이 순신 쪽을 파고든다.

CUT TO

콰앙! 조선 아군의 포탄이 급히 빠져나가던 순천 구선에도 명중한다. 그 충격에 좌우로 크게 요동치는 구선! 나대용, 급히 전방을 바라보면, 여러 발의 포탄이 엄청난 속도로 날아오고.
이언량, 이내 나대용을 쳐다보면, 나대용도 이언량을 쳐다보고 서로 옅은 미소만 지을 뿐.
콰콰쾅! 포연 속으로 사라져버리는 순천부 구선.

CUT TO

포연과 화염 속, 철갑을 잔뜩 두른 와키자카의 안택선이 놀랍게도 살아 있다.
불붙은 세키부네들을 뚫고 나온다.

이순신 !

좌선 화포수들이 당황하고, 와키자카의 안택선이 더욱 맹렬히 순신의 좌선으로 돌진해온다.

송희립 배를 돌려라! 좌현 포들을 준비하라!

급히 배를 돌리는 좌선. 허나, 이미 완전히 배를 돌리기엔 늦었다.

송희립 늦었다! 예비 포들을 가져오라. 어서 포를 쏘아라!
와키자카 (차갑게 다시 칼을 고쳐 쥐며) 죽어라. 이순신.

안택선 선수 철갑 돌기가 위협적으로 좌선에 꽂히려 하는데, 날카로운 와키자카의 시선!
헌데 쿠웅! 갑자기 돌진해오던 와키자카의 안택선이 정지하며 급변침을 이룬다!

이순신/송희립 !
와키자카 !

순천 구선이 온몸으로 와키자카의 안택선을 들이받았다.
순신의 좌선과 와키자카의 안택선 사이에 불타며 서 있는 순천 구선.

송희립 (놀라며) 장군! 구선입니다!
이순신 …….

새까맣게 그을린 용두와 몸체가 포격 속의 상황을 짐작게 한다.
안택선에 박힌 채 꼼짝 않고 있는 구선!

와키자카 (부르르 떨며) 메쿠라부네…….
이순신 …….
송희립 (놀라며) 어찌 용두도 집어넣지 않고서…….

순신과 와키자카, 지척의 거리.
집어넣지 않은 용두로 인해 꽈악! 끼어버린 구선과 와키자카의 안택선.
찰나의 시간(슬로우 화면. 사운드 사라지고),
새까맣게 그을린 나대용 뭐라 소리치고,
송희립이 또한 뭐라 소리치고,
잔뜩 상기된 이억기와 정운의 시선.
와키자카, 칼을 내던지고 철포병의 철포를 직접 빼앗아 들고 순신을 겨누는데,
(다시 정상 속도 화면)

송희립 장군! 발포합니다!
이순신 …….

쾅! 쾅! 쾅! 와키자카의 안택선으로 마구 쏟아져 들어오는 포탄과 대장군전!

와키자카 (총을 겨누다 말고) 하치만 신이시여! 저를 도우소서!

와키자카가 총을 버리고 빠르게 돌아 뛰는데,
콰앙! 여지없이 무너져 내리는 와키자카의 안택선! 와키자카, 온몸을 던져 바다로 뛰어든다.
F.O.

F.I.

반파된 채 활활 불타고 있는 일본 전함들. 갑판마다 수북이 쌓인 왜병의 시체들.
불화살의 불이 옮겨붙어 괴로워하며 비틀거리다 물속으로 뛰어드는 왜병들.
시체들이 둥둥 떠다니는 바닷물이 온통 핏빛이다.
아비규환, 지옥이 따로 없다.

CUT TO

수많은 잔해와 함께(용두도 보인다) 나대용이 물속으로 깊이 가라앉고 있다.
헌데 누군가 나대용을 건져 올린다.
이언량이 살아 있다. 나대용을 품고 위로 헤엄쳐 올라가는 이언량.
커억! 거친 숨을 토해내며 눈을 뜨는 나대용.
부서진 구선 문짝 잔해 위 이언량이 그를 살려냈다. 나대용이 천천히 고개를 들어보면,
퍼버벙! 포를 쏘며 남은 왜선들을 쫓는 순신의 좌선 이하 판옥선들이 보이고…….

CUT TO

장루 위 순신이 활을 들어 어딘가로 힘차게 화살을 날린다.
퍽! 멀리 세키부네 위, 물에 잔뜩 젖어 올라서던 와키자카의 가슴에 화살이 꽂힌다.
와키자카가 탄 세키부네가 선수도 돌리지 못하고 뒤로 힘껏 노를 저어 도망치는데,

이순신 (묵직이) 쫓아라. 끝까지 쫓아 원수를 크게 갚아라.

순신의 좌선을 필두로 한 판옥전선들이 와키자카의 남은 함대를 향해 빠르게 다가간다.
선수도 돌리지 못한 채 거꾸로 노를 저으며 뒤로 퇴각하는 왜선들이 십수 척이다.
와아아! 도리어 뒤쳐진 안택선으로 월선까지 해가며 왜군들을 잡아내는 정운, 권준, 김완의 병사들이 보이고…….

S#70. 견내량 해안 절벽 / 낮 / 밖

해안 절벽 위, 보름이 긴 머리를 날리면서 해전을 지켜보며 서 있다.
조선 수군의 승리를 지켜보고 있는 보름, 눈물이 멈추지 않는다.
급기야 혀를 깨물던 자신의 모습을 회상하는 보름…….

보름 ……….

해안 절벽을 향해 세차게 불어오는 바람…….
위태롭게 서 있던 보름이 손에 쥐고 있던 도깨비 비녀를 절벽 아래로 떨어뜨리며 기어이 한 발을 더 내미는데,

누군가 (OFF SCREEN SOUND) 우리가 승리하는 날이오. 희망을 가집시다.
보름 ……!

보름, 놀라서 돌아보면, 불에 그을린 얼굴, 하지만 당당해 보이는…… 임준영이 서 있다.
임준영이 이내 한 손을 내민다.

보름 …….

다시 초원에 바람이 불어온다.
억새풀들이 두 사람 사이에서 세차게 흔거리는데…….

S#71. 한산 바다 - 안택선 갑판 위 / 낮 / 밖

노획한 안택선 갑판 위에 서선 세키부네를 타고 멀리 도망치는 와키자카를 쳐다보는 순신.
와키자카의 얼굴에 가득한 두려움을 읽는다…….
그때 탐망병이 와서 고개를 숙이며 보고한다.

탐망병 장군! 방금 민선들이 안골포에 적선 40여 척이 정박하고 있다는 정보를 전해왔습니다.

순신이 돌아보면, 민선인 어선 몇 척이 어느새 함대에 접근해왔다.
한산 해역에 즐비한 적선의 잔해와 시체들, 그런 적의 잔해들을 찬찬히 바라보던 순신,

이순신 (육지 쪽을 바라보며 나직이) 육지의 적이 걱정이다…….

장군! 이때 이운룡과 어영담이 다가온다.

이순신 두 분 정말 수고 많았소이다.

어영담/이운룡 (그저 엷은 미소만)…….

문득 어영담이 전통문 하나를 순신에게 내민다.

어영담 장군의 의승군 독전서에 대한 의병장 고경명의 답서가 왔습니다. 본인과 자신의 의병들이 적의 배후인 금산성으로 향하겠다 합니다.

이순신 …….

어영담 (의미심장하게 다가서며) 좌수사 영감. 이대로 끝내시렵니까.

이순신 …….

S#72. 웅치 고개 / 낮 / 밤

제2선에서 끝까지 버티고 있는 조선군과 의병들, 곳곳에 피어오르는 연기 속 시체들이 즐비하다. 말을 탄 채 고바야카와가 병력을 이끌고 1선 입구로 들어서며 그들을 지켜본다. 창에 꽂혀 죽어 있는 정담의 시체가 보이고, 얼마 남지 않은 조선군과 의병들 속에서 서로 등을 맞댄 채 왜병들을 베는, 준사와 황박. 황박의 목소리가 드높다.

황박 절대 뚫려선 안 된다! 끝까지 싸우자!

이때 탕! 하고 들려오는 총소리. 황박이 마침내 쓰러진다.

황박 (준사에게) 내 술 한잔 거하게 내놓으려 했건만, 그 약속 못 지켜 미안하네. 절대 좌수영으로 놈들을 보내선 아니 되네.

준사 …….

고바야카와 기개는 가상했다만…… 이제 끝이다.

가상한 듯 두 사람을 쳐다보고 있는 고바야카와에게 급히 달려오는 전령 하나!

고바 전령 고경명이라는 자가 이끄는 조선 민병들 약 1만이 지금 금산성으로 향해 오고 있다 합니다!

고바야카와 이치는 어찌 되었느냐?

고바 전령 이치 또한 우리 아군이 새로 부임한 전라 순찰사 권율이라는 자에게 고전하고 있다 합니다.

고바야카와 (놀라며) 뭐라!

고바 부장 (힘겹게) 일단 물러나시지요. 너무나 지체하였습니다. 자칫 우리가 포위를 당할 수도 있습니다.

고바야카와 어림없는 소리. 저 고개를 완전히 장악한다! 병력들을 더 내보내라!

고바 부장 …….

고바야카와 어서 시행하라!

이때 3선 고개 너머 쪽에서 들려오는 함성들. 와아아! 새로운 의병들이 잔뜩 넘어온다.

고바야카와 ?

준사 (돌아보며) !

수많은 의병들이 고개 아래로 다시 내려서고 있다. 이끄는 몇몇 장수들이 보이는데 이복남, 변응정 등이다. 쓰러진 황박 옅은 미소를 지으며,

황박 그럴 줄 알았어. 정의(正義)를 세우기 위한 싸움……. 다같이 한마음인 것이지. 자네도 고마웠네.

준사 …….

준사가 함성과 함께 치고 내려가는 의병들 사이에서 다시 칼을 고쳐 쥐고 일어선다.
"으으으!" 하며 성질을 내는 고바야카와. 아쉬운 눈빛으로 시체로 가득한 웅치 고개를 보더니.

고바야카와 작전을 변경한다! 일단 금산성을 사수해야 한다. 전군 철군토록!

고바 부장들 예! 도노!

빠르게 퇴각해가는 고바야카와 군사들.
허나 웬일인지 무언가에 눈을 떼지 않던 고바야카와. 후퇴하던 왜병에게서 조총을 빼어드는데,

고바야카와 항왜(抗倭)하는 자들이 있다더니…… 배신자들은 처리해주마.

쓰고 있던 두건이 벗겨져 민머리 채 달려오는 준사를 겨누고 있는 고바야카와,
헌데 슈우욱! 어디선가 날아온 화살이 고바야카와의 말을 맞춘다.
으헉! 고바야카와가 말에서 굴러 떨어진다. 가쁜 호흡 속 활을 내려놓으며 주저앉는 누군가.
가쁜 숨을 몰아쉬는 의병장 황박이다. 허나 총상이 깊은 듯 마침내 숨을 거두고 만다.
준사가 뒤돌아본다. 그 모습을 지켜보다 이내 함성을 지르며 다시 돌격해가는데…….

S#73. 안골포 앞바다 / 낮 / 밖 / 비

안골포 언덕 위 누군가의 시선이 안골포를 내려다보고 있다. 비가 거세게 내리고 있다.
쿵! 쿵! 쿵! 포구에 정박해 있는 왜선들을 벨트가 감아 돌 듯 입구 쪽부터 안쪽으로 감아 돌며 포격하고 있는 순신의 함대. 포구가 침몰하는 40여 척의 구키의 함선들로 불바다를 이루고 있다.
순신이 송희립과 함께 무표정하게 지켜보고 있다.

3차 출동 6일 차
1592년 7월 10일 진해 땅 안골포

언덕 위의 조총 부대 진지 안, 구키, 움찔움찔 놀라며 정박 중인 자신의 40여 척의 함대가 무너져 내리는 것을 망연자실 지켜보고 있는데, 한쪽에 앉아 있는 가토가 놀랍게도 웃고 있다. 가토, 연신 큭큭 거린다.

구키 (애써 따라 웃으며) 그러게…… 차라리 잘된 일 아닌가. 모든 책임은 와키자카…….

가토가 순식간에 웃음을 멈추고 구키의 목에 칼을 들이댄다.

가토 (차갑게 노려보며) 내 칼에 죽기 싫으면 더는 아무 말도 마시오.
구키 (끄응) …….

가토 잔뜩 비가 내리지만 진지 밖으로 나가버리고,

CUT TO

송희립 (감격) 장군. 실로 완벽한 승리입니다.

이순신 아니다.

송희립 (당황하며) 예?

이순신 부산포가 지척이다. 더 나아가자.

송희립 !

이순신 (지그시) 지금 우리에겐 압도적인 승리가 필요하다.

송희립 …….

S#74. 부산포 왜성 앞바다 / 낮 / 밖

비가 그치고 맑은 하늘, 쿵쿵쿵! 부산포 앞을 울리는 이순신 함대의 함포 사격.
부산포에서 울부짖는 왜군들, 흔적도 없이 사라져버리기도 하고…….

3차 출동 7일 차

1592년 7월 11일

조그마한 반격도 하지 못하는 부산포의 왜군들, 그저 함포가 끝나기만을 기다리는데.
모든 포탄을 쏟아 붓는 순신의 함대!
언덕 위 본성에서 심한 두려움과 함께 조선 함대를 망연히 지켜보고 있는 왜장 하나.

도도 다카토라(藤堂高虎)

결연한 표정으로 마침내 고개를 끄덕이는 이억기, 크게 뭔가를 깨달은 듯한데,
어영담 역시 순신을 돌아보며 뜻 모를 미소를 띠고,
반면 언뜻 한쪽 배에 보이는 원균, 유구무언이다.
포연이 멈추는 순신의 함대. 순신, 부산포를 지그시 바라본다.

이순신 …….

마침내 순신의 함대가 유유히 배를 돌려 장사진을 이루며 해무 속으로 사라진다…….

그 위로 자막,

1592년 7월. 이순신의 3차 출동은 부산포 포격으로 그 대미를 장식한다.
이후 풍신수길(도요토미 히데요시)은 조선 수군과의 전면전을
회피할 수밖에 없게 된다.
이는 조선의 서쪽 땅 명국(明國)을 온전히 보존하게 하였으며
이후 승리를 장담할 수 없는 7년의 장기전으로 돌입하게 한다.

INS

무인도 한산도 해안가로 헤엄쳐 와 살아남은 애꾸눈 마나베가 부하 몇몇과 함께 한산도 해안가에서 할복자살하는 모습이 보이고, 이어 망망대해 뗏목 위 해초를 뜯어먹으며, 다가오는 세키부네의 구조를 기다리는 처절한 와키자카의 모습도 보인다.

부하 4백 명과 함께 겨우 살아난 마나베 사마노조는 무인도인 한산도에서 할복자살한다.
그로써 한산해전에서 세 수족이 다 잘린 협판안치(와키자카 야스하루)는
전장의 상처를 극복하지 못하고 이후 별다른 무공을 세우지 못한 채 사라진다.

S#75. 좌수영 자당 / 낮 / 밖

자막 사라지며 다시 F.I. 되는 화면. 좌수영 근처 자당,
무명 선비복 차림의 누군가의 뒷모습,
밥상을 앞에 두고 무언가를 열심히 먹고 있는 소리가 들리는데…….

3차 출동 종료 사흘 후

순신의 어머니 변 씨가 뜨거운 김이 나는 숭늉 한 그릇을 가져와 그 앞에 놓는다.
하얀 무명 선비복 차림의 이순신이다. 시래깃국에 밥 한 그릇을 맛있게 다 해치웠다.

이순신 어머니 맛있습니다.
어머니 네가 좋아하는 보리밥 숭늉도 가져왔다.
이순신 (반색하며) 후루룩 쩝! 쩝!

순신, 그저 맛있게 먹고 들이켠다. 어머니 변 씨, 그런 순신을 웃음을 띤 채 바라보고 있는데,

이순신 그나저나 소자가 어머니 음식을 다 축내는 건 아닌지 모르겠습니다.

어머니 (웃으며) 저기 보아라.

순신이 마당 한쪽을 보면, 시래기부터 말린 생선들까지 음식들이 가득 놓여 있고,

어머니 자고 나면 저리 쌓여 있다.

이순신 …….

두 사람, 서로를 바라보며 말없이 미소만 짓고…….

S#76. 에필로그 - 한산도 / 낮 / 밖

석양에 파도가 밀려왔다 사라지는 해변. 저 앞에 거제섬이 보인다.
그 위를 걸어 지나는 이순신, 옆에는 왠지 훨씬 성숙해 보이는 이억기가 함께 걷고 있다.

1593년 7월 한산도

한산해전 1년 후

이억기 (멈춰 서며) 이곳엔 어인 일로 오자 하셨습니까?

이순신 (멀리 거제 너머 부산포 쪽을 바라보며 걸음을 멈추고) 저 거제섬을 보게. 이곳은 바로 적의 아가리 앞일세. (결연히) 여길 확실히 더 틀어쥐어야 하지 않겠나.

이억기 맞는 말씀입니다. 지난 이곳 앞바다에서의 싸움 덕분에 부산포가 지척인 이곳 한산도까지 아직도 적들이 준동하지 못하고 있지 않습니까.

이순신 (주변을 훑어보며) 난 그 이름이 마음에 드네. 한산(閑山)이라…….

이억기 그러고 보니 그 이름이 아주 의미심장합니다. 큰 뫼. 큰 산이란 뜻 아닙니까.

이순신 그래 그렇지. 이제 이 전쟁은 장기전이 될 수밖에 없네. 그리고 이곳 앞바다 견내량은 이제 우리의 최전선이 될 결세. 이곳 한산이 진정 큰 산이 되어 이 산천을 지켜낼 수 있기를 바라보세나.

아직도 밀물에 쓸려오는 적선의 잔해가 보이는 한산도 앞바다.
이내 다시 걷기 시작하는 순신과 이억기. 서서히 크레인 업 하는 화면.
묵묵히 어딘가를 향해 걷고 있는 두 사람 너머로 한참 건설 중인 한산도 통제영이 보이는데…….

<閑山 한산>

타이틀 다시 들어와 박히며 한자와 한글이 뒤바뀌면, 음악과 함께 거북선의 설계도와 인물들 스케치들 보이며 엔딩 크레딧 올라간다.

끝

3부

죽음의 바다

제작 ㈜빅스톤픽쳐스

감독 김한민

각본 김한민, 윤홍기, 이나라

기획의도

임진왜란 발발로부터 7년이 지난 1598년 12월.
이순신(김윤석)은 왜군의 수장이던 도요토미 히데요시가 갑작스럽게 사망한 뒤
왜군들이 조선에서 황급히 퇴각하려 한다는 것을 알게 된다.

"절대 이렇게 전쟁을 끝내서는 안 된다."

왜군을 완벽하게 섬멸하는 것이 이 전쟁을 올바르게 끝나는 것이라 생각한 이순신은
명나라와 조명 연합 함대를 꾸려 왜군의 퇴각로를 막고 적들을 섬멸하기로 결심한다.

하지만 왜군의 뇌물 공세에 넘어간 명나라 도독 진린(정재영)은 왜군에게 퇴로를 열어주려 하고,
설상가상으로 왜군 수장인 시마즈(백윤식)의 살마군까지 왜군의 퇴각을 돕기 위해
노량으로 향하는데…….

2023년 12월, 모두를 압도할 최후의 전투가 시작된다!

무삭제 각본

S#1. 프롤로그 – 교토(京都) 후시미성(伏見城) / 밤 / 안

깊은 밤, 왜국(倭國)의 교토 후시미성 전경, 높게 솟은 검은 처마를 빙빙 도는 새…….
병상에 누워 있는 한 노인이 보인다. 하시바 히데요시(豊臣秀吉, 도요토미 히데요시).
깔끔하지만 휑한 대처소(大處所)에 몇 명의 사람들만이 그를 지켜보고 있을 뿐…….
(그의 곁에 세 사람과 4인의 대노가 무릎을 꿇은 채 등을 보이며 다소 떨어져 앉아 있다.)
그의 뒤로 펼쳐진 거대한 황금빛 동아시아 지도가 그려진 병풍.
움직일 수는 없지만 히데요시의 눈은 여전히 병풍을 향해 있다.

히데요시 (힘겹게) 몸이여……. 이슬……로 와서…… 이슬로 가는구나…….
천하인의 꿈이여…… 꿈 속의 꿈이로다…….

떨리는 히데요시의 목소리. 눈을 껌뻑이는 것도 힘들어 보이는 그가 힘겹게 고개를 돌리면 그의 곁에 8살배기 아들, 적자 도요토미 히데요리(豊臣秀頼)와 둘째 부인 차차, 그리고 좀 더 고개를 돌리면 열도의 2인자 도쿠가와 이에야스(德川家康)가 그를 바라보며 앉아 있는데…….

히데요시 (힘겹게) 조선에서 철군하오…….
부디 우리 히데요리를 잘 부탁…….

순간, 히데요시의 눈에 들어오는 이에야스의 눈빛!
이에야스가 비죽이 웃고 있다.

히데요시 (호흡 거칠어지며) 이에야스! 네 이놈…….

커억! 더이상 말을 잇지 못하고 절명하고 마는 히데요시.
태합전하! 4인의 대노가 고개를 떨군다.
히데요리가 울먹인다. 둘째 부인 차차가 이상한 느낌에 이에야스를 돌아보면,
깊이 고개 숙인 이에야스의 옆얼굴만 보일 뿐…….

S#2. 몽타주 – 왜성 전투 및 왜국 상황 / 낮

절명한 히데요시를 지나 병풍의 황금 지도가 화면을 가득 채우며 자막이 오른다.
음악 시작

1598년 음력 8월, 하시바 히데요시(도요토미 히데요시)가
조선에서 철병하라는 유언을 남기고 급사한다.
이에 조명 연합군은 육군과 수군의 합동 공격으로
남쪽 해안 왜군들의 집결지인 왜성들을 공략하지만
왜군들의 강한 수성에 뚜렷한 성과를 거두지 못하고 있는데…….

자막 내용과 부합되는 화면들이 교차되는 몽타주 스케치.

왜성의 고니시에게 보내지는 철군령 서찰.
누각 안. 전령으로부터 서찰을 건네받는 고니시.
순천 예교성에 화포를 쏘아대는 조명 함대,
대장선에서 지그시 예교성을 바라보는 순신 C.U.

1598년 음력 11월 9일 (명량 1년 후)
특히 순천 예교성에 주둔하고 있던 왜군의 주력 소서행장(고니시 유키나가)은
이순신의 강력한 봉쇄로 인해 단 한 척의 배조차 철병하지 못하고 있다.
이때 이순신은 순천 예교성 앞바다 장도(長島)에서
명나라 광동성 수군 도독 진린과 함께 250여 척의 조명 연합 함대를 꾸려
소서행장(고니시 유키나가)을 강하게 압박하고 있었다.

순천 예교성 앞바다인 광양만 지도와 함께,
예교성 바로 앞 장도에 무수히 펼쳐진 조명 연합 함대의 모습이 보이고,
자욱한 안개 위 순신의 시선으로 아스라이 순천 예교성의 모습이 눈에 들어오면……
그 위로 뜨는 타이틀.

노량
죽음의 바다

S#3. 순천 예교성 / 낮 / 밖

세찬 겨울바람이 불어오는 바다와 맞닿은 순천 예교성 성벽.
힘겹게 지게를 지고 오르는 왜군 병사들과 조선 포로들,
성벽 끝을 향해 가는 그들 뒤로 핏물이 흥건히 이어져 있고,
긴장되면서도 불안한 표정으로 봉화대 아궁이에 불을 놓고 있는 왜군 봉화병.
봉화병의 지시에 따라서 땔감이 되어 아궁이 안으로 우르르 던져지는 목 없는 시체들…….
이윽고 봉화대 굴뚝 위로 연기가 치솟기 시작한다.

CUT TO

예교성 안쪽, 높게 솟은 누각(천수각)의 꼭대기.
안으로 들어서면 십자 문양이 새겨진 붉은 천들이 드리워진 원색적인 실내,
창가에 서서 봉화대의 연기를 바라보고 있는 왜군 장수 고니시 유키나가(小西行長).
봉화대 위 굴뚝 너머 고개를 들어 멀리 동쪽 바다를 내다보는데…….
하지만 조용한 동쪽 바다…… 아무런 답이 없다.
혹시나 했던 고니시의 얼굴이 착잡한 표정으로 바뀌고, 이내 들려오는 인기척.
안으로 들어오는 고니시의 심복 아리마 하루노부(有馬晴信).

고니시 (아리마를 보며) 어찌 되었느냐?

기대 가득한 표정의 고니시, 그러나 쉽게 입을 열지 못하는 아리마.

고니시 유정*을 만나긴 한 것이냐?
*유정(劉綎, 명나라 육군 총대장.)
아리마 그…… 그것이…… 수군의 일은 자신과 무관하니 진린을 직접 찾아가라고…….
고니시 뭐?
아리마 애초에 유정의 말을 믿는 것이 아니었습니다. 주군!
고니시 지 놈에게 처들인 게 대체 얼마인데…….

명의 육군 사령관 유정의 배신에 치를 떠는 고니시,
그런 고니시를 걱정스레 바라보는 아리마.

고니시 군량은 얼마나 남았느냐?

아리마 이대로라면 닷새도 버티기가 어렵습니다.
병사들 사이에선 시체라도 뜯어 먹어야 살 수 있다는 소문이…….

무언가를 심각하게 생각하는 고니시, 문득…….

고니시 우리에게 가장 늦게 철군령(撤軍令)이 도착하다니……
이에야스가 나의 발목을 묶어두려던 게 분명해.

아리마 허면 울산성의 기요마사(加藤清正)보다 귀환이 늦어지는 것 아닙니까?
큰일입니다! 그들이 서로 무슨 작당을 꾸밀지…….

고니시 하루라도 빨리 돌아가야 한다. 히데요리님이 위험하다!

아리마 하지만…… 밖엔…….

일그러지는 고니시의 얼굴, 답답한 표정으로 예교성 남쪽 광양만 입구를 응시한다.
고니시의 눈에 들어오는 조명 연합 함대 250여 척이 장도섬 양쪽으로 겹겹이 진을 치고 있다.

고니시 (창틀을 내려치곤) 그냥 물러나준다 하지 않느냐…… 이순신!
전쟁이 끝난 마당에 이렇게까지 하는 속셈이 도대체 무엇이냐?

도무지 빈틈이라고는 보이지 않는 조명 연합 함대의 견고한 봉쇄선 위로 뜨는 자막.

음력 11월 11일, 예교성 봉쇄 3일째

S#4. 장도 앞바다 / 낮 / 밖

조명 연합 함대의 봉쇄선 뒤로 보이는 조명 연합군의 장도 선창과 군막들,
선창을 빠져나와 남쪽을 향해 가는 한 척의 협선,
송희립과 여러 군관이 타고 있다. 송희립을 따라가는 화면,
그에 앞에 머리가 하얗게 센 한 장수의 뒷모습이 보인다.

송희립 …….

허나 눈빛만은 여전히 형형히 살아 있는…… 순신이다.
순신, 묵묵히 앞만 보며 그저 나아가는데…….

CUT TO
문득 떨리기 시작하는 순신의 손!
부하들이 눈치채지 못하게 다른 손으로 꼬옥 쥔다.
안정을 위해 눈을 감고 고요한 물살의 울림을 느껴보는 순신…….

송희립 장군! 도착했습니다.

희립의 말에 고개를 들어 응시하면,
한참 재건 중인 여수 좌수영이 보인다.

S#5. 여수 좌수영 선소 / 낮 / 밖

배를 대고 육지로 올라가는 순신과 군관들,
병사들이 난파된 한 척의 판옥선을 선창으로 끌어당기고 있는 모습을 본다.
판옥선을 향해 가는 순신, 그 옆을 송희립이 따르고…….
판옥선을 인양하는 병사들을 지휘하던 이운룡, 순신 일행을 보고 재빠르게 다가와 인사한다.
인양된 판옥선을 유심히 살펴보는 순신,
격렬했던 지난 전투들의 흔적을 고스란히 가지고 있는 판옥선…….
찢어진 전라 우수군(全羅右水軍) 깃발이 걸려 있다.
판옥선 측면의 바랜 용 문양을 물끄러미 바라보는 순신.

이순신 (바랜 용 문양에 손을 가져가며) 이 판옥전선이 우수사 이억기* 영감의 전선이었다 했느냐?
*이억기, 임진왜란 시 전라 우수사, 한산 이후 칠천량에서 전사.
이운룡 (고개를 떨구곤) 네…… 그렇습니다.
칠천량 전투 이후에 떠다니던 것을 이제야 옮기게 되었습니다.

손으로 용 문양을 아주 서서히 만지는 순신,

이순신 (나직이) 술 한잔 기울일 동무 하나 찾기도 이제 힘드네.
자네가 이리 먼저 가다니.

문득 칠천량 때의 기억이 떠오르는 이운룡, 울컥 감정이 올라온다.

이운룡 칠천량 때 원균 통제사가 달아나고 지휘체계가 무너졌을 때
이 수사께서는 누구보다 용감히 끝까지 싸우다 바다에 투신했다 합니다.
천우신조라 할지…… 저는 그때 원균 통제사에게 항명죄로 좌천되어 육지에 있다 보니…….

더 이상 말을 잇지 못하는 이운룡. 송희립 또한 그때의 기억이 나는지 분위기가 엄숙해지는데…….
순신이 판옥선의 기울어졌던 장대를 세우고 있는 병사들을 한번 쳐다보고

이순신 (결연히) 이만하면 충분히 기동할 수 있다. 이 판옥전선을 좌선으로 삼자. 이 수사는 이제부터 우리와 함께 다시 싸울 것이다!

이운룡 그저 숙연해져 고개만 숙이고

이회 아버님!

좌수영 남문 쪽에서 아들 이회가 순신을 향해 다가오는 모습이 보인다.
이내 다른 누군가를 쳐다보는 순신…….
아들 이회 뒤로 서 있는 여인, 아내 방씨 부인이다.

S#6. 여수 좌수영 어느 집 마당 / 밤 / 밖

탁탁탁탁, 보글보글, 부엌에서 바삐 밥을 짓는 방씨 부인과 시종 막순이와 몇몇 처자들.
누추한 어느 집 안 평상에 앉아 순신과 이회, 이운룡, 송희립을 비롯한 조선의 군관들이 잠시나마 여유를 누리며 대화를 나누고 있다.

이운룡 부장 좌수영에 이리 다시 올 줄은 꿈에도 몰랐네…….

입부 부장 그러게 말일세, 여기서 구선도 만들고, 훈련도 하고…….

이운룡 부장 훈련하믄 호랭이 정운 장군이 또 제일이었지!
한산 전투 후에 부산포서 총탄에 그리 허망하게 가실 줄은…….

입부 부장 4차 출동이었지 아마.

순간 숙연해지는 분위기, 순신은 묵묵히 듣고 있을 뿐 무표정한데…….
송희립이 결국 헛기침으로 눈치를 준다.
그때 군관과 함께 밥상을 들고 오는 방씨 부인과 막순이,
화려하진 않지만 정성껏 준비한 상차림에 군관들이 **"와!"** 한다.
상을 내리고 밖으로 나가려는 방씨 부인을 본 순신, 문득 어떤 생각이 들었는지…….

이순신 부인…… 이리 와서 같이 먹읍시다! 막순이 너도 이리 오거라!

순간 쳐다보는 방씨 부인과 당황하는 막순이.

막순이 (여전히 어려워하며) 아닙니다! 저는 그냥 밖에서…….

이순신 전장에선 그런 거 가리는 것 아니다. 이리 오너라!

방씨 부인과 주위 눈치를 보는 막순이, 군관들 모두 어서 오라 손짓하면,

방씨 부인 막순아. 가서 수저하고 젓가락만 더 가져오거라! 같이 먹자!

방씨 부인이 먼저 이순신과 이회가 있는 상에 가서 앉는다.

CUT TO
다 같이 밥을 먹는 이순신의 가족,
다들 별말이 없다.
문득, 나오는 한마디…… **"맛있습니다."**

S#7. 여수 좌수영 어느 집 방 안 / 새벽 / 안

int

새벽, 밖에서 약을 달이고 있는 방씨 부인이 방 안으로 들어간다.

잠이 든 순신, 머리맡의 비어 있는 약사발을 치우다 이마에 맺힌 식은땀을 보는 방씨 부인…….

행여나 잠에서 깰까 조심스레 순신의 땀을 닦아내는 방씨 부인,

밖에서 들려오는 조용한 저음의 목소리, 송희립이다.

송희립 (O.S.) 부인, 채비가 끝났습니다.

방씨 부인 알았네. 내 곧 나가겠네.

방씨 부인이 보따리를 챙겨서 나가려 하면, 그때!

이순신 꿈에 우리 면이가 또 찾아왔네…….

이미 잠에서 깬 순신,

아산 생가서 왜군들에게 살해된 아들 면의 이름을 듣자 발걸음을 멈출 수밖에 없는 방씨 부인, 올라오는 슬픔을 눌러내며.

방씨 부인 면이는 죽어서도 아비만 찾나 봅니다.
꿈에서라도 좋으니 어미 곁에도 나와주면 얼마나 좋겠습니까?

방씨 부인의 말에 그대로 돌아누우며 눈을 감는 순신,

그저 그녀가 나가는 소리를 듣는다.

방씨 부인 (O.S.) 송 군관, 달여놓은 약은 꼭 챙겨주시게…….

송희립 예. 부인.

이순신 …….

S#8. 장도 명 진영 진린 막사 앞 / 낮 / 밖

장도 왼쪽 명군 진영이 넓게 보인다.
무슨 일 때문인지 총병 막사 앞에 명나라 장수들이 나와 모두 모여 있는 듯한데,
화면 벗겨지면 조명 연합 수군의 총병(총사령관)이자 명나라 수군 도독인 진린과
그의 휘하의 진잠과 심리 등 장수들이 보인다.
진린을 중심으로 둥글게 무언가를 둘러싸고 있는 모양새인데,
조금 더 들어가 보면 바들바들 떨고 있는 초췌한 왜군 포로 세 명이 보인다.
가운데 의자에 앉아 그들 심문을 지켜보고 있는 진린! 그 옆엔 측근 진잠이 서 있고
또 다른 측근 심리가 포로들 중 대장인 듯한 자를 앞에 두고 질문을 하고 있다.
역관이 바로바로 통역을 한다.

심리 다시 묻는다! 왜 탈영을 했느냐?

명 역관 왜 탈영을 했느냐? (일본어)

왜군 포로 정말 고향으로 돌아가고 싶었습니다. 이대로 있다간 예교성 안에서 굶어 죽을 것이 분명했습니다. 살려주십시오!

명 역관 고향으로 돌아가고 싶었답니다. (중국어)

심리 (뭔가 이상한 듯) 소속이 어디냐?

명 역관 소속이 어디냐? (일본어)

왜군 포로 (눈빛이 흔들린다) 전 고니시 장군, 휘하의 한낱 군졸일 뿐…….

명 역관 소서행장의 수하……. (중국어)

진린, 갑자기 손을 올리고 말을 멈춘다.

진린 (날카롭게) 주기도문을 외워보라!

명 역관 주기도문을 외워보라! (일본어)

진린의 질문에 당황하는 왜군 포로, 흔들리는 동공으로 진린을 쳐다보고
이내 쏟아지는 폭력 세례.

진린 그만!

이마와 눈두덩이에 피가 터진 채 축 늘어진 왜군 포로.
진린의 중지 명령에 장수들이 멈춘다.

진린 천주쟁이 소서행장(고니시)의 부장이라면 주기도문 정도는 알아야 할 게 아니냐? 뻔히 다른 가문의 칼을 차고서 나를 속이려 하다니…….

이미 빼앗아놓은 포로의 칼을 내보이며 앞으로 내던진다. 포로가 당황한다.
갑자기 진린이 일어나 앞으로 걸어간다. 다가오는 진린에게 잔뜩 겁을 먹는 왜군 포로.
헌데 진린이 예상치 않게 왜군 포로 얼굴의 피를 비단천으로 닦아준다.

왜군 포로 (그저 바들바들 떨고만 있다.)
진린 (찬찬히) 이미 네놈들 속에서 재란(再亂) 직후 충청 땅 아산을 거쳐 왔다는 얘기를 들었다. 내가 지금 무슨 얘기를 하는 줄 알겠느냐.
명 역관 이미 너희들이 충청 땅 아산을 거쳐 왔다는 얘기를 들었다. (일본어)

왜군 포로 두려움에 떨면서도 말을 하려 하지 않는다.
그러자 진린, 곧바로 왜군 포로의 코를 주먹으로 내려친다!
다시 뿜어져 나오는 왜군 포로의 코피,
진린이 뒤로 넘어가는 왜군 포로의 머리를 붙잡아 당기면서.

진린 얘기해보거라. 아산에서 네놈들이 벌인 일에 대해서 말이다!
명 역관 아산에서 무슨 일을 벌였는지 얘기해라! (일본어)
왜군 포로 (그저 두려움에 몸서리친다.)

S#9. 장도 명 진영 진린 막사 안 / 낮 / 안

진린과 수하 진잠이 막사 안에서 서로 얘기를 나누고 있다.

진잠 정말 그놈들이 통제공의 아들을 죽였겠습니까?
진린 그놈들이 지 놈들 입으로 고백을 하지 않더냐.
그 장소까지 세세히 말이다.

진잠 통제공에게 알려 바로 참수를 해야지 않겠습니까?

진린 아니다……. 당분간 비밀로 해두거라!

잘 이해할 수 없다는 표정을 짓는 진잠, 그때 밖에서 심리가 전령과 함께 들어온다.

심리 도독! 본국서 온 전 경리대인 양호*의 밀지입니다.

*양호(楊鎬), 정유재란 시 명나라의 주력 장수. 누명을 쓰고 파직되어 본국으로 돌아갔다.

전령이 직접 진린에게 밀지를 내민다.

진린 …….

CUT TO

서찰의 내용을 읽어 내려가는 진린. 그 앞에 서 있는 진잠과 심리.

진린 놈들에게 철군령(撤軍令)이란 것이 떨어졌다…….

진잠 그래서 유정 이놈이 육지서 우리와 협공하기를 멈춘 것입니다.

심리 고니시 스스로가 유정에게 그 사실을 알려줬을 가능성이 커 보입니다.

진잠 어찌 되었든 왜군 쪽 철군령이 내려질 것을 미리 알고 출정을 하지 않은 것입니다! 굳이 끝난 전쟁에 피해를 보고 싶지 않아서…….

진린 (생각에 잠기며) 흠…… 끝난 전쟁이다?

잠시 서찰을 다시 쳐다보다 막사를 나가 조명 연합 함대의 봉쇄선을 쳐다보는 진린.

S#10. 한양 선조의 처소 / 밤 / 안

궁궐 안으로 표정을 알 수 없는 한 사람이 고개를 숙인 채 걸어 들어가고 있다.

영의정 윤두수

윤두수가 임금 선조를 알현한다.

선조 사로병진(四路竝進)! 네 곳을 동시에 휘몰아쳐 놈들을 제압한다 하지 않았소! 어찌 하나도 성공한 것이 없단 말이오? 울산에선 다 잡은 가등청정(가토 기요마사)을 놓치지 않나? 사천에선 도진의홍(시마즈 요시히로)에게 또다시 처참한 패배를 당하고…… 이번엔 순천성도 실패한 것이 아니오! 통제사는 수군으로 순천성을 지원했건만, 어이 소서행장(고니시)을 잡지 못한 것이오? 대체 아무것도 얻질 못했소! 아무것도!

윤두수 (전혀 아무렇지 않다는 듯) 전하…… 그리 노여워 마옵소서.
풍신수길이 이제 없습니다. 바다 건너 열도는 다시 혼란에 휩싸일 것입니다. 그렇기에 저들은 한시라도 서둘러 고향으로 돌아가려 할 것입니다. 이미 승리한 전쟁입니다. 전하의 노력으로 명국이 조선으로 친히 와주어 승리를 한 것이지요. 전하께서도 이제 눈앞에 있는 전쟁보다는 전쟁 이후의 조정을 보셔야지요, 소신은 되레 다행이라 사려되옵니다.
통제사가 직접 순천성을 탈환한 것보다는…….

말끝을 흐리는 윤두수, 선조가 분함과 동시에 미묘한 감정에 휩싸이고,

S#11. 장도 조선 진영 작전 막사 안 / 밤 / 안

가까운 바다, 장도 왼쪽으로 길게 진을 펼치고 늘어선 조선 함대 백여 척이 보인다.
장도 선창 뒤로 커다란 작전실 막사 안에는 백발의 순신이 무표정하게 앞에 앉아 있고,
그의 주변으로 조선 수군의 수장들이 모두 모여 앉아 있다.
눈빛이 형형히 살아 있는 젊은 장수 유형이 서서 뭔가를 보고하고 있다.

유형 오늘 아침 남해도의 적들이 사천 창선도로 출발했습니다.
그리고 고성의 적들도 모두 창선도에 집결을 마쳤다는 첩보가 있습니다.

권준 경상의 적들이 도망가는 적들이라 하나……
혹! 이쪽으로 돕겠다고 오는 것은 아니오?

유형 그럴 염려는 하실 필요가 없습니다.

권준 ?

유형 (예교성을 가리키며) 저길 보시지요. (장수들이 쳐다보면) 소서행장이 저리 불을 피워

댄 것이 이미 한참이 지났습니다. 또한 예교성과 연결된 육지 쪽에 모든 거점들은 이제 우리가 장악했습니다.

입부 갇힌 행장을 버리고 놈들만 도망을 가는 형국이다. 이 말인가?

유형 그렇습니다. 그러니 조급한 건 행장이지 저희가 아닙니다.
저희야 그냥 행장이 천천히 백기를 들고 나오기만을 기다리면 됩니다.

논리 정연한 유형의 말에 고개들을 끄덕이며 일제히 순신을 바라보는 장수들.
허나 변함없이 신중한 순신의 얼굴.

이순신 (마침내) 7년이다…… 7년 동안 이 전쟁의 중심에 그 행장이 있었다. 임진년 그가 점령했던 평양성을 잊었느냐. 이후 벌어진 지루하고 간악했던 그 많은 협상들을 잊었느냐? 쉽게 끝나지 않는다.

입부 허긴…… 장군께서 그자의 간악한 계략으로 파직되어 사지(死地)까지 내몰리셨던 게 바로 작년 일이신데…….

입부가 더 이상 입에 담지 않는다. 모두들 동의하는 표정. 말들이 없다.

이순신 행장은 저대로 결코 항복하지 않는다. 어떤 수를 써서라도 우리 봉쇄를 뚫으려 할 것이다. 철저히 대비하고 막아야 한다.

순신의 말이 조선 장수 전체를 경각시킨다.

S#12. 순천 예교성 인근 바다 / 밤 / 밖

사위 분간이 힘들 정도로 안개가 자욱한 바다 위,
조선의 척후 협선 한 척이 전방을 주시 중이다.
순간 어디선가 들려오는 뜻밖의 물소리, 무언가가 움직이고 있다.
소리를 따라 난간 앞으로 다가서는 누군가.
이윽고 안개 속에서 희미하게 모습을 드러내는
왜군의 세키부네 한 척을 발견하고 조용히 조총을 들어 조준하는데…….
낯익은 얼굴…… 머리가 자란 항왜 장수 준사다.

얼굴에 난 굵은 상처가 지난 거친 싸움들의 흔적을 그대로 보여주고…….
준사를 따라 나머지 병사들 모두 조총을 조준하는데, 그들 모두 항왜들이다.
조총들이 일제히 세키부네를 향해 조금씩 움직이고, 허나 바람을 타고 온 안개에 갑자기 사라져버리는 세키부네! 잠시 두리번거리며 사라진 적선의 행방을 찾는 준사, 돌연 소리에 집중하는데,
돌연 준사가 몸을 돌려 어딘가를 바라보면,
명군 진영으로 향하는 세키부네의 꼬리가 안개 속에 희미하게 보이다 사라진다.

S#13. 아산 이순신 본가 / 꿈 / 밖

짙은 안개 속 어느 곳,
거칠게 숨을 내쉬며 앞으로 나아가는 누군가…… 바로 순신이다.
무언가를 쫓듯 한 손에 칼을 든 채 허겁지겁 달리고 있다.
어깨에서 흘러내리는 피…….
안개 속, 어지러운 비명과 고함치는 왜국 말들…….
이내 안개가 걷히고, 순신, 앞을 쳐다보면,
순신의 눈앞에 보이는 것은 다름 아닌 아산 순신의 본가.
마당엔 시체들이 쓰러져 있고 순신의 가솔들이 총을 든 왜군에 쫓기고 있다.
자기 앞으로 도망치고 있는 시종 막순이를 붙잡고 묻는 순신.

이순신 면이는? 면이는 어디 있느냐!

겁에 질린 막순이가 뭐라 답하지만 웅웅거리며 들리지 않는다.
순신, 뒷문을 지나 본가 아래 계곡 쪽으로 나아간다.
계곡 안 누군가 칼을 든 왜군들 속에 포위되어 있다.
순신이 더 다가가보면 셋째 아들 이면이다.
이미 여러 곳이 심각하게 베인 이면, 그럼에도 칼을 붙잡고 있는데…….
이내 위기에 처한 아들을 구하러 달려가는 순신!
허나 이상하게도 한 걸음조차 나아가지 못한다.
피 칠갑을 한 왜군의 손들이 그의 다리를 붙잡는다.

이순신 놓아라! 어서 놓지 못할까! (마침내 고함) 면아! 면아! 이리 오너라!

내가 지켜줄 것이다! 면아! 이 아비에게 오거라! 거기 있으면 안 된다!

하지만 아들 면에게는 들리지 않는 순신의 목소리,
콰아앙! 길게 울리는 왜군의 칼 소리, 몇 합을 받아내지 못하고 면이 휘청인다.
면을 둘러싼 왜군의 칼이 다시 하늘을 향한다.
마침내 면이 주저앉는다. 절규하는 순신의 눈에 들어오는 마지막 아들 면의 모습,
칼을 맞으면서도 결연한 표정으로 순신을 보는 면,

이면 아버지…….
이순신 (울부짖음) 면아…… 네가 나 때문에……
네가 이 아비 때문에…… 면아!

마지막 왜군의 칼이 면에게 내려쳐지고…….
통곡(痛哭)…… 순신이 오열한다. 그의 다리를 붙잡고 떨어지지 않던 손들이 온통 순신의 얼굴까지 감싼다.

S#14. 장도 대장선 대장실 안-갑판 / 밤 / 안-밖

"면아!" 바르르 몸을 떨며 면의 이름을 힘겹게 뱉어내는 순신.
꿈에서 깨어났지만 차마 일어나 앉지도 못한다.
온몸을 적신 땀……. 눈을 꾸욱 감고서 하염없이 눈물을 흘리는 순신.
이때 누군가의 차분한 목소리.

준사 (O.S.) 장군! 준사입니다.

CUT TO

일어나 앉아 좀 전 상황을 보고하는 준사, 힘든 몸을 감추며 보고를 듣는 순신.

준사 장군의 예상대로 방금 소서행장의 배 한 척이 명군 진영으로 들어갔습니다.
이순신 교전은 없었느냐?
준사 아무 소리도 듣지 못했습니다.

잠시 말이 없는 순신, 힘겹게 버티던 손이 다시 떨리고.

순신의 떨리는 손을 언뜻 본 준사, 허나 일부러 못 본 척 고개를 숙인다.

이순신 수고 많았다!

인사를 하고 돌아서는 준사를 다시 부르는 순신.

이순신 준사!

준사 네?

이순신 고향으로 돌아가고 싶지 않으냐?

발걸음을 멈추는 준사, 의외의 질문에 잠시 머뭇거리지만,

이순신 다시 오지 않아도 좋다. 다른 왜인들처럼 고향으로 가고 싶다면 그리하거라.

뒤돌아 잠시 순신을 바라보는 준사.

준사 (이내 짧은 미소) 윗분들은 잘 모르시겠지만, 병사들은 본능적으로 알고 있습니다. 고향이란 전쟁이 끝나야만 돌아갈 수 있다는 것을……. 온전히 전쟁이 끝나면 그리하겠습니다.

고개 숙여 다시 인사를 하고 문을 나서는 준사.

CUT TO

좌선 갑판 위에 나와 멀어지는 준사의 탐망선을 바라보는 순신,

이순신 (나직이) 온전히 전쟁이 끝나면 그리하겠다……. 준사…… 네 말이 옳다.

순신 고개를 돌려 굳은 표정으로 안개가 쌓인 왜성 쪽을 바라보는데.

S#15. 장도 명 진영 진린 막사 안 / 밤 / 안

아리마 대국의 아량으로 퇴로를 열어주신다면 이 은혜 결코 잊지 않을 것입니다.

화려한 보석으로 치장된 일본도를 공손히 내미는 두 손, 아리마다.
그러나 그런 일본도 따위는 본척만척, 딴청만 피우고 있는 진린.

아리마 고민할 것이 무엇입니까? 이제 끝난 전쟁입니다. 대인!
명 역관 이미 끝난 전쟁에 퇴로를 열어주면 은혜를 잊지 않겠다 합니다. (중국어)
진린 (불쑥) 유정은 뭐라더냐?
왜역관 유정은 뭐라더냐? (일본어)
아리마 (당황하여) 네?

당황한 듯 진린의 눈치를 살피던 아리마,

진린 벌써 만나보지 않았느냐?
왜역관 벌써 만나보지 않았느냐? (일본어)
아리마 (애써 웃으며) 어찌 유정 같은 소인배의 말을 신경 쓰십니까.
명 역관 소인배의 말은 신경 쓰지 말라 합니다. (중국어)
진린 …….
아리마 이 전쟁을 끝낼 수 있는 건 오직 대인뿐입니다.
이제 지난날들의 과오는 모두 잊고 부디 평화를 택하소서.
명 역관 전쟁을 끝낼 수 있는 건 도독뿐이며 과오를 잊고 평화를 택하라 합니다. (중국어)
진린 그 말인즉슨…… 너희들의 과오를 반성한다는 뜻이냐?
왜역관 너희의 과오를 반성한다는 뜻이냐? (일본어)
아리마 그것은…….

잠시 답을 망설이는 아리마.

진린 정명가도(征明假道, 임진왜란 직전 히데요시가 선조를 협박하며 했다는 말). 나는 조선을 침략하려 하는 것이 아니라 명을 정벌하려는 것이니…… 길을 내어주면 다치지 않을 것이다.

왜역관 정명가도.
나는 조선을 침략하려 하는 것이 아니라 명을 정벌하려는 것이니……
길을 내어주면 다치지 않을 것이다. (일본어)

아리마 ?

진린 죽은 너희 관백은 정녕 미친 자였다! 그렇지 않으냐?

왜역관 죽은 너희 관백은 정녕 미친 자였다. (일본어)

관백 도요토미 히데요시

순간 눈썹이 꿈틀하며 굳어지는 아리마의 얼굴.

아리마 저는 화친을 제의하러 온 것이지 항복을 청하러 온 것이 아닙니다.

명 역관 자신은 항복이 아니라 화친을 제의하러 왔다 합니다. (중국어)

진린 만일 거절하면 어찌 되는 것이냐?

왜역관 거절하면 어찌 되는 것이냐? (일본어)

순간 진린을 노려보는 아리마, 더 이상 굽힐 마음이 사라진 듯,

아리마 지난번처럼 대국의 군사들이 상하는 불상사가 벌어지겠지요.

명 역관 ……저번처럼 저희 군사가 상하는 일이 벌어질 거라 합니다. (중국어)

은근한 아리마의 협박에 눈을 부릅뜨는 백발의 노장 등자룡, 앞으로 나서려는데.

진린 이노옴!

아리마를 향해 일본도를 내던지는 진린,
아리마가 깜짝 놀라 가까스로 피하면 바닥에 나뒹구는 일본도,
휘둥그레진 눈으로 부서진 일본도와 진린을 번갈아 보는 아리마.

진린 가서 소서행장에게 똑바로 전하거라! 평화에는 그만한 대가가 필요한 법이니, 화친 따윈 꿈도 꾸지 말라고!

왜역관 평화에는 대가가 필요한 법이니 화친은 꿈도 꾸지 말라. (일본어)

아리마 대인…….

진린 썩 물러가라!

꼴도 보기 싫다는 듯 돌아서는 진린,
아리마는 어떻게든 마음을 돌려보려 하는데…….

등자룡 물러가라 하지 않느냐!

버티고 있는 아리마.

등자룡 이놈이 그래도!

등자룡 등 나머지 장수들의 험악한 분위기에 결국 돌아서고 마는 아리마, 완전히 사라지면,

등자룡 잘하셨소이다. 도독!

속이 다 시원하다는 듯 진린을 바라보는 등자룡,
하지만 대꾸도 없는 진린! 골똘히 생각에 잠긴다.

S#16. 순천 예교성 누각 안 / 밤 / 안

고니시 (혼잣말로) 그만한 대가가 필요하다…….

아리마의 보고를 곱씹으며 생각에 잠기는 고니시.

아리마 일전을 준비하겠습니다. 주군!

죽음을 각오한 듯, 비장한 표정의 오무라 및 다른 고니시의 가신들.

고니시 (비릿한 미소) 그럴 것 없다.
(오무라를 보며) 오사카로 가져갈 수급(전공(戰功)을 증명하는 잘린 머리)이 얼마나

되느냐?

오무라 (무슨 영문인지 모르지만) 2천이 조금 안 됩니다만.

고니시 그간 유정에게 넘긴 수급은?

오무라 다 합치면 5백 정도 됩니다…….

고니시 가져갈 수급 전부를 진린에게 내어주자! 그리고 평양에서 가져온 진귀한 것들도 더 넣고! 그만한 대가를 바라니 그만한 대가를 줘야겠지.

오무라 ?

고니시 진린은 이순신과 다르다. 우리처럼 돌아가야 할 본국(本國)이 있다.

그제서야 무슨 말인지 알아들은 아리마와 가신들, 표정이 다소 밝아진다.

아리마 하지만 주군. 진린이 봉쇄를 풀어주고 싶다 해도
이순신이 따르지 않을 것입니다.

잠시 생각에 잠기는 고니시, 갑자기 자리를 옮겨 무언가를 급히 쓰기 시작한다.
두 개의 서찰을 아리마에게 전하며 귓속말로 매우 진지하게,

고니시 지금부터 내가 하는 말을 진린에게 잘 전하면 넌 분명히 빠져나갈 수 있다.

아리마 !

두 사람이 뭔가 진지하게 속삭이는 것이 멀리 보인다.

고니시 나가는 즉시 사천의 시마즈(島津義弘)에게 이것들을 전하라.

아리마 예. 주군! 목숨을 걸고 전달하겠습니다!

S#17. 장도 조선군 진영 선창-대장선 / 낮 / 밖

무언가를 올려다보며 감격한 표정으로 서 있는 등자룡.
그의 앞에는 순신의 대장선 판옥선이 펼쳐져 있는데, 그 옆에는 순신과 송희립이 함께 서 있다.

등자룡 이건…… 통제공의 좌선 아닙니까?

송희립 장군의 판옥선이 아니냐고 묻습니다.

이순신 일전에 부탁하셨던 전선일 뿐입니다.

명 역관 그저 부탁하셨던 판옥선이라 합니다. (중국어)

거대하면서도 선명한 용의 문양이 어떤 판옥선보다 훨씬 위엄이 있어 보이는데.
순신이 판옥선 위로 올라가자며 안내를 하고,

이순신 그럼 오르시지요.

CUT TO

진심으로 감동한 등자룡, 격군실을 지나 판옥선 위로 올라가 갑판을 둘러본다.

등자룡 이리 튼실히 배를 만들다니, (순신을 돌아보며) 배만 지키면 병사들과 격군들 상할 걱정은 안 해도 되겠습니다.

송희립 판옥선이 튼튼하여 잘 지키면 병사와 격군들이 상할 걱정은 안 해도 되겠다라 말합니다.

이순신 …….

CUT TO

판옥선 장루 안, 책상 위 종이와 벼루를 사이에 두고 마주 앉은 순신과 등자룡.
등자룡이 먼저 붓을 들어 글을 쓴다.

등자룡 (필담) 지난밤 소서행장이 진도독에게 사람을 보내왔소.

이순신 (필담) 알고 있습니다. 소서행장은 계속해서 사람을 보내올 것입니다.
진 도독이 흔들리지 않도록 부디 부총병께서 힘이 되어주십시오.

순신의 필담을 뚫어지게 쳐다보던 등자룡이 이내 미소 지으며.

등자룡 (필담) 이 판옥선이 그런 청탁의 뇌물이었구려.

필담 속 작은 웃음을 띠며 서로를 바라보는 두 사람. 이내 등자룡의 필담이 이어지는데,

등자룡	(필담) 솔직히 이렇게까지 하는 통제공의 진의를 나 또한 진 도독처럼 이해할 수는 없소. 허나! 내 기꺼이 이 판옥선을 받으리다!
이순신	(옅은 미소) …….
등자룡	나만 믿으시오 통제공! 내 이 판옥전선으로 통제공과 함께 끝까지 나의 힘을 보태리다!

서로를 바라보는 이순신과 등자룡, 야전에서 평생을 보낸 두 사람의 신뢰와 믿음이 느껴진다. 그런데 이때!

이회	(O.S.) 아버님!

다급히 탐망병과 함께 판옥선 갑판 위로 뛰어 올라오는 이회.

이회	방금 적선 세 척이 명군 진영으로 들어갔습니다!
이순신	한 척이 아닌 세 척이란 말이냐?
이회	예. 헌데 배마다 무언가를 그득 싣고 있는 듯 보였습니다.

뭔가 이상함을 느낀 이순신, 빠르게 자리에서 일어선다.

S#18. 장도 명 진영 선창-진린 호선 / 낮 / 밖

일본의 세키부네 세 척이 정박해 있다.
수급이 가득 담긴 궤짝들을 내리고 있는 왜병들과 이를 받아 진린의 군막 안으로 옮기고 있는 명나라 병사들, 이를 지켜보고 있는 진린, 살짝 흐뭇한 표정을 짓는 진린.
바로 그 순간을 놓치지 않는 아리마.

아리마	남해도에는 저런 수급이 산더미처럼 쌓여 있습니다.
명 역관	남해도에 수급이 더 있다 말합니다. (중국어)
진린	?
아리마	저를 보내주시면 오늘 드린 수급의 열 배를 가져다드리겠습니다.
명 역관	자신을 보내주면 오늘의 열 배를 준다 합니다. (중국어)

표정이 꿈틀대는 진린.

진린 (속내를 꿰뚫어 보듯) 기어이 구원병을 청하려는 것인가.

왜역관 구원병을 청하려는 것인가. (일본어)

쏘아보듯 자신을 응시하는 진린의 시선에 결국 아리마,

아리마 대인께서 봉쇄를 푼다 한들 이순신이 가만히 있겠습니까?

명 역관 봉쇄선이 풀려도 통제사가 가만히 있지 않을 거라 얘기합니다. (중국어)

진린 …….

아리마 봉쇄를 풀고 안전하게 빠져나갈 시간을 벌기 위해선 약간의 무력시위는 필요하지 않겠습니까?

명 역관 안전하게 빠져나갈 시간을 벌기 위한 무력시위라고 합니다. (중국어)

진린 …….

아리마 그저 고니시 주군이 예교성을 빠져나와 좌수영 앞바다를 떠날 정도의 시간만 벌 무력시위입니다.
(진린에게 다가가는 아리마) 그저 대치하는 정도입니다.

명 역관 소서행장이 빠져나갈 정도의 시간을 벌 미약한 무력시위라고 합니다. (중국어)

진린 흔들린다. 더욱 간절히 쳐다보며 예리하게 말을 내뱉는 아리마.

아리마 만에 하나 이순신의 공세로 약간의 다툼이 생긴다 해도 대국의 천병들을 상하게 하는 일은 결단코 없을 것입니다. 고니시 주군께서도 분명 그리 약조하셨습니다!

명 역관 무력시위가 벌어져도 우리의 병사가 상하는 일은 없을 것이라 합니다.
소서행장도 약속했다고 합니다. (중국어)

진린 (코웃음) 내가 그 약조를 어찌 믿느냐.

왜역관 그 약조를 어찌 믿느냐. (일본어)

아리마 대인! 저의 말보다 현재 돌아가는 이치를 한번 잘 살펴보십시오.
답은 바로 나올 것입니다!

명 역관 자신보다 현재 돌아가는 이치를 보라 말합니다. (중국어)

흐음…… 고민에 빠지는 진린.

S#19. 장도 명 진영 일각 / 낮 / 밖

황급히 명군 진영으로 들어서고 있는 순신과 이회. 등자룡, 송희립, 이운룡까지 합세했다.

이회 (무언가를 발견) 저기! 적선들이 돌아가고 있습니다!

이회가 소리치자, 안개 자욱한 바다를 응시하는 순신
과연 예교성을 향해 가고 있는 검은 배 두 척이 보인다.

송희립 근데 어찌 두 척뿐인가? 세 척이라 하지 않았는가?

이회, 놀라 다시 보면, 정말 두 척뿐이다.

S#20. 장도 명 진영 선창 / 낮 / 밖

예교성 반대쪽, 넓게 트인 동쪽 바다를 바라보고 있는 진린.
물살을 가르며 멀어지고 있는 검은 물체…… 아리마를 태운 세키부네다.

심리 정말 저대로 내보내도 괜찮겠습니까?

막사를 향하던 그에게 보좌하고 있던 심리가 묻는다.

진린 (짐짓) 무엇이 걱정이냐? 다른 적들도 모두 철군하러 사천 앞 창선도로 떠났다지 않느냐?
심리 그래서 드리는 말씀입니다.
진잠 ?
심리 제가 고니시라면 저 배를 곧장 창선도로 보냈을 것입니다.
진린 그러라고 보낸 것이다.
심리 !

놀란 얼굴로 진린을 바라보는 심리.

함께 걷던 진잠도 도통 이해가 안 되는 듯한데…….

심리 허나 창선도에 집결한 적들이 모두 이쪽으로 움직인다면…….

진린 그리되면 통제공도 더 이상 고집을 피우지 못하고 봉쇄를 풀 수밖에 없을 것이다. 이치가 그렇지 않느냐. 아니 그렇느냐.

그저 고개를 끄덕일 수밖에 없는 심리와 진잠.
진린, 이내 다시 막사로 이동한다.

등자룡 (O.S.) 이게 대체 어찌 된 일이오!

진잠, 놀라 돌아보면, 붉어진 얼굴의 등자룡이 다가오고 있다.
그 뒤로 모습을 드러내는 순신.

진린 아니, 대체 이 시간에 어인 일들이오?

짐짓 시치미를 떼는 진린.
그러나 순신은 이미 저만치 멀어지고 있는 아리마의 세키부네를 보고 있다.

이순신 쫓아라. 절대 놓치면 아니 된다.

이운룡 예, 장군!

심리 통제사가 배를 쫓아가라고 명령했습니다. (중국어)

등자룡 내 배로 가세.

진린 부총병!

들은 척도 않고 이운룡과 함께 어둠 속으로 사라지는 등자룡.

진린 이거 참. 배 한 척 내준 게 뭐 그리 대수라고 이리들 호들갑인지…….

대꾸 없이 굳은 표정으로 진린을 응시하는 순신.

S#21. 장도 명 진영 진린 막사 안 / 낮 / 안

마주 앉은 순신과 진린.

뒤쪽엔 진잠과 심리. 그리고 송희립과 이회가 서 있다.

진린을 쳐다보며 미동도 없는 순신.

그런 순신을 순간 노려보는 진린. 그러나 이내 미소 지으며,

진린 이쯤하고 놓아줍시다. 노야께선 공도 넘칠 만큼 세우지 않았소.

송희립 봉쇄선을 풀고 그만 적을 놓아주자고 말합니다.
장군께선 충분히 공을 세우셨다고…….

순신이 천천히 일어서더니 앞에 놓인 지필묵을 끌어당겨 직접 무언가를 적기 시작한다.

다시 말하겠소. 대장이 되어 화친을 말할 수 없으며,

절대 이대로 원수를 놓아 보낼 생각도 없소.

진린, 얼굴을 찌푸리며 읽다 이내 필담이 아닌 직접 말로 내뱉는데,

진린 그럼 이렇게 하는 게 어떻겠소?

송희립 그럼 이렇게 해보자 합니다.

이순신 ?

진린 행장을 보내주는 대신, 남해도로 가서 적의 잔당들을 치는 것이오.

송희립 행장을 보내주고 남해도로 가 잔당을 치자 말합니다.

이순신 …….

진린 꼭 예교성의 적들만 붙잡고 늘어질 이유가 없지 않소?
혹여 아드님을 해한 것조차 또 행장의 계략 때문이라고 생각하시는 것입니까?

송희립 예교성의 적들을 붙잡고 계시는 이유가…… 혹시 이면 도련님 때문이냐고…….

이순신 !

진린이 순신의 고집을 꺾기 위해 아들 얘기를 꺼냈지만 이내 미안한 마음이 들고…….

이때 진린의 뒤쪽 보조 막사에 순신의 눈에 띈 무언가. 보조 막사 구석에 쌓인 궤짝들이다.

그쪽으로 걸어가는 순신, 들어가 지체 없이 궤짝의 뚜껑을 연다.

진린 지금 뭐 하는 짓이오?

궤짝에는 고니시가 보내온 수급이 가득 들어 있다.
그러나 조선식 상투를 튼 남정네, 댕기 머리를 한 어린아이,
심지어 쪽을 진 아녀자의 머리까지, 누가 봐도 조선 백성들의 수급이지 왜병들이 아니다.
순신 칼자루 쥔 손이 떨린다.

이순신 여기…… 이들은 대부분 우리 백성들이오. 절대 왜적이 아니오.
심리 이들은 왜적이 아니라 조선의 백성이라 합니다.

목이 막혀 말이 안 나오는 듯 토하듯 내뱉는 순신.

진린 왜적이 아니라니? 지금 부역자들을 비호하는 것이오?
송희립 부역자들을 비호하는 것이냐 묻습니다.

칼자루 쥔 손을 가까스로 놓으며 돌아서 진린을 쳐다보는 순신.

이순신 도독은 귀국의 황제가 조선을 구원하라 보낸 사람이오.
심리 도독께선 황제께서 조선을 구원하라 보낸 분이라 말합니다.
진린 …….
이순신 그런데 어찌 원수 같은 적을 살려 보내고 죄 없는 백성들을 죽인단 말인가!
심리 그런데 어찌 적을 살려 보내고 죄 없는 백성을 죽이냐 묻습니다.

진린을 꾸짖는 순신.

진린 통제공의 말이 맞소.
이순신 ?

허리에 차고 있던 칼을 천천히 뽑아 드는 진린.

진린 황제께선 이 칼을 나에게 주시면서 조선을 구원하라 말씀하셨소.

칼등에 새겨진 화려한 용 문양을 바라보는 진린.

진린 그런데 말이오, 통제공.
이순신 ?
진린 그 말씀 끝에 이렇게 덧붙이셨소. 이제 그대는 짐의 대리인이니…….
이순신 …….
진린 명을 어기는 자가 있다면 가차 없이 베어도 좋다.

칼을 뻗어 이순신의 목을 정면으로 겨누는 진린.
깜짝 놀란 송희립과 이회가 칼을 잡는데,
진잠과 심리 또한 칼을 잡으며 송희립과 이회 앞을 막아선다. 일촉즉발.

이순신 (담담히) 한 번 죽는 것은 아깝지 않다.

순신이 진린의 겨눈 칼을 아랑곳하지 않고 진린에게 다가선다.

진린 !

휘둥그레진 눈으로 순신을 보는 송희립과 이회. 순신에게 기가 밀려 주춤 물러서는 진린.

이순신 그러나 대장이 되어 적을 놓아주고 우리 백성을 죽일 수는 없지 않겠나.

설명할 수 없는 분노, 의지, 결기 등이 담긴 순신의 눈빛. 이내,

이순신 같이 싸우고자 하지 않는다면 조명 연합 함대는 오늘로 해체하겠소!
심리 함께 싸우지 않는다면 조명 연합을 해체하겠다고 합니다!
진린 (놀라) 통제공!

순신이 진린에게 답변의 시간도 주지 않고 밖으로 나가버린다.

CUT TO 진린 막사 밖 / 낮 / 밖
막사에서 나오는 순신, 뒤로 진린이 불러보지만 걸음을 멈추지 않는다.

밖에서 그를 기다리고 있는 조선의 장수, 입부와 유형.

이순신 (소리 높여) 장수들을 모두 모이라 하라! 단독 출정할 것이다!

입부 (놀라서) 단독 출정이라뇨? 명군은?

이때 진린과 수하들이 뛰쳐나온다.
이미 저만치 걸어가고 있는 순신, 입부와 유형이 적잖이 당황한 채 뒤를 따른다.

S#22. 남해도 관음포 주변 바다 / 낮 / 밖

안개 자욱한 바다 위,
등자룡의 호선을 타고 아리마의 세키부네를 추격 중인 등자룡과 이운룡.
허나 안개 때문에 아무것도 보이지 않는다.
초조한 표정으로 전방을 주시 중이던 두 장수,
흐르는 안개 속, 육지를 돌아 나가는 바닷길이 언뜻 등자룡의 눈에 들어온다.

등자룡 저쪽이다! 저쪽 바다로 갔을 것이다!

등자룡의 지시에 따라 급히 방향을 바꾸는 호선,
하지만 노를 저으면 저을수록 이상한 느낌이 드는데…….

등자룡 어찌…… 이런…….

두 사람의 눈에 들어오는 것은 바다가 아닌 해안을 낀 검은 숲.

이운룡 (낭패 어린 목소리로) 남해 관음포란 곳입니다. 대인.
우리처럼 길을 잘못 든 걸 보면, 놈들도 어지간히 급했던 모양입니다.

명 역관 남해 관음포라는 곳이라 합니다.
적들도 우리와 같이 길을 잘못 들었을 것이라 합니다. (중국어)

등자룡 …….

CUT TO 숲 / 해 질 녘 / 밖

거친 호흡 소리와 발소리.

거친 수풀을 헤치며 어딘가로 마구 뛰어가고 있는 아리마와 그의 수하들이 보인다.

S#23. 창선도 시마즈 안택선 누각 안 / 낮 / 안

어두컴컴한 누각 실내. 강하게 뻗어 들어오는 한 줄기 햇살 아래
누군가 앉아서 급히 흘려 쓴 고니시의 서찰을 읽고 있다.
그 앞에는 신발도 제대로 갖추지 못하고 몹시 초췌해진 아리마가 두 손을 공손히 모은 채
무릎 꿇고 앉아 있다. 그 앞에 모리아츠와 토요히사가 선 채 노려보고 있는데,

아리마 제발 저희 주군을 살려주십쇼, 도노!
이대로 있다간 언제 예교성이 적들의 수중에 넘어갈지 모릅니다.
아니, 어쩌면 지금 벌써 놈들의 공세가 시작됐을지도 모릅니다.

그러나 아무런 반응이 없는 상대방.

아리마 히데요리님을 위해서라도 부디 저희 주군을 버리지 마시고…….

탁. 편지를 탁자 위에 내려놓는 손, 흉터와 굳은살이 가득하다.

목소리 쓸데없는 걸 닮았구나.

아리마 !

크진 않지만 위엄이 느껴지는 저음.

목소리 그따위 세 치 혀로 모든 걸 풀 수 있다 생각하느냐.
허긴. 그러니 네놈을 골라 보낸 것이겠지.

아리마 (침만 꿀꺽 삼킨다) …….

이윽고, 로우키 조명 아래 희미하게 드러나는 이목구비. 목소리처럼 선이 굵은.

목소리 히데요리를 함께 지키자는 말은 모든 다이묘들이 한결같이 내게 했던 말이다. 고니시가 고작 그 정도의 말을 하기 위해 널 보냈다고? 실망이군…….

아리마 …….

목소리 듣거라.

심복들 네, 주군!

목소리 내일 아침, 부산으로 출발할 것이다. 거기서 도도(도도 다카토라)와 함께 본국으로 돌아갈 것이다.

심복들 네, 주군!

아리마 부…… 부산이라뇨……. 도, 도노…… 순천 예교성으로…….

대답이 없는 시마즈. 모리아츠와 토요히사가 아리마를 노려보며 더 이상 지체하는 걸 용납하지 않을 기세다. 절망스러운 표정으로 굳게 닫힌 누각 문만을 바라보던 아리마,
이를 악물며 문득 한 문장을 읊는데,

아리마 천하인의 꿈이여…… 꿈속의 꿈이로다…….
몸이여…… 이슬로 와서…… 이슬로 가는구나…….
오사카의 꿈이여…….

순간, 거짓말처럼 안에서 터져 나오는 시마즈의 목소리.

시마즈 뭐라 했느냐. 어찌 네놈이!

아리마 (이를 악물고) 용의 바다 속에 침몰하니…… 이 원통함을 어찌할꼬?

시마즈 천하인의 꿈? 용의 바다? (분노) 네 이놈!

쾅! 문이 열린다! 급히 아리마가 고개를 숙인다.
은빛에 가까운 백발의 남자, 비록 나이는 많지만 눈빛에서 뿜어져 나오는 살기가
역시 일본 최고의 맹장다운, 시마즈 요시히로의 모습이 완전히 보이면,

시마즈 어디서 미친한 놈이 태합전하의 마지막 유언을!

아리마 (결연히) 고니시 주군의 진심을 듣고자 하셨습니까?
(품에서 또 하나의 서찰을 꺼내는데) 이것이 진정 고니시 주군의 서찰입니다.

시마즈 …….

CUT TO

다시 누각 안, 홀로 서찰을 읽고 있는 시마즈.
고니시의 서찰을 따라 들려오는 고니시의 목소리.

고니시 (O.S.) 7년이라는 시간, 우리가 승리하지 못하고 이렇게 돌아가는 이유는 오직 단 하나, 바다를 제패한 이순신 때문입니다.
이대로 돌아간다면 이에야스와의 충돌은 당연한 것! 혹여 그사이 이순신이 우리 열도로 쳐들어온다면 열도 땅 어느 누가 그를 상대할 수 있겠습니까?
기필코 지금 이순신을 없애야 합니다! 시마즈님이 기꺼이 응전해주신다면 저도 예교성을 나와 반드시 시마즈님을 도와 배후에서 이순신을 칠 것입니다! 이순신을 제압한다면 열도의 어느 누가 시마즈님을 대적하려 들겠습니까?
필시 이에야스조차도 감히 어쩌지 못할 것입니다.

서찰을 내려놓는 시마즈, 서찰을 뚫어져라 쳐다보더니…….

시마즈 고니시…… 쓸데없이 똑똑하구나. 나를 시마즈님이라 부르면서까지…….
(이내 나직이) 이순신…….

CUT TO

누각 안에서 걸어 나가는 시마즈, 밖에서 수하들과 아리마가 기다리고 있다.

아리마 (간절하게) …….
시마즈 출전을 준비해라! 순천 예교성으로 갈 것이다.

아리마가 넙죽 시마즈에게 절을 한다.

아리마 감사합니다, 도노! 참으로 감사합니다!

시마즈 그런 아리마를 스쳐 지나 선수 쪽으로 더 나아가면,
시마즈 함대를 축으로 5백여 척의 함대가 전열을 가다듬고 있는데……
긴 뿔고둥 소리! 이내 들리는 출정이다! 소리! 그 모습이 실로 장관이다.

S#24. 순천 예교성 누각 안 / 밤 / 안

오무라 (초조하게) 시마즈가 우리를 구원하러 오겠습니까?

불안한 오무라의 말에 동요 없이 조명 연합 함대의 봉쇄선을 지그시 바라보는 고니시.
주변 군마들이 우는 소리가 고니시의 귀를 자극한다.

고니시 군마들을 잡아서 병사들을 먹여라. 이제 말들은 필요가 없다.

오무라와 가신들은 고니시의 의외의 명령에 어리둥절하다.

고니시 반드시 온다! (혼잣말) 이에야스를 단숨에 제압할 방법…….
규슈의 패자 시마즈는 분명 그것을 노릴 것이다.

확신에 찬 고니시의 표정.

S#25. 장도 명 진영 진린 막사 안 / 밤 / 안

생각지 못한 조명 연합 함대 해체라는 강수를 받은 진린, 고민에 빠져 있다.
함께 있는 등자룡은 그저 쳐다볼 뿐 별말이 없는데,
옆에서 눈치를 살피던 심리가 더는 참지 못하겠다는 듯 입을 연다.

심리 도독! 군령으로 이순신을 참하십시오!
조명 연합 함대 해체를 들먹이다니요?

진린 …….

등자룡 지금 통제사를 참하려 한다면 이 장도에서 조선 수군과 명 수군이 전쟁을 치를 것이오. 거기다 아직 황제 폐하의 정확한 명이 떨어지지 않은 상태에서 연합 함대가 해체된다면 그 뒷수습을 어찌 감당하시려오?

진린 ……. (무언가 생각에 빠져든다)

flash back in 고금도 통제영 군막 안 / 낮 / 안

군막 안 서찰을 읽던 순신이 순간 서찰을 손에서 놓치고 만다.
주변에 있던 조명 연합군 장수들이 놀라서 순신을 바라보고,
입부가 바닥에 떨어진 서찰을 들어보면, '통곡(慟哭)'이라 적힌 서신.
'셋째 아드님 이면이 왜군의 칼에 죽임을 당했습니다'라는 내용이다.
떨리는 눈빛을 가다듬고, 숨을 고르는 순신.
허나 순신의 눈시울이 빠르게 붉어지며 손이 떨리는 게 보인다.
순신 이내 진린을 바라본다.

이순신	진 도독. 오늘은 이만하십시다. 먼저 일어나겠소.
심리	오늘 회의는 그만하자고 합니다. 먼저 일어나겠다 합니다.
진린	…….

지휘채를 쥐며 황급히 일어나는 순신의 손이 크게 떨리는 게 보이는데,
빠르게 회의장을 빠져나가는 그의 뒷모습을 주시하는 진린.
flash back out

진린	(생각에서 깨며) 그 포로들 말이다.
진잠/심리	?
진린	심문했던 왜군 포로들 말이다. 준비하라.

S#26. 여수 좌수영 선소 / 밤 / 밖

순신이 마지막 철갑을 올리는 구선을 바라보고 있다.
이회가 아버지 순신을 물끄러미 바라보고 있다.
이때 이운룡이 다가와 순신에게 인사를 한다.

이운룡	오셨습니까! 장군!
이순신	출전이 가능해 보이는가?
이운룡	출전에는 무리가 없을 것 같습니다. 다만…… 판옥전선을 뜯어다 저리 급조해 만들고 있기에…… 지난 구선들만큼 튼튼하지는 못할 거라 합니다.

순신이 숨을 내쉬고 이해한다는 표정을 짓는다.

이회 (걱정스레) 험한 충파를 온전히 견뎌낼지 염려됩니다.
군이 구선까지 출전시킬 필요가…….

한 발 더 다가서 구선의 용두를 쳐다보는 순신.

이순신 구선은…… 우리에게 의지가 되어줄 것이다.
이운룡/이회 …….

S#27. 여수 좌수영 운주당 안 / 밤 / 안

좌수영 운주당에 홀로 앉아 있는 순신, 이회가 서찰 하나를 들고 들어온다.

이회 아버님. 류성룡 대감의 서찰이 당도했습니다.
이순신 …….

서찰을 꺼내어 읽어보는 순신. 표정이 짐짓 무거워진다.

풍신수길이 죽어 이제 모든 왜적들이 돌아간다 하니
이 전쟁의 승리는 통제사의 공이 매우 크다 할 수 있소,
허나 이후 영의정 윤두수를 비롯한 무리들이 광해 세자 저하를 시기하여
조정에서 무슨 일을 저지를지 모르니 큰 걱정입니다.
부탁건대 온전히 현재 수군의 병력을 유지하여 세자 저하에게 힘이 되어주길 바랍니다.

서찰을 그대로 촛불에 태우는 순신.

이회 (놀라) 어찌 서찰을 바로!
이순신 (한숨) 하나같이 전쟁 이후만을 바라보는구나.
(대뜸) 회야! 오랜만에 부자지간에 술 한잔 나누자꾸나.
가서 재어놓은 술 좀 가져오너라.

이회, 할 수 없이 술을 가지러 나가고, 촛대에 남은 재만 바라보는 순신.

이순신 (나직이) 세자 저하에게 힘이 되어달라.

이때 들리는 송희립의 목소리.

송희립 (O.S.) 장군, 소장 희립입니다. 밖에 명군 전령이 와 있습니다.
이순신 ……!

S#28. 장도 명 진영 선창 / 밤 / 밖

좌수영에서 돌아오는 순신을 뜻밖에 기다리고 서 있는 등자룡,
등자룡과 부하들 앞에 무릎을 꿇고 앉아 있는 왜군 포로들이 있다.
왜군 포로들이 순신을 보고 공포에 질려 바들바들 떠는데.

이순신 (담담히) 이자들은 무엇입니까?
명 역관 이자들은 누구인지 묻습니다. (중국어)
등자룡 (반색하며) 공의 아드님을 벤 놈들입니다.
천우신조로 진 도독께서 놈들을 잡았다고 당장 통제공께 전령을 보내라 하셨소이다!
송희립 …… 이면 도련님을 살해한 자들이라고 합니다.
진도독께서 장군께 전령을 보내라 하셨다고…….
이순신 …….

뒤를 따르던 이회와 송희립의 얼굴이 굳는다.
순신이 이내 말없이 돌아서는데.

등자룡 노, 노야! 바로 이자들이오. 아산에서 아드님을 벤…….

그저 다시 선창으로 향하는 순신.
등자룡이 당황한다.

진린 (목소리) 노야……. 그자들이 아산서 아드님을 벤 놈들이 맞소.

송희립 (이순신을 따라붙으며) 저자들이 맞다고 합니다…….

순신이 돌아보면, 어둠 속에서 진린이 걸어 나온다.

진린 집 뒤 계곡에서였다 하오. 그 장소까지 세세히 실토하더이다.

송희립 이자들이 아산에서 이면 도련님을 살해한 자들이 맞다 합니다.
집 뒤 계곡이라고 살해한 장소까지 실토했다 합니다.

이순신 …….

미묘하게 변하는 순신의 표정.

진린 노야. 부디 이놈들을 베시고 원한을 푸시오.
그리고 봉쇄를 풀고 우리와 함께 고금도로 돌아가십시다.
더 이상 불필요한 희생들을 만들 필요가 진정 뭐가 있겠소.

송희립 이자들을 참하시고 원한을 푸시라 말합니다.
그리고 봉쇄선을 풀고 고금도로 돌아가자고 합니다.

순신이 천천히 왜군 포로 하나 앞으로 다가간다.
빤히 왜군 포로를 바라보는 순신. 엄습해오는 공포에 눈이 파르르 떨리는 왜군 포로,
찬찬히 고개를 들어 나머지 포로들까지 살피는 순신.
꿈에서 보았던, 아들 면을 베어낸 바로 그 왜군들의 얼굴들이다. 헌데…….
뒤를 따르던 이회의 손이 칼을 향한다.

이순신 이자들은 아니오. (희립과 이회에게) 그만 가자!

이회가 떨리는 손을 애써 칼에서 떼며 순신을 따른다.

심리 이자들이 아니라고 합니다.

진린 (당황한다) !

급기야 멀어지는 순신에게 폭발하는 진린,

진린 노야! 이리까지 싸우려는 연유가 대체 무엇이오!
한양에 있는 그 돼먹지 못한 임금에 대한 충성이요? 아니면!

송희립이 멈칫 잠시 통역을 시도하지만 그저 멀어져가는 순신.

진린 이 전쟁에서 당한 모든 이들에 대한 복수심 때문이오?

순신이 어둠 속으로 그저 사라져간다.

진린 다 끝났다 하는 전쟁이오! 모두가! 심지어 당신 임금조차도!

아무런 답이 없는 순신.
등자룡이 순신의 그런 뒷모습을 그저 진지하게 바라보는데,
진린은 제 분에 못 이겨 마침내 칼을 꺼내 들고 포로 하나의 목을 쳐버린다!

S#29. 한양 어느 역참 안 / 밤 / 안

어느 역참의 방 안, 급히 명군 사람 하나가 들어온다.
그 안에는 윤두수와 수하 한 명이 기다리고 있는데 전령은 진린의 부관 중 한 명이다.

윤두수 진도독이 급히 상감께 보내라 한 것이 이것이냐?
수하 이것이 진도독이 상감께 보내라 한 것입니까? (중국어)
부관 네…… 대감.
수하 그렇다고 합니다.
윤두수 그래, 무슨 내용이냐.
수하 무슨 내용입니까? (중국어)
부관 여기. 대감께도 같은 서신 속 내용을 전하라 하셨습니다.
수하 대감께 같은 서신 속 내용을 전하라 하였답니다.

이내 부관이 내미는 또 다른 서찰을 열어보는 윤두수와 그의 수하.

지금 통제사 이순신은 막대한 피해를 감수하고도 이번 전투를 감행하려 합니다.
같은 장수로서 적에 대한 그의 원한을 이해하기에 통제사의 필사의 각오를 띤 이번 출정을 막기가
쉽지 않습니다. 부디 청컨대 조선의 왕께서 그의 출정을 막아주십시오.

글 읽기를 다 마친 윤두수가 이내 부관에게 말한다.

윤두수 내 직접 상감께 전할 테니 자네는 이만 돌아가게.
수하 직접 상감께 전할 테니 이만 돌아가라 합니다. (중국어)

부관이 인사를 하고 돌아서 나가면 수하에게 서찰을 건네는 윤두수.
급히 서찰을 읽어보는 윤두수의 수하 이내 반색하며,

수하 임금의 명으로 출정을 막는다 해도 통제사는 출정을 할 터이니 이를 빌미로…….
윤두수 쓸데없는 소리! 적을 앞에 두고 그냥 보낼 수 없음은 우리 모두 같은 마음이네!

수하가 민망해져 얼굴을 붉히는데.
그런 수하를 쳐다보던 윤두수의 표정이 이내 미묘하게 미소 띤 표정으로 바뀐다.

윤두수 필사의 각오로 싸운다 하지 않느냐? 그럼 그대로 두어야겠지.

수하 역시 이내 엷은 미소로 답한다.

S#30. 장도 명 진영 일각 / 밤 / 밖

밤하늘에 별들이 총총하다. 하늘을 보고 서 있는 진린, 그 옆에 진잠이 함께 서 있다.
북쪽에서 큰 별 하나가 오늘따라 더욱 빛을 내며 반짝이고 있다.
진잠 이내 장도 북쪽 조선 진영을 바라보다,

진잠 조선군 동태가 심상치 않습니다.
진린 (짐짓) 북쪽 대장별이 오늘따라 밝구나.
진잠 (하는 수 없이) 예. 참으로 밝습니다.

진린 저 별이 아니었다면 조선은 진작 명운을 다했을 것이다.

커진 눈으로 진린을 바라보는 진잠.

진린 뭘 그리 놀라느냐?

진잠 아닙니다. 그저 저는 도독께서 통제공을 그리 여기고 계신지 몰랐습니다.

진린 그리 여기다니?

진잠 방금 통제공이 조선을 지켜냈다고…….

대꾸가 없는 진린, 뭔가 생각에 잠기는데…….
진린, 조금 전 아들의 원수를 뒤로하고 묵묵히 걸어가던 순신을 떠올린다.
이내 고개를 돌려 조선군 진영을 바라보는 진린.
늦은 밤임에도 불야성을 이룬 채 출전 준비에 한창이다.

진린 …… 저리 한들 자기 임금이 기뻐나 할까?

진잠 그러게 말입니다. 도대체 통제공은 왜 저렇게까지…….

진린 둘 중 하나 아니겠느냐?

진잠 ?

진린 죽으려고 작정을 했거나…… 전하고 싶은 무언가가 있거나…….
(잠시 고민하더니 마침내) 조선 진영으로 가자!

S#31. 장도 조선 진영 작전 막사 안 / 밤 / 안

순신과 조선 장수들이 모두 모여 있는 자리, 작전회의가 한창이다.
이때 막사 안으로 들어오는 진린과 명나라 장수들. 진잠, 심리 그리고 등자룡이다.
조선 장수들이 모두 긴장해 쳐다보는데
순신도 말없이 바라볼 뿐.

진린 조명 연합 함대는 아직 해체되지 않았소.
어디! 나도 한번 들어봅시다!

송희립 조명 연합은 아직 해체되지 않았다고 합니다.

자기도 한번 들어보겠다고 합니다.

조선 장수들 모두 놀라고.

이순신 ……

CUT TO

해도를 중심으로 마주 앉은 순신, 진린, 그리고 서서 지켜보고 있는 양국의 장수들 20여 명. 원탁 위에 커다란 해도(海圖, 바다 지도) 한 장이 놓여 있고 이번엔 입부가 상황 보고를 하고 있다.

입부 좀 더 정밀한 탐망 결과 바로 이곳, 창선도에 집결해 있습니다.
적선의 규모는…… 총 5백여 척으로 왜란 이래 최대 규모입니다.

명 역관 탐망 결과, 적들은 창선도에 집결해 있다고 합니다.
적선의 규모는 총 5백여 척이라고 합니다.

긴장하는 명군 장수들.
입부 이내 노량 해협 너머, 사천의 남쪽, 남해도의 동쪽 사이에 위치한 섬을 가리킨다.

입부 저희가 위치한 장도까지는 반나절(여섯 시간) 길로, 만일 온다면…… 적들은 여기 노량 해협을 통과해 광양만으로 들어올 것입니다.

명 역관 장도까지 거리는 반나절 정도고,
노량 해협을 통과해 광양만으로 들어온다고 합니다.

이내 창선도에서 출발해 고성과 남해도 사이의 좁은 해협인 노량을 빠져나와 광양만으로 진입하는 항로를 그려 보이는 입부. 그저 굳은 표정으로 쳐다보고 있는 명군 장수들.

진린 (짐짓 너스레를 떨며) 헌데 마치 오늘 당장이라도 쳐들어올 것 같소이다. 허허…….

송희립 마치 오늘이라도 당장 쳐들어올 분위기 같다고 합니다.

이순신 (진지하게) 오늘 밤이요.

명 역관 오늘 밤이라고 합니다.

진린이 흠칫! 긴장하는 명 장수들. 허나 조선 장수들은 이미 각오한 듯 초연하고.

진린 (짐짓) 배 하나 통과시켜줬다고 적들이 과연 이리 기민하게 움직이겠소?

송희립 배 하나 통과시킨 걸로 적들이 그리 기민하게 움직일 거냐고 묻습니다.

조선 장수들이 모두 진린을 쳐다보는데 그 시선이 고울 리 없다. 진린, 이내 헛기침,

진린 어찌하든 앞뒤통수에 모두 적을 두고 싸울 수는 없는 노릇이고…….
(짐짓) 봉쇄를 풀 수밖에 없을 텐데 그것은 어찌할 것이요?

송희립 앞뒤로 적을 맞아 싸울 수 없으니 봉쇄선을 풀 수밖에 없을 텐데
그 방안에 대해 묻고 있습니다.

조선 장수들의 표정들이 더 안 좋은데…….
진린, 어쨌든 순신의 전략이 궁금하다.
등자룡 또한 순신의 반응이 궁금한데, 모든 장수들이 긴장된 표정으로 순신을 지켜본다.
순신 말없이 지도로 다가서며 이내 한곳을 가리킨다.

이순신 이곳. 남해 노량에서 적들을 맞이한다.

명 역관 남해 노량에서 적을 맞이하겠답니다.

장수들/등자룡 !

진린 (질렸다는 듯) 결국 싸우자는 얘기요?

모두들 순신을 바라본다. 이내 송희립이 나선다.

송희립 허나 장군! 노량이라면 목이 좁아 대규모의 적들과는 필히 근접전을 펼쳐야 합니다.
아군도 상당한 희생이 따를 것입니다.
차라리 남해도 남쪽으로 내려와 한꺼번에 포격전으로 대적하는 게…….

명 역관 노량이 목이 좁아 근접전이 예상되며 아군의 희생이 클 거라 말합니다.
남해도 남쪽으로 내려와 포격전으로 대적하자 합니다.

유형 (갸우뚱하며) …….

이순신 (역시 고개를 저으며) 남해도 남쪽에서 언제 올지 모르는 양쪽의 적들을 한꺼번에 대적하는 것은 적절치 못하다.

명 역관 남해도 남쪽에서 양쪽의 적들을 대적하는 것이 적절하지 않다 말합니다.

유형이 순신의 말에 그제야 고개를 끄덕이고, 진린이 다시 묻는다.

진린	허나 그렇게 싸운다 한들 앞뒤통수로 적을 맞이해야 하는 건 변함이 없지 않소?
송희립	노량에 진을 쳐도 양쪽으로 적을 맞이하는 건 변함이 없지 않냐 묻습니다.
이순신	(진린을 쳐다보며) 행장이 우리가 광양만을 떠났다는 걸 쉽게 알아차릴 수 없게 할 것이오.
심리	(나서며) 그건 말이 아니 되오! 어찌 저 영민한 적들을 속일 수가 있단 말이오!
송희립	저 영민한 적들을 어떻게 속이는 게 가능한지 묻습니다.
이순신	(차분히) 장시간이면 그럴 수 없겠지.
심리	!
이순신	(진린에게) 허여 이번 싸움은 속전속결로 끝내는 것이 무엇보다 중요하오.
명 역관	이번 전투를 속전속결로 끝내는 것이 중요하다 말합니다.
진린	그게 가능하겠소? 적선의 숫자가 무려 5백여 척인데…….
송희립	적선의 숫자가 5백여 척인데 작전이 가능한지 묻습니다.

순신, 조선군 배 모형들을 잡아 쥔다. 그리고 지도 어느 곳으로 밀어놓는다.

이순신	창선도의 적은 분명 밤안개를 타고 올 것이다. 노량에서 대적하며 해가 뜨기 전까지 필히…… 이곳까지 끌고 내려와야 한다.
명 역관	노량에서 대적하며 해가 뜨기 전까지 이곳으로 유인해야 한다고 말합니다.

이내 순신이 모형을 내려놓은 지점을 본 모든 장수들의 눈이 커진다.

등자룡	아니, 저곳은?
이순신	…….

진린, 이내 순신을 진지하게 바라볼 뿐, 더 이상 말이 없다.

S#32. 장도 조선 진영 선창 / 밤 / 밖

겨울의 차가운 바닷바람, 구름이 밀려난 텅 빈 하늘엔 처연한 달무리만이 보인다.

바다와 하늘, 주변의 섬마저도 그 경계가 분명치 않고…….
판옥선들로 가득 실리고 있는 포탄과 총통들. 또한 실리는 무수한 볏단들. 한쪽에선 화살촉 밑에 천을 동여매 불화살을 만드는 작업이 한창이다. 이를 돌아보고 있는 순신.

이순신	대장군전에도 송진을 충분히 발라두게.
권준 부장	네, 장군.

순신 문득 선창에 타오르고 있는 무수한 횃불들을 바라보는데,
이때 횃불들을 치켜들고 선창으로 걸어오는 준사와 항왜들.

준사	(순신을 향해 인사하며) 명대로 횃불들은 충분히 밝혀뒀습니다.
이순신	…….

그런 준사를 물끄러미 바라볼 뿐 말이 없는 순신.
준사, 이내 결의에 찬 표정으로,

준사	걱정 마십시오. 제가 있는 한, 고니시를 이곳에 그대로 묶어두겠습니다.
이순신	(차분히) 목숨을 걸지는 마라. 고니시 함대가 출정하는 즉시 내게 보고만 하면 된다. 알겠느냐.
준사	(침착히) 알겠습니다.

순신 준사의 뒤를 보면, 함께 침착하게 눈빛을 빛내고 있는 항왜 병사들이 보인다.

S#33. 순천 예교성 누각 안 / 밤 / 안

창가에 붙어 선 채, 충혈된 눈으로 장도 쪽을 주시하고 있는 고니시.
이제 군마 소리도 들리지 않는다. 여전히 장도에는 조명 함대가 불을 환히 밝힌 채 늘어서 있다.

오무라	시마즈는 결국 저희를 버리고 돌아갈 생각입니다!
가신 1	맞습니다. 어째서 이토록 움직이질 않는단 말입니까?

초조한 표정의 고니시.

오무라 이제 결단을 내리셔야 합니다. 주군!
저희가 죽기를 각오하고 적들의 봉쇄망을 뚫어보겠습니다!

고니시 …….

가신 1 이제 더 이상 버틸 군량도 군마조차도 없습니다. 이대로 가다간…….

고니시 (단호하게) 그럴 리 없다! 시마즈라면 반드시 움직일 것이다.

고니시, 창가로 다가가 더욱 뚫어져라 장도를 바라본다.

고니시 ……!

S#34. 장도 앞바다 / 밤 / 밖

텅 비어 있는 장도의 조명 연합군 주둔지.
장도 좌우 철벽처럼 늘어서 있던 250여 척의 조명 연합 함대 또한 온데간데없다.
대신 그 자리에는 찌그덕거리는 낡은 조선 협선들과 횃불 켠 뗏목들이 늘어서 있을 뿐.
허나 그 위에서 이리저리 살아 움직이는 횃불들, 바로 준사와 항왜들이다.
횃불을 든 채 예교성의 동태를 주시하던 준사, 고개 돌려 광양만 쪽을 바라보면,
어두운 밤바다 위에 아직 남아 있는 하얀 물띠(배가 지나간 자국).
화면, 그 물띠를 좇아 광양만을 달리면…….

S#35. 이순신 좌선 / 밤 / 밖

칠흑 같은 바다 위, 1백여 척의 조선 함대가 물살을 가르며 동진(東進) 중이다.
대장선 선수 갑판 위, 순신이 장졸들에 둘러싸여 함께 서 있다.
무언가를 다들 기다리는 듯. 순신과 장졸들의 결연한 모습들.
이회도 아버지 순신을 바라보고 있다.
이때 다가오는 송희립, 순신에게 여러 장의 종이를 건넨다.

송희립 ······ 말씀하셨던 지난 7년간의 전사자들 명부입니다.

희립에게서 전사자 명부를 건네받은 순신, 명부 위에 쓰인 이름들을 찬찬히 살핀다.
이억기, 어영담, 정운 등 익숙한 이름들과 아들 이면의 이름도 보인다.
그리고 그 밑에 적힌 수많은 이름들······.
고요한 파도 소리에 뭉쳐진 그들의 한(恨)의 울음을 듣기라도 한 것일까?
겨울 바다의 바람 소리가 몹시도 을씨년스럽다.
명부를 들고 화톳불로 다가가는 순신, 화톳불은 재에 덮인 채 불씨만이 살아 있는데
화르륵······ 명부에 불길이 살아난다. 마치 신위(神位)를 태우듯 하늘로 타오르는 전사자 명부.
순신을 비롯한 장졸들 모두가 숙연한 표정으로 타오르며 사라지는 명부를 바라보면,

이순신 (V.O.) 모두가 한마음으로 바라나니······
부디 적들을 남김없이 무찌르게 해주소서.
이 원수를 갚을 수만 있다면 한 몸 죽는다 한들 여한이 없을 것입니다.

순신의 손 위에서 타들어가는 명부.
명부의 불씨는 쉽게 꺼지지 않고 하늘 위 대장별을 향해 더 높이 향하는데,
순신 그 불씨들을 우러러보고 그 불씨들과 함께 더욱 빛을 발하는 대장별.
명부의 불씨들이 완전히 사그라들면 이어지는 조선 수군의 노 젓는 소리만이 들려오고,
그렇게 함대는 고요한 바다를 가르며 빠르게 노량 바다를 향해 간다.

S#36. 시마즈 안택선 / 밤 / 밖

쿠우우! 엄청난 속도로 노량을 향해 서진(西進) 중인 5백여 척의 시마즈 함대의 모습이 보인다.
선봉군에 1백 척, 중군에는 시마즈 함대 250여 척, 후미의 150척의 함대가
각 다섯 마장(약 2km)의 거리를 두고 속도를 높인다.
선봉에 선 데라자와 마사시게.

선봉장 데라자와 마사시게.

중군에 선 시마즈군의 시마즈 토요히사(이후 토요히사)와 중군장 시마즈 토요히사.

중군장 시마즈 토요히사

시마즈 요시히로(이후 시마즈).

총대장 시마즈 요시히로

그리고 후미에 선 타치바나 무네시게(이후 타치바나)가

후군장 타츠바나 무네시게

각각 그 위용을 뽐낸다.

시마즈 안택선 위, 선수 갑판에 서서 전방을 주시하는 시마즈,

그 뒤로 모리아츠와 아리마가 함께 서 있다.

모리아츠 (아리마에게) 이 속도면 동이 트기 전에 예교성에 당도할 거요.

(자신만만) 이순신도 우리가 이리 빨리 오리라곤 꿈에도 생각하지 못하겠지.

아리마 (불쑥) 알고 있을 거요.

모리아츠가 아리마를 의문스럽게 쳐다보면,

아리마 이순신은 곳곳에 세작을 심어놓았소.

심지어 오사카와 교토에도 있다고 들었소.

모리아츠 (기분 나쁘다는 듯) 그래서 어쨌다는 거요?

아리마 어쨌다는 것이 아니라…… 우리도 그에 맞는 대책을 생각해둬야…….

문득 아리마를 잡아먹을 듯 쳐다보는 모리아츠.

아리마 !

모리아츠 살! 마! 군!(殺魔軍, 악마처럼 무섭고 잔인하다 해서 붙여진 시마즈군의 별칭) 우리 시마즈군을 열도를 넘어 조선에서도 그리 부른다! 죽이고 또 죽여도 숨이 완전히 끊기기 전까지 끝까지 일어나서 놈들을 베어내고 마는 모습이 마치 악귀와도 같다고 해서 그리 부르지!

반드시 우리는 이순신에게 악귀처럼 들러붙어 쳐부술 거요!

아리마 …….

이내 자부심과 존경심이 가득한 표정으로 시마즈를 바라보는 모리아츠.

돌덩이같이 굳은 얼굴로 전방만 주시하고 있는 시마즈.

S#37. 이순신 좌선 - 대도 인근 / 밤 / 밖

어두운 바다, 나란히 항해 가는 조명 연합 함대 앞에 제법 큰 무인도 대도(大島, 竹島라 하기도 함)가 나타난다. 이를 발견한 조선 함대가 서서히 속도를 줄이며 잠시 멈춰 서는데.

송희립 노량 앞 대도에 당도했습니다, 장군.

이내 돛을 내리기 시작하는 조명 함대.

이순신 (장루 위) 적들은 어디쯤이냐?

송희립 두 시진(4시간) 전 보고 때 창선도를 출발했다 하니 곧 노량에 모습을 드러낼 것입니다.

희립의 보고에 고개를 끄덕이고 옆을 보는 순신.
순신의 시선에 명 함대가 이동하고 있는 것이 보인다.
조선 함대의 옆 150척의 명 함대가 대도를 가운데 두고 북쪽으로 뱃머리를 돌리는데……
그런 명 함대를 바라보는 순신의 무표정한 얼굴에서,

flash back in

S#38. 장도 조선 진영 작전 막사 안 - 회상 / 밤 / 안

해도(海圖)를 가운데 두고 단둘이 마주 서 있는 순신과 진린.
심리와 송희립이 조금 떨어져 서 있다.
순신이 대도 앞 노량 앞바다를 가리키며 작전을 설명한다.
진린은 순신의 얼굴만을 바라본다.

이순신 (짐짓) 다시 설명드리리다.
우리는 여기 대도 남쪽에 대기했다가 적의 선봉을 부술 것이니…….

심리 조선군은 남쪽에 대기했다가 적의 선봉을…….

진린 (말을 끊으며) 그럼 우린 여기다 진을 치겠소!

광양만과 통하는 주 남쪽 항로와는 동떨어진 대도 북쪽을 가리키는 진린.

이순신 ……

진린 노야! 다시 찾아온 이유를 솔직히 말하겠소,
난 여전히 다 끝난 이 전쟁에 희생을 더할 생각이 없소.

송희립 자신이 다시 찾아온 이유는 이 전쟁에 더 희생을 치를 생각이 없다 합니다.

이순신 ……

진린 허나 우리 명군이 함께 출정한다면 적어도 조선군의 사기는 떨어지지 않을 것이고, 뒤에 우리가 있는 것을 왜군들이 본다면 분명 더 쉽게 돌아갈 것이오.

송희립 하지만 명군이 함께 출정을 하면 우리 군의 사기도 떨어지지 않을 것이고 적도 더 쉽게 돌아갈 것이라 얘기합니다.

순신은 그런 진린을 물끄러미 쳐다본다.

이순신 도독은 진정 저들이 쉽게 돌아갈 것이라 생각하오?

심리 진정으로 적들이 쉽게 돌아갈 거라 생각하시냐고 묻습니다.

진린 그렇소!

이순신 ……

flash back out

S#39. 진린 호선 – 대도 인근 / 밤 / 밖

호선 위, 뒷짐을 지고 대도 남쪽에 진을 치는 조선 함대를 바라보고 있는 진린.
뒤에서 진잠이 다가온다.

진잠 출정하고서도 진정 이대로 보고만 계실 요량이십니까?

진린 말하지 않았느냐. 우리로선 얻을 게 없는 싸움이다.

진잠 그렇지만 이러다 조선군이 지기라도 하면……

진린 걱정 마라. 왜놈들은 금방 떠날 것이다. 우리가 귀석만자(시마즈)를 두려워하는 것보다 저들은 통제사를 더 두려워한다.

진잠 ?

진린 출정함으로써 우리는 이미 명분을 얻었고, 싸움을 하지 않음으로써 실리를 얻을 것이다. 그러니 절대로 나서서는 아니 된다. 알겠느냐?

진잠 예. 도독…….

차츰 대도에 가려 조선 함대의 모습이 사라져가는 것을 지켜보는 진린.

S#40. 이순신 좌선 – 대도 남쪽 / 밤 / 밖

명 함대들이 대도 북쪽으로 사라진 대도 남쪽, 삼첩진을 이룬 조선 함대.

이순신 희립아, 준비한 협선들을 띄워라.

송희립 예! 장군.

S#41. 협선 / 밤 / 밖

송희립의 신호에 짙게 스치는 안개들을 뚫고 두 척의 협선이 앞으로 나아간다.
짙게 스치는 안개들이 바다를 가득 채우고
곧 벌어질 격전을 준비하는 판옥선 위 조선 병사들의 모습이 보이는데,
소리가 새어나가지 못하도록 입에 하무를 채워 무는 병사들의 얼굴과
총통과 활을 굳게 잡은 병사들의 모습이 이어진다.
바람이 잦아든다. 더불어 일시적 고요함이 찾아온다.

이순신 (앞만 쳐다볼 뿐) …….

바다의 고요함 속 긴장감만이 고조되고.

S#42. 시마즈 안택선 / 밤 / 밖

int

바다를 가르며 쾌속 진군 중인 왜군 함대, 그들 앞에 희미하게 대도의 실루엣이 보인다.

아리마 저 앞에 하얗게 보이는 것이 바로 대도입니다.
그대로 남쪽으로 돌아 나가면 광양만까진 한 시진(2시간)이면 충분합니다.

안택선 장루 안, 펼쳐진 해도(海圖)를 가운데 놓고 아리마의 보고를 듣는 시마즈.
달빛에 반사되어 하얗게 빛나는 대도의 모습이 명확히 보이면,

S#43. 데라자와 안택선 / 밤 / 밖

왜군 선봉선, 데라자와 부장이 전방에 무언가를 발견한다.

데라자와 부장 도노! (갑판 위 선봉장 데라자와에게 알리며 손짓한다.)

int

짙은 안개 속에서 형태를 파악할 수 없는 짚 더미 협선 한 척이 두둥실 떠 있다.

데라자와 저게…… 뭐냐?

int

파악! 어디선가 날아온 화살이 짚 더미 위에 꽂히며, 화르륵 타오르는 협선.
불에 타는 것은 다름 아닌 순신이 내보낸 볏짚을 잔뜩 실은 협선이다,
이내 일렁이는 불길 너머로 왜군의 선봉선들이 명확히 드러나기 시작한다.

데라자와 !

어리둥절한 데라자와의 시선 속, 멀리서 한 점 불빛이 하늘로 떠오르는데,
이어지는 다수의 번쩍이는 불빛들. 이내 들려오는 퍼버벙! 포탄 소리와 함께 포탄들이 쏟아져 내리기

시작한다.

데라자와 ! (당황한다)

콰지직! 왜선들 갑판에 깊숙이 박히는 포탄들! 이내 난무하는 비명들!

S#44. 시마즈 안택선 / 밤 / 밖

보이지 않는 전방에서 들려오는 포탄 소리들, 이내 비명 소리와 함께 아수라장이 되어버린 전방의 선봉 함대들. 모리아츠가 선수로 뛰어간다. 시마즈가 차갑게 전방을 쳐다보고 있다.

시마즈 (나직이) 이순신…… 이곳에서 기다리고 있었느냐.
허나 네놈에게도 그리 유리한 곳은 아닐 터…….

S#45. 이순신 좌선 / 밤 / 밖

화염과 비명의 전방 상황을 바라보고 있는 순신, 곁의 희립에게 명령한다.

이순신 구선들을 내보내라.
송희립 예!

삼첩진의 최전방에서 대기 중인 구선 두 척이 나아가기 시작한다.
어둠 속의 용두가 어슴푸레 빛을 발하며 앞으로 나아가면,
뒤편의 판옥선들이 구선 너머 왜군 선봉 함대에 일제히 다시 포문을 연다.
'콰앙! 콰앙!' 1선과 2선의 조선 판옥선들에 설치된 총통 수백 문이 연이어 불을 뿜는다.
하늘을 시커멓게 뒤덮으며 날아가는 포탄들!
int
'쿠쾅! 콰지직!' 다시 왜군 선봉 함선들의 선체를 박살 내며 박히는 포탄들.
데라자와가 부장에게 소리친다.

데라자와 시마즈에게 구원을 요청하라! 어서!

데라자와 부장 예! 도, 도노!

S#46. 시마즈 안택선 / 밤 / 밖

전방 선봉선들에서 계속 들려오는 폭발음과 비명 소리들!
데라자와의 안택선에서 구원 신호가 날아온다.

모리아츠 도노! 데라자와 군의 구원 요청 신호입니다!

시마즈 전군, 속력을 내라! 데라자와 선봉선들을 구한다!

모리아츠 예! 도노! (부장들을 향해) 전군 속도를 낸다!

중군 시마즈 함대의 격군들의 젓는 속도가 더 높아지는데,
모리아츠가 급히 시마즈에게 다가선다.

모리아츠 도노! 저기 보십시오! 명 함대입니다.

시마즈의 눈에 멀리 대도 북쪽에 꼼짝하지 않고 있는 명군 함대가 보인다.

시마즈 계속 전진하라!

모리아츠 예! 도노!

S#47. 선봉 세키부네 / 밤 / 밖

잠시 포격이 잠잠해지자 바짝 엎드려 있던 왜병들이 갑판 위로 슬며시 고개를 내미는데,
이번엔 끼이익! 노 젓는 소리와 함께 바짝 다가서 오는 시커먼 물체들.
이내 뭔가를 발견한 듯 커지는 왜 병사의 눈동자.
사나운 형상의 용머리, 도깨비 문양의 충파 돌기, 둥근 지붕 위로 삐죽 솟은 쇠못들,
바로 구선들이다.

왜병 1 (놀라며) 메쿠라부네다! 메쿠라부네가 다시 나타났다!

순식간에 돌진해 들어오는 구선. 그대로 세키부네를 들이박는다.
구선의 재등장에 동요하는 왜병들,

데라자와 (선수 난간을 붙잡고) 치, 칠천량에서 모두 불태웠다 했는데…….
일제히 메쿠라부네를 에워싸라! 조총과 대조총을 퍼부어라!

왜병들, 구선을 향해 들고 있던 조총과 대조총을 난사하기 시작한다.
허나 개의치 않고 왜군 선봉선들을 마구 포를 쏘며 휘젓기 시작하는 구선들.
세키부네들이 연이어 침몰한다.

S#48. 이순신 좌선 / 밤 / 밖

무표정한 표정으로 지켜보고 있는 순신 이내,

이순신 3선의 판옥선들은 돌진하라.

순신의 명령과 함께 1, 2선에서 횡으로 포를 쏘던 판옥선들이 수직으로 회전하면,
그 사이를 뚫고 나아가는 3선의 판옥선들.
3선의 판옥선들을 이끌고 나아가는 이운룡의 결연한 모습이 보인다.
구선이 휘젓고 있는 왜군 선봉대를 향해 빠르게 돌진하는 이운룡의 3선 판옥선들.
문득 순신 고개를 돌려 장루 위 깃발을 보면 잠잠했던 대장기가 빠르게 동쪽을 향해
펄럭이고 있음을 본다.

이순신 …….

S#49. 시마즈 안택선 / 밤 / 밖

시마즈의 눈에 선봉선들의 한복판을 휘젓고 있는 구선의 용머리가 실루엣으로 보인다.

시마즈 (굳은 표정) 메쿠라부네…… 칠천량에서 내가 직접 불태웠다.
그사이에 재건했단 말인가?

모리아츠 주군! 선봉선들 너머 적선들이 다가오는 게 보입니다!

진영이 무너지고 엉망이 된 데라자와의 선봉선들을 향해 다가오고 있는 판옥선들이 보인다.

시마즈 (이내) 더 속도를 내라! 토요히사에게 전하라!
메쿠라부네부터 일제히 포위해 공격하라 명하라!

모리아츠 네, 주군!

S#50. 이운룡 판옥선 / 밤 / 밖

마침내 이운룡이 이끄는 3선 판옥선 함대의 전방 화포들이 불을 뿜는다.
판옥선들이 충파로 우왕좌왕하는 왜군의 선봉 함선들을 그대로 밀어붙인다.
왜군의 조총병들이 판옥선들을 향해 일제히 조총을 발사한다. 쏟아지는 총탄!
하지만 아랑곳하지 않고 방패로 막으며 배를 더 붙여대는 조선군들.
방패들 뒤로 숨겨놓은 볏짚 더미들과 기름 주머니들을 왜군 함선들을 향해 던지는데,

이운룡 모두 배를 뒤로 물려라!

이운룡 부장 배를 뒤로 물려라!

이운룡의 명령에 순간 노를 뒤로 젓는 판옥선들,
왜군 함대에 가까이 붙었던 3선 판옥선 함대가 거리를 벌리며 뒤로 무르고.

S#51. 시마즈 안택선 / 밤 / 밖

모리아츠가 시마즈를 돌아보며 외친다.

모리아츠 주군! 적선들이 갑자기 물러나고 있습니다!

시마즈가 뒤로 무르는 판옥선단을 보곤 갑자기 눈이 커진다.
뭔가 직감한 듯, 층루 밖 난간으로 빠르게 뛰쳐나가는 시마즈.
그러자 시마즈의 얼굴을 사정없이 때리는 맞바람!

시마즈 설마!

배에 꽂혀 있는 깃발들이 자기 쪽으로 세차게 펄럭이고 있음을 본다.

시마즈 (당혹스러워하며) 배들을 멈추어라! 어서!
모리아츠 (이내 역시 뭔가를 깨닫고 뛰어가며) 배들을 멈추어라!

S#52. 이순신 좌선 / 밤 / 밖

전방을 주시하고 있는 순신.
순신의 좌선을 비롯한 전 판옥선 갑판들에선 불붙은 대장군전들과 신기전들까지 대기 중이다.

이순신 발포하라!

순신의 짧은 명령! 조선 함대 전체에서 순식간에 불붙은 대장군전과 신기전이 날아오른다.

S#53. 화공 몽타주 / 밤 / 밖

어두웠던 노량의 바다를 대낮처럼 환하게 밝히며 왜군 선봉대를 향해 날아가는 대장군전과 신기전들! 마치 유성이 떨어지듯 거대한 불기둥을 이루며 왜군 선봉 함선들에 떨어지는데.
쏘아라! 이운룡의 명령에 3선의 판옥선들마저 불화살을 날리기 시작하고.
이내 떨어지는 조선의 불화살과 신기전에 박혀 죽는 무수한 왜군들.
심지어 대장군전은 왜군 함대의 격군실까지 파고들어 그곳을 수장시킨다.

데라자와 (완전히 혼란에 빠져) 시마즈! 시마즈는 뭐하는가!

왜군 함선들 곳곳에서 화염들이 거세지고, 왜군들이 불타고 바다에 뛰어든다.
그 지옥불 사이에서 여전히 맹활약 중인 구선들.

S#54. 시마즈 안택선 / 밤 / 밖

매서운 남서풍을 타고 불붙은 반파된 몇몇의 왜선들이 멈춰 서 있는 토요히사 중군 쪽으로 흘러들고 있다.

토요히사 부장 불들이 옮겨붙는다! 어서 불을 꺼라!

토요히사가 당황한다. 급히 후방 시마즈 쪽을 돌아다보는데,
시마즈 함대 아리마 또한 순신의 화공 전술을 넋 놓고 그저 바라볼 뿐인데,
모리아츠가 시마즈에게 황급히 다가선다.

모리아츠 주군! 불길을 벗어날 방법이 없습니다. 우리 본대 뒤로 타치바나의 후미 부대까지 도착해 있습니다.
이대로라면 모두가 화염에 휩싸일 수도…….

동요하지 않고 뭔가 생각을 하며 전방을 주시하는 시마즈.

시마즈 재밌는 자가 아니냐. 상호 간이 지척인데 화공이라니!
(차갑게) 토요히사에게 포획한 조선 화포들을 모조리 발포하라!
모리아츠 (놀라서) 네? 주군. 무리해서 발포했다 자칫 선봉선들에 떨어지기라도 하면…….

아! 하더니 갑자기 말을 멈추고 시마즈를 빤히 응시하는 모리아츠.

모리아츠 설마! 선봉선들을…….
시마즈 저 정도 용기를 보여주는데 우리도 뭔가 결기를 보여줘야지!

불타는 자신의 선봉선들을 바라보는 시마즈의 얼굴에는 놀랍게도 차가운 미소가 어려 있다.
호적수를 만난 듯, 어떤 희열마저 느껴지는 시마즈의 표정.

모리아츠 주군…….

시마즈 서둘러라. 불을 꺼야 너머의 놈들을 잡을 수 있다.
토요히사에게 포격을 명하라!

시마즈의 명령을 받은 모리아츠 병사들에게 명령을 내린다.

모리아츠 네, 주군.

S#55. 토요히사 안택선 / 밤 / 밖

조선의 화포들을 포구 앞에 고정시키고 불타고 있는 아군 선봉선을 조준하는 왜병들.
모리아츠의 포격 신호를 받은 토요히사, 병사들에게 명령을 내린다.

토요히사 선봉선들을 조준하라! 어서! 주저하면 우리가 불길에 죽는다!

조준하던 왜병들, 눈빛이 흔들리고 손들이 떨린다.

토요히사 발포!

매몰찬 토요히사의 명령! 이내 발사되는 안택선 위의 포탄들!
직사로 날아간 포탄들이 데라자와의 선봉대를 격침시킨다.

데라자와 (돌아보며) 시, 시마즈 네 이놈!

데라자와가 채 비명도 지르지 못하고 사라진다.
토요히사 함대의 맹포격에 격침되어 바다로 가라앉는 데라자와의 선봉선들.
헌데 그 잦아드는 불길 속에서 구선들이 돌진해 나온다. 놀라며 술렁이는 왜병들.

토요히사 (매섭게) 메쿠라부네를 겨눠라! 일제히 사격하라!

이내 조총과 포탄들이 구선을 타격한다. 그 충격에 구선의 돛대가 부러지고 몸체가 기울기 시작한다.

조총을 쏘던 왜병 1이 문득 반색하며 외친다!

왜병 1 저기 봐라! 메쿠라부네가 가라앉는다!

불타는 구선이 침몰하고 있다.
두 번째 구선이 용두만 남겨둔 채 빠르게 깊은 바닷속으로 가라앉는다.
사기 오른 왜군들이 함성을 지른다. **"메쿠라부네가 가라앉는다!"**

송희립 장군…… 구선들이…….
이순신 …….

앞으로 걸어 나오는 이순신, 지그시 가라앉는 구선을 본다.

토요히사 (자신만만하게) 돌진하라!

마침내 토요히사와 시마즈의 중군이 침몰하는 선봉선들을 제쳐가며 전장을 뚫고 나온다.

S#56. 이운룡 판옥선 / 밤 / 밖

순신의 본대와 불타는 왜군 선봉선들 사이의 이운룡. 시마즈군에 토요히사 배들이 가라앉는 선봉선들을 뚫고 나오는 모습을 보며,

이운룡 어서 포들을 준비하라!

이운룡의 명령을 받은 판옥선 선봉 함대가 일제히 배를 횡으로 돌린다.
빠르게 다가오는 토요히사의 함선들을 상기된 표정으로 바라보는 이운룡,

이운룡 발포하라!

S#57. 토요히사 안택선 / 밤 / 밖

왜군관 포탄을 피해라! 배를 좌현으로 돌려라!

포격을 시작한 이운룡 함대를 향해 돌진 중인 토요히사 함대. 그 속도가 거세졌다.
판옥선의 포격을 피하며 돌진하는 토요히사의 함대! 이어지는 조총 반격.

토요히사 쏴라!

이운룡의 판옥선 함대의 군사들이 쓰러지기 시작한다.

S#58. 시마즈 안택선 / 밤 / 밖

묵묵히 토요히사와 이운룡의 교전을 지켜보고 있는 시마즈.
토요히사의 세키부네들이 이운룡의 판옥선들에 들러붙기 시작함을 본다.
곁에 있던 모리아츠가 승기가 보인다는 듯 자신감에 찬 표정으로 시마즈에게 묻는다.

모리아츠 이런 곳에서 기다리고 있었다니, 결국은 이순신이 제 무덤을 판 것입니다.
시마즈 (나직이) 그럴 수밖에 없었겠지. 고니시와 나를 동시에 막을 순 없을 테니…….

S#59. 이순신 좌선 / 밤 / 밖

송희립 (긴장하여) 이 수사(이운룡)의 선봉 함선들까지도 위험합니다.
이순신 …….

토요히사 함대와 치열하게 교전하는 이운룡 3선 함대의 상황을 주시하고 있는 순신.
이운룡이 고전 중인 게 역력히 보인다.
세키부네들이 이운룡의 배에 마구 들러붙고 있다.

이운룡 월선을 막아라! 적선의 갈고리를 끊어내라!

월선을 막으려 달려드는 조선 병사들.
토요히사가 웃는다.

이순신 ……

한 발 걸어 나와 전장을 주시하던 순신이 마침내 결연히 명령을 내린다.

이순신 전군에 진격을 명하라!
송희립 (결연히) 예! 장군.

순신의 명령을 받은 희립이 큰 목소리로 명령을 전한다.

송희립 전군 진격하라!

나발 소리가 들리고, 진격하는 판옥선들.

S#60. 진린 호선 / 밤 / 밖

int
대도 북쪽에 진을 친 채 그저 대기 중인 명 함대 150여 척.
강 건너 불구경하듯, 대도 남쪽의 치열해지고 있는 전장을 보고 있는 진린.
고개를 돌려 서쪽 바다 순천 예교성이 있는 광양만 쪽을 응시하는 진린.

진잠 (진린을 보며) 도독…….
진린 (한 발 나가며) 고니시……. 약간의 무력시위라 했다. 이제 끝난 것 아니냐…….

S#61. 광양만 / 밤 / 밖

장도를 중심으로 좌우 뗏목들에 타오르고 있는 무수한 횃불들.
장도 옆 협선 위, 건너편 어둠을 응시하는 준사와 항왜들의 모습이 보인다.

준사의 표정이 점차 상기되는데, 밤안개 속 희미하게 배들이 보이기 시작한다.
마침내 1백여 척의 고니시 함대가 모습을 드러내기 시작한다.

준사 ……….

준사의 명령에 조용하면서도 신속히 장도를 빠져나가는 준사의 협선.
고니시의 눈앞에 펼쳐진 횃불 밝힌 낡은 협선들과 뗏목들.

고니시 이깟 속임수로 날 속일 수 있다고 생각했느냐, 이순신?

콰앙! 빈 협선들과 뗏목들을 부수며 마침내 장도를 빠져나오는 고니시 함대.

고니시 신속히 남해로 이동한다! 시간이 중요하다! 서둘러라!
오무라 예! 도노!
고니시 (눈빛이 매우 차갑다) ……….

S#62. 근접전 몽타주 / 밤 / 밖

콰아앙! 조선군 전체 함대가 토요히사 함대를 그대로 밀어붙이며 충파를 가한다.
입부, 유형, 권준 등이 순신의 대장선과 함께 이운룡의 3선 함대를 지나 돌진하고 있다.

유형 직포를 퍼부어라!
입부 활을 쏘아라!

그 사이에서 고전하던 이운룡이 반색하며 돌아본다.
각각의 전선들을 지휘하는 조선 장수들과 이에 발 빠르게 움직이는 조선 병사들.
전체 판옥선 함대의 거침없는 포격과 진격에 충격을 입는 토요히사의 함대들.

토요히사 (당황하여) 뭐냐……!

S#63. 시마즈 안택선 / 밤 / 밖

모리아츠 (시마즈를 돌아보며) 도노…… 토요히사가 위험합니다!

다시 열세에 빠진 전장을 주시하고 있는 시마즈.

시마즈 (차갑게) 그대로 돌진하라!

모리아츠 (부장들을 향해) 전 함대 그대로 돌진하라!

마침내 시마즈의 본대도 대대적으로 돌진해 들어오기 시작한다.

S#64. 진린 호선 / 밤 / 밖

더욱 격렬해진 전장을 심각한 표정으로 관망하고 있는 진린.
이때 쿵쿵거리며 들려오는 발걸음 소리. 호선 장루 위로 성큼 뛰어오르는 등자룡.

등자룡 출전을 허락해주시오, 도독.

바로 답하지 않는 진린, 잠시 생각하더니

진린 정녕 통제사를 돕고 싶소? 그렇다면 제발 가만히 계시오, 부총병.

등자룡 뭣이? (버럭) 지금 그걸 말이라고 하는 것인가!
저 치열한 전장이 안 보이시오! 도독!

그러나 들은 척도 않는 진린. 진린을 노려보던 등자룡이 갑자기 돌아선다.
진잠이 막아선다.

등자룡 (진잠을 밀치며) 비켜라! 통제공을 저대로 내버려둘 순 없다.

진린 지금 항명을 하겠단 말인가!

우뚝, 멈춰 서는 등자룡.

진린 한 발자국만 더 움직이면 군령에 따라 목을 벨 것이오!
등자룡 송구하오. 처벌은 다녀와서 받겠소.

그대로 장대 계단을 뛰어 내려가는 등자룡.
깊은 고민에 빠지는 진린의 얼굴.

S#65. 진린 호선 / 밤 / 밖

진린의 시선에 보이는 그 어느 때보다 치열하게 전투가 벌어지고 있는 전장 상황.
심지어 조선군 쪽이 밀리는 인상을 지울 수 없다.

진린 너무 치열하지 않은가, 소서행장. 네놈…… 설마?

S#66. 등자룡 판옥선 / 밤 / 밖

용감히 돌진해 적선을 들이받고 전장으로 치고 들어오는 등자룡의 판옥선!

등자룡 통제공의 원수는 곧 우리의 원수다! 한 놈도 살려두지 마라!

그 뒤로 등자룡의 휘하 십수 척의 호선들도 함께 호준포를 쏘아대며 과감히 치고 들어오는데, 적선들을 충파하며 적진의 측면을 순식간에 휘젓는다.

S#67. 시마즈 안택선 / 밤 / 밖

명군의 호준포를 갈겨대며 느닷없이 들이닥친 판옥선을 발견하는 시마즈.
세키부네들이 마구 들러붙자 언월도까지 휘두르는 등자룡의 모습이 유난히 돋보인다.

시마즈 (아리마에게) 저자는 누구냐?
아리마 (당황한 표정으로) 등자룡이란 자로…… 명국의 부총병입니다.

시마즈 (의심하듯) 명군? 고니시가 말했던 것과는 다르지 않느냐.

등자룡을 노려보던 시마즈, 이내 서 있는 아리마에게 서늘한 눈길을 보내며,

시마즈 고니시 그놈의 계략이냐? 날 내어주고 밖으로 나가려는…….
아리마 (넙죽 엎드리며) 아닙니다! 절대 아닙니다!
시마즈 (차가운 표정) …….

이내 모리아츠에게

시마즈 모리아츠! 네가 직접 가서 저놈의 목을 가져오거라.
모리아츠 네, 주군.

허리춤의 칼자루를 굳게 잡은 채 층루를 나서려던 모리아츠, 갑자기 멈춰 선다.

모리아츠 (낭패스럽게) 주군…….

당혹스러운 표정으로 함대의 오른쪽(북쪽)을 바라보고 있는 모리아츠.
시마즈도 고개 돌려 오른쪽을 바라보면,
전장을 향해 빠른 속도로 접근 중인 대규모의 명 함대가 보인다. 진린도 보인다.
차가운 눈으로 명 함대를 노려보던 시마즈, 아리마가 덜덜덜 떨고 있다.

시마즈 (아리마를 가리키며) 이자의 혀를 도려내고 세키부네 뱃머리에 묶어 적들의 먹잇감이 되도록 하라.
모리아츠 예! 도노!
아리마 살려주십시오, 도노. 절대 그런 게 아닙니다!

모리아츠의 부장들에게 끌려가는 아리마.

시마즈 (차가운) …….

S#68. 진린 호선 / 밤 / 밖

전장으로 빠르게 다가가는 호선 장루 위,
진잠이 진린에게 묻는다.

진잠	(눈치를 살피며) 도독께서 왜 생각이 바뀌셨습니까?
진린	(전방의 상황을 예의주시하며) 약간의 무력시위라기엔 너무나도 치열하다. 확인을 해봐야 되지 않겠느냐.
진잠	?
진린	우리가 가는데도 적들이 도망가지 않고 별 반응이 없다면…….
진잠	그렇다면 낭패가 아닙니까.
진린	그러니 절대 깊이 들어가선 아니 된다. 그냥 치고 빠지면 될 일! 적들에게 더 확실히 우리가 간다는 걸 알려라! 전군! 일제히 나발을 불고 북을 치며 진격하라!
진잠	네, 도독! (장루를 내려서며) 전군, 나발을 불고 북을 쳐라!

일제히 나발을 불고 북을 치며 진격하는 명나라 호선들.

S#69. 시마즈의 안택선 / 밤 / 밖

굳은 표정으로 요란스럽게 다가오는 진린의 명 함대를 노려보고 있는 시마즈.
그런 시마즈의 눈치를 살피던 모리아츠, 이내 후미에서 타치바나가 이끄는 후미 함선들을 보고,

모리아츠	주군! 후군 함선들까지 다가옵니다! 속히 공격 명령을 내려주셔야 정체되지…….
시마즈	아니다. 명군의 본 함대까지 대적할 필요는 없다.
모리아츠	?

어느 한 곳에 집중되어 있는 시마즈의 눈,
모리아츠가 시마즈의 눈을 따라 고개 돌려 함대의 왼쪽(노량 해협)을 바라보면
조선 함대의 오른쪽 끄트머리, 당연히 막혀 있을 줄 알았던 육지를 끼고 돌아 나가는 남쪽 방면이 트

여 있는데…….

시마즈 보이느냐.

모리아츠 바다가 아닙니까?

시마즈를 바라보는 모리아츠.
순간, 이미 그곳에 시선이 꽂혀 있던 시마즈의 입가가 씰룩,

시마즈 남쪽 바다다. 저 바다로 이순신을 끌어내자. 그리고 고니시와 함께 협공한다.

모리아츠 고니시가 오겠습니까? 놈이 살아나기 위해 우리를 판 것 아닙니까?

시마즈 (차갑게) 반드시 온다! 아니 이미 오고 있을 것이다! 서둘러라!

모리아츠 예!

시마즈의 명령을 받은 왜군의 신호병이 전군에 신호나팔을 불고, 깃발을 흔든다.
시마즈의 함대를 보는 토요히사, 명령을 한다.

토요히사 병력을 빼라! 후퇴한다!

토요히사 부장 네!

명령을 받은 각 왜군 함선들이 교전을 멈추고 갈고리를 거두거나 끊어버리고,
사다리를 버리고 빠르게 후퇴를 시작한다. 토요히사도 빠르게 후퇴한다.
시마즈의 본 함대가 남쪽을 향해서 일제히 뱃머리를 돌리고 있다.
후미에서 다가오던 타치바나가 시마즈 본대의 신호를 받는다.
시마즈 본대가 남쪽으로 향하는 것을 발견한다.

타치바나 (의아스럽지만) 그대로 함께 이동하라.

명령을 받은 부장들이 큰 소리로 명령을 전한다.

왜군 부장들 전군! 남쪽으로 이동! 남쪽으로 이동한다!

전장을 빠르게 빠져나오는 시마즈의 함대들.

멀리 전장으로 합류하는 진린의 함대가 보인다.

S#70. 진린 호선 / 밤 / 밖

진잠 도독! 저기 보십시오! 과연 우리가 가니 적들이 물러납니다!

진린 (반색하며) …….

S#71. 이순신 좌선 / 밤 / 밖

순신이 일제히 물러나는 왜군의 함선들을 묵묵히 지켜보고 있다.
송희립이 급히 장루 위로 올라간다.

송희립 더 이상 쫓지 말라 전 함선들에 전했습니다.

송희립의 보고에 끄덕이는 이순신, 시마즈 쪽을 본다.

S#72. 시마즈 안택선 / 새벽 / 밖

남쪽으로 빠져나온 시마즈 본대와 토요히사, 타치바나의 후발대,
모리아츠, 뒤를 돌아보면, 순신과 진린의 함대가 더 이상 보이지 않는다.

모리아츠 추격을 포기한 모양입니다, 주군.

그러나 여전히 표정을 풀지 않은 채 전방을 주시하는 시마즈.

시마즈 아니다. 올 것이다. 속력을 늦추지 마라.
고니시와 협공만 이루어진다면…….

시마즈의 얼굴에서 강한 승리의 희망이 보인다.

모리아츠 주군…… 그런데 여기가…….

지도를 보며 항로를 점검하던 모리아츠의 얼굴이 매우 당혹스러워진다.

CUT TO

어느 세키부네 돛대에 묶여 있는 아리마의 얼굴이 사색이 되어 있다.

아리마 (고통스럽게 머리를 흔들며)!

어딘가 낯익은 해안가, 그 앞에 떠 있는 낯익은 빈 세키부네 한 척.

조명 연합군 포위망을 뚫고 나올 때 썼던 바로 아리마의 그 배다.

S#73. 이순신 좌선 / 새벽 / 밤

순신의 함대가 3열 장사진으로 진군 중이다.

사라진 왜군 함선들 쪽을 주시하고 있는 순신. 그 표정이 의미심장하다.

flash back in

장도 조선 진영 작전 막사 안 / 회상 / 밤

얼마 전 장도 막사에 모여 있는 조선 장수들과 진린 및 등자룡 이하 명 장수들.

순신이 작전 설명하던 그 광경이 펼쳐진다.

이순신 창선도의 적은 분명 밤안개를 타고 올 것이다.

해가 뜨기 전까지 대적하며 필히…… 이곳까지 끌고 내려와야 한다.

심리 노량에서 대적하며 해가 뜨기 전까지 이곳으로 유인해야 한다고 말합니다.

이내 순신이 모형을 내려놓은 지점을 본 모든 장수들의 눈이 커진다.

등자룡 아니, 저곳은?

해도 속 한 장소,

남해도 서북쪽 육지 안으로 펼쳐진 커다란 만 '관음포'란 지명이 선명히 보인다.

flash back out

해도 위 지형이 실경으로 오버랩 되면, 새벽 여명이 아스라이 밝아오고 있다.

그로 인해 드러나는 전방에 바다가 아닌 육지 능선. 육지 위로 솟은 산의 능선이 시마즈 함대를 가로 막고 있는데, 갑판 맨 앞에서 망연히 육지 쪽을 바라보고 있는 시마즈,

후미함대 타치바나의 표정 또한 당혹스럽게 떨고 있다.

모리아츠 도노…….

좌절한 표정으로 관음포 바깥 입구를 뒤돌아보는 시마즈.

그의 시선으로 유유히 들어서고 있는 순신의 조선 함대가 보인다.

시마즈 (표정 일그러지며) …….

S#74. 이순신 좌선 / 새벽 / 밖

송희립 (차분히) 적들이 제 발로 사지(死地)로 들어갔습니다. 장군.

상기된 표정의 송희립. 천천히 고개를 끄덕이는 순신,

순신의 함대가 마침내 더욱 관음포 입구를 봉쇄하며 가득히 들어선다.

S#75. 관음포 포구 / 새벽 / 밖

인적 없는 갯가로 빠르게 좌초하며 들어서는 세키부네 세 척.

겁먹은 표정의 왜병들이 허둥지둥 육지로 뛰어내린다.

그런데 이때, 타타당! 어디선가 날아온 탄환! 줄줄이 쓰러지는 왜병들.

아직 뛰어내리지 않은 또 다른 한 척의 왜병들,

놀라 돌아보면, 뒤쫓아 온 모리아츠와 그 수하들이 조총을 쏘고 있다.

모리아츠 적에게 등을 보이는 자는 용서치 않는다! 상륙하는 자들은 모조리 죽여라!

동시에 덜덜 떨며 지켜보는 뛰어내리지 않은 나머지 한 척 세키부네의 왜병들.

S#76. 이순신 좌선 / 새벽 / 밖

마침내 관음포 앞에서 2열 횡렬진으로 포위진을 완성한 조선의 판옥선 함대들.

이순신 북을 쳐라, 희립아. 다시 진격할 것이다.
송희립 네, 장군.

갑판으로 달려가 북을 치려던 송희립.
문득 뿌우우! 뒤쪽에서 요란하게 들려오는 호각 소리에 돌아보면
진린의 호선을 필두로 한 명군 함선 세 척이 빠르게 다가오고 있다.
순신도 돌아보는데,

이순신 …….

CUT TO
좌선으로 우르르 건너오는 진린과 그의 부장들과 십수 명의 병사들.

이순신 …….

장루 위로 심리와 함께 순신에게 다가온 진린, 관음포에 갇힌 시마즈 함대를 바라보며,

진린 기껏 도망친 곳이 하필 남해도 포구 안이라니……
어지간히 재수도 없군. 아니 그렇소. 노야?
송희립 적들이 도망친 곳이 남해도 포구 안이라 다행이라 말합니다.

장루 위에서 미소 띤 얼굴로 순신을 쳐다보는 진린.
그러나 웃지 않는 순신, 진지한 표정으로 진린을 바라본다.

이내 웃음기를 거두는 진린, 진지해진 얼굴로,

진린 이쯤 하고 돌아갑시다. 노야.
송희립 이쯤에서 돌아가자고 합니다.
이순신 …….
진린 밤새 부순 적선이 무려 백 척이 넘소.
송희립 밤새 격파한 적선이 백 척이 넘으니…….
이순신 …….
진린 이 정도면 그간의 원한은 진정 충분히 갚은 것 아니겠소.
송희립 그간의 원한은 충분히 갚은 것 아니냐 합니다.

하지만 순신은 아무런 말이 없다.

진린 (답답해하며) 노야!
이순신 내 잊지 않으리다.
심리 잊지 않겠다고 합니다.
진린 ?
이순신 도독과 그대의 군사들 덕분에 여기까지 올 수 있었소.
심리 도독과 우리 명 군사들 덕분에 여기까지 올 수 있었다 합니다.
진린 ?
이순신 남은 적들은 우리 수군이 맡을 것이니 조심히 돌아가시오!
(송희립에게) 희립은 뭐 하고 있느냐! 관음포가 급하다!
심리 남은 적들은 조선군이 맡을 것이니 돌아가도 좋다고 합니다.
송희립 네? 네! 장군…….

송희립, 서둘러 장루를 내려가려는데, 그 앞을 막아서는 진잠과 명의 병사들.

송희립 무슨 짓이냐!
이순신 (노해서) 당장 비켜서거라! 싸움이 급하다!
진린 노야답지 않게 진정 왜 이러는 게요!
이순신 (여전히 노한 채) 이제 와서 멈출 순 없소. 희립은 뭐하느냐. 어서!
진린 이보시오 통제공! 정녕 다치고 저 상한 병사들이 보이지 않소이까!

이대로 더 전투를 할 수 있다고 보시오?

갑판을 가리키는 진린. 꽤 많은 숫자의 병사들이 다치거나 신음하고 있는 것이 보인다. 아무런 표정 변화가 없는 순신,

이순신 각오했던 바요. 만일 이 전쟁을 여기서 이렇게 멈춘다면…….

헌데 이때,

준사 장군!

다급히 뛰어 올라오는 준사의 모습이 보인다.

준사 지금 소서행장이 예교성을 빠져나와 우리 쪽으로 동진(東進) 중입니다!
심리 (다급) 소서행장이 예교성을 빠져나와 이쪽으로 오고 있답니다!
이순신 …….

당황한 진린이 고개를 돌려 서쪽 바다를 바라본다.

진린 소서행장…… 이놈이! (분통해하다가) 내가 속았소.
허나 아직 늦지 않았소. 노야. 지금이라도 물러납시다.

대꾸 없이 관음포 쪽만 바라보고 있는 순신,

진린 (답답해하며) 대체 시마즈와 고니시의 협공을 어찌 감당하려는 것이오!
이순신 부탁이 있소. 도독.

순신이 진린을 진지하게 돌아본다.

진린 ?

이건 또 무슨 소린가 싶은 진린의 얼굴에서,

S#77. 시마즈 안택선 / 새벽 / 밖

도망병들이 손이 묶인 채 무릎 꿇려져 있다. 그 뒤로 칼을 빼 들고 늘어선 모리아츠의 수하들. 시마즈는 누각 안 의자에 앉아 차갑게 지켜보고 있다.

모리아츠 (큰 소리로) 도망친다고 살 수 있을 거 같으냐!

눈만 끔벅끔벅할 뿐 대답이 없는 왜병들. 엄습한 죽음의 공포에 울음소리만 커져간다.

모리아츠 울지 마라! 다들 죽고 싶으냐!

그런데 이때, 옆에 서 있던 또 다른 안택선 위 토요히사가 외친다.

토요히사 도노! 이순신이 물러나고 있습니다!

시마즈, 몸을 일으켜 선수로 빠르게 다가가 쳐다보면 관음포 입구를 에워싸고 있던 조선 함대가 일제히 물러나고 있다.

시마즈 (특유의 미소) 고니시가 오고 있다.

갑자기 갑판 위의 왜병들도 환해진 얼굴로 술렁인다.
조선 함대가 사라진 자리로 들어서고 있는 명 함대.

시마즈 (옅은 냉소) 어리석구나. 이순신…….
진린 따위로 이 시마즈를 막을 수 있다고 생각하다니.

숨을 고르는 시마즈, 문득 돌아서 갑판 위 병사들에게 외친다.

시마즈 (힘주어) 살고 싶은가!

술렁이던 왜병들, 시마즈가 힘주어 묻자 일제히 입을 다문 채 시마즈를 쳐다본다.
왜병들, 서로 눈치만 볼 뿐 선불리 대답하지 못하는데,

불쑥 앳된 얼굴의 도망 왜병 1이 외친다.

왜병 1 살고 싶습니다!
시마즈 어느 마을 출신이냐?
왜병 1 휴우가 명인촌에서 왔습니다.
시마즈 가족들은 있느냐?
왜병 1 갓 혼인한 처와 아이가 하나 있었는데…….
시마즈 …….
왜병 1 여기 올 때 갓난쟁이었으니까…… 지금쯤이면 아마…….

더 이상 말을 잇지 못하는 병사. 그렁그렁 눈물이 고인다. **제발 살려주십쇼.** 이내 애원하는데, 그러자 봇물 터지듯, **"저도 살고 싶습니다!" "살려주십쇼 주군!" "집에 보내주십시오!"**
아우성치는 왜병들. 당혹스러운 표정의 모리아츠. 무표정한 얼굴로 내려다보는 시마즈,

시마즈 (불쑥) 진정 살고들 싶은가!

일순간 조용해지는 왜병들, 모두 시마즈만 바라보는데,

왜병 1 예! 살고 싶습니다!

왜병1이 다시 당차게 소리 내어 외친다. 그러자.

왜병들 (일제히) 예! 살고 싶습니다! 도노!
시마즈 그렇다면!

일순 다시 조용해지며 왜병들 모두가 시마즈의 입만 쳐다보는데,

시마즈 방법은 하나뿐이다.

군바이를 들어 어딘가를 가리킨다.

왜병들 (일제히 돌아보면서) …….

시마즈 바로 저기! 저 마귀들을 물리쳐야 고향으로 돌아갈 수가 있다!

시마즈, 군바이를 들어 가리킨 곳은 바로 명 함대다.
침을 꿀꺽 삼키는 병사들. 차츰 명 함대를 뚫어지게 노려본다.

시마즈 고향으로 돌아간다! 저 마귀들을 뚫고 간다!
그래! 고향으로 돌아가자! 고향으로 돌아가기 위해 모두 몸부림쳐라!

시마즈의 독려에 무슨 힘을 얻은 것일까? 갑자기 살아나는 병사들의 눈빛!
"와아아아!" "마귀들을 물리치자!" "살아서 고향으로 돌아가자!" 함성을 내지르는 왜병들.

시마즈 …….

토요히사와 모리아츠가 경탄스러운 표정으로 그런 시마즈를 지켜본다.

S#78. 관음포 입구 / 새벽 / 밖

쿠쿠쿵! 대열을 정비한 시마즈 함대가 진린이 이끄는 명군 진영을 향해 돌진한다.
커다란 안택선들이 선두에 서고, 그 뒤를 작은 세키부네들이 뒤따르고 있다.
마치 안택선들이 바깥에서 세키부네를 품은 듯 커다란 방진 형태로 돌진한다.
이전과는 다른 진법으로 돌진하는 시마즈 함대.

S#79. 진린 호선 / 새벽 / 밖

돌진하는 시마즈 함대를 보는 진린, 적들이 사정거리에 들어오기만을 기다리는데…….
int
진린을 마주 보는 시마즈, 독기 오른 왜군들이 괴성을 지르며 전의를 불태운다.
왜군들의 드높은 사기에 긴장하는 명군들, 왜군들의 괴성에 침을 삼키며 무기를 고쳐 잡는데,
마침내! 진린이 신호를 내린다.

진린 발포하라!

명군의 최선봉에 선 등자룡의 판옥선에서 발포가 가장 먼저 이뤄진다.
뒤이어 진린이 이끄는 후방에서도 2차 발포가 시작되며
일제히 쏟아지는 명군의 화포들!
명군에 포탄이 돌진해오는 시마즈 함대의 선두, 안택선들 위에 쏟아진다.
몇몇의 안택선은 정지하지만 안택선들의 사이사이가 갑자기 벌어지며
그 뒤에 자리했던 세키부네들이 벌떼처럼 쏟아져 나온다. 세키부네들의 빠른 속도전!
돌진하는 한 척의 세키부네의 돛대에는 묶여 있는 아리마의 공포 어린 얼굴이 보인다.

아리마 아악!

쏟아지는 명군의 포탄에도 계속 돌진하는 왜군의 세키부네들.
결국 명군 진영에 왜군 조총의 사정거리가 도달하자 여지없이 조총들이 불을 뿜는다.
등자룡이 이끄는 명의 선봉대에 군사들이 우수수 쓰러진다! 그 전술에 놀라는 명군.

진잠 (당혹) 상당히 정교한 진법입니다. 도독!

굳은 표정으로 다가오는 시마즈 함대를 바라보는 진린.
이어지는 타치바나와 토요히사의 공격 명령!

진린 배들을 물려라. 퇴각한다.

명이 떨어지기 무섭게 황급히 뱃머리를 돌리기 시작하는 명군 함대.
등자룡의 판옥선마저 배를 돌린다.

S#80. 시마즈 안택선 / 새벽 / 밖

그런 명군을 쳐다보고 있는 모리아츠.
그렇게 관음포 입구를 빠져나오는 시마즈 함대 2백여 척.

모리아츠 (비웃음 가득한) 오합지졸이 따로 없습니다. 주군.

그러나 여전히 신중한 표정의 시마즈.
시마즈의 시선이 도망치는 명 함대 후미 등자룡의 판옥선에 꽂혀 있다.
이를 간파하고 동시에 등자룡의 판옥선을 노려보는 모리아츠.

모리아츠 도노! 이번엔 꼭 저 늙은 놈의 목을 가져다드리겠습니다!
시마즈 …….

등자룡의 판옥선을 향해 조총을 쏘면서 속도를 높이는 시마즈의 안택선과 세키부네들.
등자룡이 돌아보며 긴장하는데…….
조금만 있으면 등자룡의 판옥선을 따라잡을 듯한 시마즈의 안택선, 그때!
펑! 펑! 펑! 갑자기 뒤쪽에서 들려오는 요란한 포격 소리!
모리아츠 본능적으로 돌아보면, 시마즈 역시 소리가 들린 쪽을 돌아보는데!

S#81. 이순신 좌선 – 허리 끊기 / 새벽 / 밖

놀랍게도 총통을 발사하며 절벽 뒤에서 튀어나오는 조선의 판옥선들.
갑자기 나타난 조선 함대들을 멍하니 바라보는 왜병들.
시마즈 함대의 절반 쪽 측면을 거침없이 돌진해 충파하고 들어오는 4열 장사진의 판옥선들!
그 바람에 허리가 완전히 끊어지며 반으로 나눠지고 마는 시마즈 함대.
마치 양방향으로 쌍 학익진을 펼치는 듯한 진법으로 시마즈 함대를 나누어 쪼개 상대하고 있는 순신.
좌선에 우뚝 서 있는 순신이 보인다.

이순신 적의 허리를 완전히 끊어내야 한다.
송희립 네, 장군.

시마즈 함대를 절반으로 갈라먹으며 전방 화포와 측면 화포들을 동시에 발사하며
또한 충파로 돌진하는 판옥전선들.
순신은 갈라놓은 후방 쪽 적들을 타격하며 함대를 지휘하고 있다.

이순신 적선들에 더욱 화포를 퍼부어라! 신속히 적의 후미 쪽을 궤멸시켜야 한다.

송희립 발포하라!

왜군 후방 함대들이 순식간에 궤멸하기 시작하는데,
조선군의 직포 공격에 앞으로 향해 오던 속도와 관성이 더해져 마구 부서지고 있다.

S#82. 시마즈 안택선 / 새벽 / 밖

유인책에 속았음을 깨달은 시마즈.

시마즈 이순신 이놈…….

분노를 주체할 수 없는 시마즈, 그러나 여기서 끝이 아니다.

모리아츠 주, 주군…….

경악스러운 표정으로 전방을 바라보고 있는 모리아츠.
명 함대까지 일제히 방향을 돌려 포를 쏘며 시마즈 함대를 향해 몰려오고 있다.

시마즈 (차갑게 노려보는데) …….

S#83. 진린 호선 / 새벽 / 밖

진린 그대로 밀어붙여라.

진잠 (불안한) 치고 빠지는 것이 아니었습니까?

진린 (왠지 결의에 찬) 상황이 달라졌다! 최대한 밀어붙여라!

진잠 네, 도독.

시마즈 본대를 향해 속도를 내는 진린의 명군 함대.

S#84. 시마즈 안택선 / 새벽 / 밖

시마즈 (차갑게) 어리석게도 저렇듯 우리에게 다가와주다니…… 오히려 고맙구나. (이내) 세키부네들을 대거 내보내라.

뿔고둥 소리가 울리고,
시마즈 안택선 뒤에 있던 80여 척의 세키부네들이 자신들을 향한 명 함선을 향해 달려간다.

S#85. 세키부네 부대-호선 / 새벽 / 밖

예상과 다르게 과감히 달려드는 수많은 세키부네들에 당황하며 주춤하는 명 함선들.

명 군관 발포하라!

명군도 부랴부랴 화포와 호준포를 쏘며 세키부네를 저지하려 하는데,
세키부네들은 빠르게 피하며 점점 더 명나라 호선들에 가까이 다가간다.
그 틈을 놓치지 않고 조총을 퍼붓는 세키부네의 조총 병사들.
방어가 약한 호선의 구조, 명군들은 근거리에 왜군들에 노출되어 조총의 총알에 무수히 당한다.
호선의 약점을 금방 파악한 세키부네의 왜군관.

왜군관 1 월선을 피하고 계속 놈들을 감아 돌아라.
그리고 조총을 쏘아라! (눈빛 빛내며) 그리만 해도 놈들을 잡을 수 있다.

조타수 예! 도노!

적선들의 공격에 속수무책으로 끌려다니기 시작하는 명 호선들!

S#86. 등자룡 판옥선 / 새벽 / 밖

그 와중에 유일하게 적선을 부수고 있는 건 등자룡의 판옥선뿐이다.
타타타타타! 투두두둑! 호준포를 내갈기며 적선들을 충파하는 등자룡과 그 수하들.

허나 계속해서 밀려드는 세키부네들에 둘러싸여 차츰 속도가 떨어지며 포위되는 등자룡의 판옥선.

등자룡 적선들에 휘말려서는 안 된다. 남김없이 쳐부숴라!

등자룡 부장 (뛰어 들어오며) 장군!

앞을 돌아보면, 세키부네 세 척이 월선 상황으로 들러붙는다.
허나 계속해서 밀려드는 세키부네들에 둘러싸여 차츰 속도가 떨어지며 포위되는 등자룡의 판옥선.

S#87. 진린 호선 / 새벽 / 밖

같은 시간, 진린의 호선도 위기에 빠진다.
가장 크고 화려해 유독 눈에 띄는 탓에 적선들의 표적이 된 진린의 호선.
결국 몰려든 세키부네들에 포위되고 만다. 무수한 총탄에 갑판 위 병사들이 우수수 쓰러진다.
배가 꼼짝하지 못한다. 이내 갈고리를 던지고 사다리를 놓으며 등선까지 시도하는 왜병들.

심리 (황급히 다가오며) 도독! 우리 배가 사방으로 포위되었습니다!

진린 (낭패스러운) …….

왜군들이 진린의 호선으로 과감히 월선하기 시작한다.
보다 못한 진린, 직접 칼을 뽑아 들고 장루 후미로 달려가는데…….

S#88. 시마즈 안택선 / 새벽 / 밖

포위당한 진린의 호선을 발견한 시마즈 안택선에 모리아츠, 눈빛이 빛난다.

모리아츠 주군! 명국의 대장입니다! 우리 배들이 들러붙고 있습니다.

시마즈 (눈빛 빛나며) 저자를 생포만 한다면 어쩌면…… 이 전쟁을 바로 끝낼 수 있다!
저자의 배로 돌진하라! 우리가 직접 가자!

모리아츠 예, 도노!

마침내 시마즈의 안택선마저 진린의 호선을 노리고 접근해오는데…….

S#89. 등자룡 판옥선 / 새벽 / 밖

등자룡 부장 장군! 적장이 도독에게 가고 있습니다!
등자룡 뭐라!

적병들을 상대하던 등자룡, 놀라 돌아보면, 시마즈가 진린의 호선으로 다가가고 있다.

등자룡 호위선들은 대체 뭐하고 있단 말이냐!

허나 진린의 호선 주변엔 왜선들만 가득할 뿐이다.

등자룡 도독이 당하면 아니 된다! 속도를 내고 어서 호준포를 장전하거라!
등자룡 부장 탄환이 다 떨어졌습니다. 장군!
등자룡 따라오라!

S#90. 시마즈 안택선 / 새벽 / 밖

왜선들에게 둘러싸여 고전하는 진린의 호선을 바라보고 있는 시마즈.
칼을 빼 드는 시마즈. 곧 그의 배가 진린의 호선에 다가갈 듯한데,
순간 배를 들이박는 충격을 느낀다.

등자룡 멈추거라!

시마즈의 배를 막아서는 등자룡의 판옥선.
난간 앞 등자룡과 명군들이 두 손으로 호준포의 양다리를 쥔 채 시마즈를 겨누고 있다.
주춤하는 적병들. 시마즈도 긴장된 표정.
그런데 이때!

등자룡 으으아아악!

괴성을 내지르며 들고 있던 호준포를 적병들을 향해 집어 던지는 등자룡과 명군들.
날아온 수십 개의 포신을 얻어맞고 줄줄이 쓰러지는 적병들.
그 틈에 시마즈의 배 갑판으로 일제히 월선하는 등자룡과 명군들.
재빨리 허리춤의 칼을 뽑아 들고 시마즈를 향해 일제히 달려간다.
허나 이내 모리아츠와 살마군들에게 도륙당하는 명군 병사들.
하지만 언월도를 든 등자룡만은 나아간다. 그 저돌적인 돌파력이 놀랍다!
막아서고 있는 모리아츠마저 당황한다. 시마즈의 칼 쥔 손에도 힘이 들어가는데,
이노옴! 순식간에 언월도로 모리아츠를 내려치는 등자룡!
모리아츠의 어깨에 언월도가 박힌다. 모리아츠가 꿈틀!
등자룡이 기합 소리와 함께 언월도를 뽑으려 하는데, 오히려 언월도를 잡고 버티는 모리아츠.

등자룡 (순간 당황하여) 이놈이!

이때 누군가의 칼이 전광석화처럼 등자룡을 향한다.
피가 솟구치며…… 바닥을 나뒹구는 등자룡의 목…….
피가 뚝뚝 떨어지는 시마즈의 칼.

시마즈 …….

등자룡, 죽어서도 시마즈를 노려보고 있다.

S#91. 이순신 좌선 / 새벽 / 밖

직접 왜병들을 향해 활을 쏘며 부하들을 독려하고 있는 순신.
갑자기 이회가 뛰어온다.

이회 아버님! 저기 보십시오!

시마즈와 명 함대가 뒤엉킨 전방 싸움터 쪽에서 불길이 치솟으며 함성이 드높아진 한 곳.

낯익은 붉은 깃발, 진린의 호선이다. 송희립도 뛰어온다.

이순신 어서 배를 돌려라, 희립아. 도독을 구해야 한다.

그러나 어지러이 뒤엉킨 양국의 배들로 사방이 막혀 있다.
부딪히고 깨지면서도 이순신의 좌선을 향해 끊임없이 돌진해오는 적선들.
덩치 큰 판옥선으로는 이 밀집된 함선들을 도저히 뚫고 갈 수 없다.

이회 아버님! 배들이 너무 엉켜 있습니다!

매우 난감한 순신, 적선들에 둘러싸인 진린의 사령선을 그저 바라볼 뿐인데…….

준사 (O.S.) 제가 다녀오겠습니다.

순신, 이회 고개 돌리면, 준사가 서 있다.

준사 (차분히) 협선이면 가능합니다, 장군.

잠시 그렇게 서서 서로를 말없이 바라보는 순신과 준사.

이순신 도독을 구하는 즉시 빠져나와야 하네.
준사 ?
이순신 절대 맞서려고 하지 말란 말일세. 알겠는가?

순신의 당부가 황송한 듯 준사 잠시 말을 잇지 못한다.

이순신 온전히 이 전쟁을 끝내고 돌아가야 하지 않겠느냐. 준사.
준사 (차분히) 명심하겠습니다, 장군.

순신, 그렇게 멀어지는 준사와 항왜들을 끝까지 바라본다.

S#92. 진린 호선 / 새벽 / 밖

갑판 위에선 치열한 백병전이 펼쳐지고 있다.
적병들의 기세가 사납지만 진잠과 심리 등 명군 병사들의 저항도 만만치 않다.
후미에서 힘겹게 싸우던 진린이 점차 누각 밑 갑판으로 밀리고,
이때, 갑판 위로 뛰어드는 시커먼 그림자들.
칼을 휘두르자 명군 병사들이 팔목과 어깨들이 잘려나가며 낙엽처럼 우수수 쓰러진다.
바로 시마즈와 살마군들이다. 진잠이 달려들지만 한 합에 나가떨어진다.
놀란 진린, 진정 악귀를 보는 듯한 표정으로 뒤로 물러서는데
진린을 향해 손에 들고 있던 무언가를 내던지는 시마즈.
바닥을 굴러 진린 앞에 멈춰 서는 무언가……. 등자룡의 목이다.

진린 !

치를 떠는 진린. 명군 병사들도 경악을 금치 못한 표정이다.

시마즈 저자를…… 생포해라.

칼을 빼 들고 일제히 앞으로 나서는 살마군들.
뒷걸음질 치는 진린. 그러나 더 이상 물러설 곳이 없다.
이대로라면 그대로 붙잡힐 상황!
허나 이때! 또르르 굴러와 살마군의 발에 부딪히는 작은 호리병 하나.
이어서 다른 살마군들 앞으로도 호리병들이 굴러온다.
이윽고, 콰앙! 쾅! 쾅! 요란한 폭발음과 함께 폭발하는 호리병!

살마군 아악!

유리 파편이 얼굴과 온몸에 박힌 채 비명을 내지르며 쓰러지는 살마군들.
시마즈, 성난 얼굴로 돌아보면, 갑판 위에 서 있는 준사와 항왜들.

준사 도독을 모셔라!

전광석화처럼 달려와 진린을 호위하는 항왜들.
강하게 달려드는 왜병들을 베며 대기 중인 협선을 향해 어렵게 뛰어간다.

시마즈 쫓아라!

어깨에 흰 천을 동여맨 모리아츠가 왜병들을 이끌고 진린을 끝까지 쫓아간다.
시마즈 또한 뒤쫓으려는데…… 쉬익! 시마즈의 얼굴로 날아오는 수리검!
본능적으로 고개를 돌려 수리검을 피하는 시마즈, 그러나 칼날이 볼을 스친다.
피가 배어 나오는 시마즈의 뺨. 사나운 얼굴로 앞을 보면, 준사가 서 있다.
협선 쪽으로 도망치는 진린과 심리를 뒤로 둔 채 모리아츠와 왜병들의 공격을 필사적으로 막아내는 항왜들. 허나 모리아츠와 왜병들의 사나운 공격에 항왜들이 줄줄이 쓰러진다.

심리 어서 건너십시오, 도독!
진린 무슨 소리냐.
심리 도독을 잘못 보필한 죄. 이렇게라도 갚게 해주소서.

심리가 순식간에 항왜들 틈으로 파고든다.

진린 (그저 부들부들 떨 뿐) …….

진린, 결국 몸을 돌려 대기 중인 협선으로 뛰어내린다.
진린이 무사히 건너갔음을 확인한 대원들, 칼을 고쳐 잡으며 적병들을 향해 돌진한다.
망연자실한 표정으로 자신의 배 위에 남은 준사와 항왜들, 그리고 심리를 바라보는 진린.
급기야 심리가 쓰러진다! 더불어 항왜들도 적들의 칼에 쓰러지는데…….

진린 (그저 망연자실 쳐다볼 뿐) …….

S#93. 이순신 좌선 / 새벽 / 밖

격군실 열린 문 쪽으로 협선 위 진린을 서둘러 끌어올리는 송희립과 이회.

이회 살아 계셔서 정말 다행입니다. 도독.

진린 (눈물을 글썽이며) 이게 다 노야 덕분이오. 내가 진정 어리석었소.
고맙소, 통제공.

순신이 부축받으며 사라지는 진린에게서 이내 시선을 거두며 다시 협선 쪽을 바라본다.

이순신 준사는! 준사는 어디 있느냐!

준사가 없음을 확인한 순신, 멀리 진린의 사령선 쪽을 급히 쳐다본다.

S#94. 진린 호선 / 새벽 / 밖

이미 피를 잔뜩 흘리고 있는 준사가 시마즈를 노려보고 있다.
주위엔 이미 모리아츠와 심복들이 장악하고 있다.
허나 이 정체 모를 조선 병사의 심상치 않은 살기에 직접 칼을 고쳐 잡는 시마즈.

시마즈 네놈은 대체 누구냐. 조선인이냐 열도인이냐.

준사 …….

흔들리는 배 위, 이미 피를 많이 흘린 준사의 자세가 찰나적으로 흔들린다.
시마즈가 그 찰나의 흔들림을 놓칠 리 없다. 곧바로 발을 떼어 준사를 향해 칼을 뻗는 시마즈.
시마즈의 선제공격에 당황한 준사,
몸을 틀어 피하려 해보지만 시마즈의 칼이 몸통을 스친다.
자신도 모르게 무릎을 꿇으며 쿨럭! 피를 내뱉는 준사.
차갑게 상황을 지켜보는 모리아츠와 심복들. 시마즈, 그대로 마무리 지으려는데…….
콰지직! 예기치 않게 무너져 내리는 장대!
놀란 시마즈가 뒤를 돌아보면, 그 틈을 놓치지 않고 남은 힘을 다해 시마즈에게 달려드는 준사. 그러나 어느새 날아든 서슬 퍼런 칼이 준사의 가슴에 꽂힌다. 바로 모리아츠의 칼이다.
여전히 시마즈만을 노려보고 있는 준사,

준사 (힘겹게) 7년……. 의를 향한 올곧은 싸움……. 이제 후회는 없다!

억지로 몸을 비틀며 다시 달려드는 준사,
허나 성난 모리아츠가 마침내 준사의 목을 쳐버리면!
그대로 준사가 바다로 떨어진다. 첨벙! 바닷속으로 가라앉는 준사의 몸.
시마즈가 무표정한 얼굴로 다가가 이를 지켜본다.
그렇게 준사가 생을 마감한다.
이때 갑자기 난간을 부수며 날아오는 포탄들.
시마즈 돌아보면, 터지는 세키부네 너머 이순신 좌선과 판옥선들.
순신이 좌선을 몰고 직접 오고 있다.
그 뒤로 판옥선 여러 척이 호위하고 있다.

시마즈	(형언할 수 없는 표정) 이순신…….
모리아츠	(다급히) 그만 가셔야 합니다, 주군.

시마즈의 눈에 순신이 보인다. 꼼짝하지 않고 바라보는 시마즈.
문득 광양만 쪽 먼 바다를 돌아보며 난간을 주먹으로 내려친다.

시마즈	(고함) 고니시! 고니시 넌 대체 어디서 뭘 하고 있는 것이냐!

잡아먹을 듯 광양만 쪽을 바라보던 시마즈.

모리아츠	주군! 시간이 없습니다. 더 늦으면 빠져나갈 수 없습니다.
시마즈	(차갑게) 전군…… 배를 돌려라.
모리아츠	예! 도노! 바로 퇴각 신호를 울리겠습니다!
시마즈	아니다! 배를 이순신에게 돌려라! 이순신에게 돌진한다!
모리아츠	(놀라) 도, 도노.
시마즈	이순신을 잡아야 이 전쟁은 끝난다! 아직도 모르겠느냐!
모리아츠	!

모리아츠의 눈빛이 점차 살기로 빛난다.

모리아츠	전군! 이순신을 향해 배를 돌려라! 우리는 살마군이다! 이순신을 잡고 전쟁을 끝내자! 이순신을 잡자! 살마군 만세!

왜군들이 마침내 모두 죽기를 각오한 듯 **살마군 만세!**를 외치며 일제히 배를 돌리고,
모두들 이순신의 대장선을 향해 달려든다.
집단적 감염일까. 절망 속 토요히사의 표정도 악귀의 표정으로 변해간다.

S#95. 몽타주 - 죽음의 바다 / 아침 (레퀴엠 음악 시작)

난전(亂戰)! 급기야 서로 간의 월선이 마구 이루어진다.
다시 진린이 이끄는 명국 함선들까지 몰려들었다.
피를 뒤집어쓴 진린이 소리치면, 명나라의 병사들까지 월선하며 백병전을 시도하고,
그야말로 대접전이 펼쳐지는데……. 바다에 찬란한 붉은 태양이 꿈틀거리며 떠오르고 있다.
대접전의 전장(戰場) 한복판에 대장기 펄럭이며 서 있는 순신의 좌선(느린 화면).
화면은 어느덧 하늘 위 부감으로 전장을 휘저으며 날아가고(계속 느린 화면),
포성, 총성, 함성, 괴성, 비명…… 조선말, 명국 말, 왜국 말들이 어지러이 뒤섞이고,
화약 냄새와 피비린내가 진동하며 배들마다 연기가 자욱하고 하늘 높이 불길이 치솟는,
몸을 잃은 수급과 잘려나간 팔다리가 갑판마다 아무렇게나 나뒹굴고,
떠오르는 붉은 태양에 파랗던 바닷물이 검붉은 핏빛으로 더욱 물들기 시작한 노량 앞바다.
몰아치는 파고들까지 그 현장을 더 처절하게 만드는데…….
그렇게 팽팽히! 피아(彼我)의 구분 자체가 불가능한, 말 그대로 죽음의 바다가 펼쳐진다.
그 한복판에…… 순신이 서 있다.
어느 순간 순신의 눈에 먼저 떠난 아들 면과 떠난 장수들이 보인다.
고 정운, 어영담, 이억기가 그와 함께 싸우고 있다.
그들이 마치 살아 있는 듯 그와 함께, 그의 곁에서 싸우고 있다.
정운이 싸우다 뒤돌아본다.

이순신 정 만호!

어영담이 싸우다 뒤돌아본다.

이순신 어 향도!

이억기가 싸우다 순신을 돌아다본다.

이순신　　　　이, 이 수사!

죽은 이들 모두가 뒤돌아본다. 부들부들 떨며 그들을 바라보던 순신이 울컥.
갑자기 입에서 한 움큼의 검붉은 피를 토해낸다, 휘청거리는 순신.
이때 누군가의 손이 순신을 부축한다.

이면　　　　(O.S.) 아버지. 무얼 그리도 힘들어하십니까.

순신이 올려다보면 옅은 미소를 띠고 있는 아들 면이 보인다.
순신이 놀란다. 죽은 아들 면이 순신을 지그시 바라보고 있다.

이순신　　　　(울컥) 면아…….
이면　　　　아버지. 더는 힘들어 마십시오. 제가 힘이 되어드리겠습니다.
이순신　　　　(울컥) …….

이내 면이 돌아서며 적들에게 다시 뛰어드는데,

이순신　　　　(가슴속 뭔가를 토해내며) 면아!

순신이 갑판을 가로질러 면을 따라가보지만, 면은 사라져 보이지 않고
그곳에 북만이 보일 뿐이다.
이내 북채를 잡는 순신! 힘차게 북채를 내려치는데…….
둥!
조금 더 힘껏 북을 치는 순신.
두웅! 두웅!
장군! 송희립이 급히 방패를 들고 다가서는데,
다시 북채를 고쳐 잡는 순신, 온 힘을 다해 다시 북을 치면……
두웅! 두웅! 두웅!
노량 앞바다 전체로 진동하듯 퍼져 나가는 순신의 북소리.

S#96. 응답(應答) / 아침 / 밖

힘겹게 적병을 베고 있던 경상 우수사 입부 이순신(李純信)이 칼을 멈추고 돌아본다.
끝없이 달려드는 적을 향해 숨 가쁘게 화살을 날리던 권준이 발사를 멈추고 돌아본다.
악귀처럼 달려드는 적병을 힘겹게 메다꽂던 젊은 장수 유형이 숨을 몰아쉬며 돌아본다.
어느새 피 칠갑을 하고 싸우던 진린도 고개를 돌려 좌선 쪽을 본다.
힘차게 북을 치고 있는 순신의 모습이 한눈에 들어온다.

진린 노야가 아니냐!
유형 좌선이다! 장군께서 우리를 독려하고 계신다!
입부 힘을 내자! 우리는 이길 수 있다! 더욱 몰아쳐라!

두웅! 두웅! 두웅! 두웅!
마치 심장박동 소리처럼 조명 연합군의 가슴에서 가슴으로 전달되는 북소리.
월선하는 조선 병사들.

진린 전군! 돌격하라!

와아! 더욱 힘을 내며 몰아치기 시작하는 조명 수군들.
심지어 왜선 쪽으로 월선까지 시도하는 진린.
놀랍게도 살마군을 자부하던 왜군들의 기세가 거짓말처럼 꺾이기 시작한다.

S#97. 고니시 안택선 / 아침 / 밖

남해도가 조금 못 미친 바다 위, 멈춰 서 있는 고니시 함대가 보인다.
아스라이 북소리가 들리는 듯, 굳은 표정으로 노량 앞바다를 바라보고 있는 고니시.
해가 점점 더 높게 오르며 밝아져만 가는 남해안의 모습.
멀리 여기저기서 불길이 치솟고 있고, 아스라이 비명이 난무하다.

고니시 …….

이때 고니시 함대 쪽으로 떠내려오는 반파(半破)된 한 척의 세키부네.

오무라 주군! 저기 보십시오!

그곳에는 놀랍게도 죽은 아리마가 타고 있다.
그 죽은 몰골이 마치 악귀를 만난 듯 무척 고통스러운 표정인데.

고니시 (당혹스러운) !

고개 들어 다시 노량 쪽을 뚫어지게 바라보는 고니시.
고니시 눈치를 살피다 더불어 전장 쪽을 쳐다보는 가신 1.
아스라이 치솟고 있는 연기들. 점점 커지며 들려오는 둥둥 북소리.
고니시, 전방의 노량을 바라보며 심각한 고민에 빠져든다.

S#98. 시마즈 안택선 / 아침 / 밖

다시 크게 들려오는 둥! 둥! 북소리! 점점 커진다. 혼돈 속에 뛰어다니는 왜병들.
피 칠갑이 된 시마즈가 전방에서 계속 가로막아서는 조선 전선들을 쳐다보며 외친다.

시마즈 끝이 없다! 끝이! 배를 틀어라! 어서 이곳을 빠져나가야 한다!

이때, 또다시 터져나가는 안택선 누각.
전방을 가로막고 다가오는 조선 전선들을 피해 일제히 방향을 돌리는 왜선들.
이제 시마즈를 따르는 배들은 불과 50척 남짓이다.
그런데 왼쪽에서 또다시 조선 전선들이 포위하며 다가오고 있다.

시마즈 어찌 이런! 우리 살마군보다 더한 악귀들이다!

S#99. 총성 - 세키부네 / 아침 / 밖

전장의 피바다…….

반파된 채 이리 채이고 저리 채이며 표류하던 세키부네 한 척!

널브러져 있는 적병들의 시체 더미 속에 묻혀 있던 왜병 하나가 북소리를 듣고 고개를 내민다. 무엇이 이끄는 것인지 초점 잃은 눈으로 뭔가를 찾아 급히 바닥을 더듬는다.

손에 닿는 조총 한 자루, 아직 연기 피어오르는 심지가 살아 있다.

S#100. 이순신 좌선 / 아침 / 밖

두웅! 두웅! 두웅!

여전히 북채를 놓지 않고 있는 순신.

두웅! 두웅! 두웅!

계속해서 노량 앞바다를 울리는 순신의 북소리.

계속 좌선 앞으로 흘러들어오는 반파된 세키부네 한 척, 그리고 그 위의 조총을 든 왜병 하나.

잔뜩 두려움에 사로잡혀 있는데 타들어가는 심지, 천천히 당겨지는 방아쇠의 손가락.

이때 그를 발견한 이회! 급히 활을 재는데!

퍼억! 왜병의 옆구리에 와서 박히는 화살! 쓰러지면서도 방아쇠를 당기는 왜병.

CUT TO

타앙! 갑자기 고요해진 전장, 파도 소리만이 이어서 들려오고.

왜병 (죽어가며 힘겹게 뭐라 말하려는 듯) 부디 이제 제발 저희를…….

허나 이내 왜병 무수히 날아드는 화살들에 맞고 완전히 고꾸라지는데,

이회가 다시 활을 들어 병사들과 함께 무수한 화살을 날린다.

CUT TO

순신이 쓰러졌다. 송희립이 급히 다가서는데,

송희립 (매우 놀라서) 장군! 괜찮으십니까!

이회 아버님!

이회도 뛰어온다. 순신을 부축하고 있는 희립.

이순신 나는…… 괜찮다.

송희립이 보면 다행히 멀쩡한 순신,
탄환이 떨어진 북채에 맞은 듯 북채 머릿실들이 주변에 마구 풀려 있다.

송희립 안 되겠습니다. (갑판 위 병사들에게) 어서 방패들을 더 가져오너라!
이회 내가 가져오겠소!

이회가 직접 방패들을 가지러 뛰어간다.
그대로 일어서는 순신. 따라 일어서는 송희립.

이순신 어서 다른 북채를 가져오너라.

한 병사가 급히 뛰어가 새 북채를 순신에게 가져온다.

송희립 장군, 꼭 이리까지 하셔야겠습니까?

송희립을 물끄러미 바라보는 순신.

이순신 말하지 않았느냐.
송희립 …….
이순신 저들을 이대로 보내면…….

순신의 다음 말을 기다리는 송희립.

이순신 장차 더 큰 원한들이 쌓이게 될 것이다.
송희립 !
이순신 희립은 어서 진격 신호를 올리거라.

송희립 (담담히) 죄송합니다. 장군. 이번만큼은 그리하지 못하겠습니다.

그러자 형언할 수 없는 표정으로 송희립에게 다가서는 순신.

이순신 절대 이대로…… 이렇게…… 끝내서는 아니 된다.
이렇게 적들을 살려 보내서는 올바로 이 전쟁을 끝낼 수 없다.

송희립 …….

이순신 반드시! 놈들을 열도 끝까지라도 쫓아서 기어이 완전한 항복을 받아내어야 한다! 아직도 모르겠느냐!

송희립 …….

순신의 큰 뜻을 비로소 이해한 듯한 송희립,

송희립 알겠습니다! 다시 진격 신호를 올리겠습니다!

다시 북채를 치켜드는 순신. 이내 다시 북소리가 울려 퍼지기 시작한다.
이회가 방패병들을 몰고 온다.

이회 어서 장군을 감싸라!

신호기 쪽으로 뛰어가는 송희립. 이때 문득 다시 어디선가 들려오는 한 발의 총소리!
타앙! 송희립이 반사적으로 돌아보면…….

S#101. 안택선 / 아침 / 밖

멈춰버린 북소리, 기세를 올려 적을 제압하던
여러 조선 장수와 병사들이 멈칫한다.
어느 안택선 갑판 위에서 한창 싸움 중이던 진린.
멈춰버린 북소리에 불안한 기색.

진린 왜 북소리가 들리지 않는 것이냐?

뭔가를 직감한 듯, 초조한 표정으로 순신의 좌선을 바라보는 진린.

CUT TO

하지만 이내 두웅! 두웅! 두웅!
북을 치고 있는 누군가의 뒷모습.
순신이다. 틀림없이 순신이 북을 치고 있다.

CUT TO

진린을 비롯한 조명 연합 함대 장수들이 다시 들려오는 북소리에 안심하고.

진린 적들을 마저 쓸어버리자! 모두 돌진하라!
유형 돌격하라!
입부 모두 돌격하라!
이운룡 돌격하라!

관음포 인근 바다에서 도망치기 위해 안간힘을 다하는 시마즈 함대를 향해 가는 조명 연합 함대 1백여 척. 계속해서 들려오는 순신의 힘찬 북소리.
왜군들이 북소리를 듣지 않으려 귀를 막는다.
특히 투구마저 잃어버린 시마즈가 귀를 막고 주저앉아 무척 고통스러워한다.
누각 안으로 뛰어 들어와 쓰러지는 시마즈, 심지어 쓴 물을 토해내기 시작하는데.

S#102. 고니시 안택선 - 퇴각 / 아침 / 밖

선봉선에 서서 그저 뚫어지게 앞만 보고 있는 고니시.
이미 동쪽으로 높이 떠오른 태양에 눈이 부시다.
더욱 선명히 보이는 노량의 불길들, 더욱 높이 치솟기 시작한다.
이내 아스라이 들려오는 처절한 비명들.
그리고 점점 고니시의 귀를 크게 때리며 들려오는 북소리!
고니시, 한껏 굳어진 표정으로 노량을 바라보다가 마침내,

고니시 배를 돌려라…….

오무라 주군? 그럼 시마즈는?

고니시 (비정하게) 여기까지가 그의 역할이다. 시마즈는 버린다.

고니시, 차갑게 돌아서 누각 안으로 들어가버린다.
이내 갑판 좌우로 소리치는 오무라와 가신 1.

오무라 배를 돌려라! 퇴각한다!

황급히 돌아서는 고니시 함대, 빠른 속도로 퇴각하기 시작한다.

S#103. 이순신 좌선 - 죽음 / 아침 / 밖

부감 화면, 도망치는 고니시 함대를 훑으며 빠르게 바다를 따라 들어가면
전투가 마침내 끝난 전장의 모습. 연기와 불길을 뿜어내는 무수한 적선들이 보이고,
화면, 그 전장 한가운데 순신의 좌선이 보이는데.
좌선 위 여전히 북을 치고 있는 순신의 모습이 보인다.
허나 자세히 보면 순신이 아닌 순신의 갑옷을 입은 아들 이회다.
흐르는 눈물에도 결연히 북을 치고 있는 이회.
화면, 울고 있는 이회를 지나 장루로 향하면, 겹겹이 둘러쳐진 장루 방패들 사이에서 들려오는 일말의 흐느낌들을 들을 수 있다.

송희립 (V.O.) 어서들 그쳐라. 정녕 장군의 뜻을 어길 셈이냐?

그러자 서서히 사그라지는 울음소리들.
문득 방패 밖으로 나오는 송희립, 방패 안쪽을 향해 묵묵히 군례를 행한다.

CUT TO 몽타주
순신의 대장선으로 몰려들며 속속 올라서는 조선 장수들의 모습들.
진린 또한 기뻐하며 순신을 향해 대장선으로 올라온다.

진린 (기뻐하며) 노야! 노야! 우리가 이겼소! 노야!

진린의 눈에 보이는 북을 치는 순신의 모습.
하지만 북을 치는 이가 순신이 아닌 아들 이회인데……. 일순 얼굴빛이 급격히 어두워지는 진린.
장루 위, 아래에서 모두 슬픔으로 군례를 행하는 조선군을 보고 상황을 파악한다.
진린이 장루 위로 걸어 올라가 방패들 속으로 파고들면,

진린 (울부짖으며) 노야!

이미 슬픔 가득한 눈을 하고 있는 좌선 위 모든 장수들과 병사들, 모두들 고개를 숙이고 있다.
이심전심의 각 함선의 부장들이 모두 직접 북을 잡고 다시 북을 울리는데…….
두웅! 두웅! 남해 바다 전체로 울려가는 혼(魂)의 북소리. 그 위로 자막,

이날, 조명 연합 수군은 적병 5만을 죽이고, 3백여 척의 적선을 불태웠다.
임진왜란 7년 동안 가장 많은 적들이 죽었다.
이순신은 왼쪽 겨드랑이를 관통하는 총상을 입고 전사한다.
고니시와 시마즈는 가까스로 살아남아 열도로 도망쳤다.
그러나 열도는 이내 내전에 휩싸이고
싸움에 진 고니시는 참수형으로 죽는다.
또한 싸움에 진 시마즈가는 250년간 변방에 유폐된다.
fade out

S#104. 몽타주 / 레퀴엠

육지에서 벌어진 순신의 장사 행렬의 모습.
삼도수군통제사 이순신의 깃발 아래 많은 장수들과 가족들이 함께하고 있다.
길거리, 남녀노소를 가리지 않고 많은 이들이 울부짖고 통곡하며 그 뒤를 따르고 있다.
따르는 백성들 뒤로 그 끝이 보이질 않고 갈수록 그 수가 불어날 뿐이다.
fade out

S#105. 순천 예교성 천수각 안 에필로그 / 낮

fade in

한 사내가 예전의 고니시처럼 창밖의 바다를 내다보고 있다.

순신이 봉쇄했던 장도 앞바다가 훤히 내다보인다.

1598년 음력 11월 25일 순천 예교성 (노량해전 6일 후)

사내가 문득 중얼거린다.

사내 저들을 이대로 살려 보내면…… 장차 더 큰 원한들이 쌓이게 될 것이다?

목소리 (O.S.) 그렇습니다. 통제사께서 그리 말씀하셨습니다.

사내가 대꾸 없이 천천히 뒤돌아보면, 대다수의 수군 장수들이 도열해 서 있는 것이 보인다.

세자 광해(光海)

입부, 유형 등 그중엔 송희립도 보인다.

이때 천수각 안으로 한 장수(권율)가 들어서며 사내에게 군례를 올린다.

권율(權慄)

권율 세자 저하. 경하드립니다. 오늘부로 이곳 순천 예교성을 완전히 접수했나이다. (감격에 겨워) 이렇게 7년의 왜란이 그 끝을 고하나이다.

광해 왜란이라……. 도원수. 이것은 왜놈들의 난이 아니고 참혹한 전쟁이었다.

권율 (당황하여) 아…… 예. 세자 저하.

다시 창밖을 내다보는 광해. 왜성에서 바로 내려다보이는 장도.

광해 저곳이 통제공이 적을 막아서던 곳이냐.

송희립 (나서며) 그러합니다, 저하!

광해 그래…… 그렇구나. 통제공의 마지막 말이 더 있었더냐.

송희립 ……

flash back in

사방이 연기로 가득 차 있다. 장루 위 방패들에 가려진 순신의 모습이 연기 속 아스라이 보인다. 흰 천으로 겨우 막아낸 순신의 겨드랑이에서 붉은 피가 쏟아지고 있다.
병사들이 울고 있다. 희립이 뜨거워진 눈시울로 순신을 지켜보고 있다.

이순신 싸움이 급하다. 내가 죽었다는 말을…… 내지 마라.
송희립 ……
이순신 결코 이 전쟁을 이대로 끝내서는……

더 이상 말이 없는 순신. 병사들이 오열한다.

송희립 (분연히 일어서며) 어서들 그쳐라! 정녕 장군의 뜻을 어길 셈이냐!
flash back out

송희립 결코 이 전쟁을 이대로 끝내서는…… 올바로 이 전쟁을 끝낼 수 없다. 반드시!
광해 ?
송희립 (고개를 들며) 열도 끝까지라도 적들을 쫓아 기어이 완전한 항복을 받아내어야 한다 하셨습니다.
광해 완전한 항복……. (가만히 끄덕인다) 맞는 말이다. 결코 이대로 끝낼 수는 없지. 필히 저 바다 너머로 이 참혹했던 전쟁의 값을 받으러 가야 하지 않겠느냐. 통제공의 마지막 한 판 큰 싸움으로 적도 많이 약해져 있을 테니.
권율 (놀라) 저하. 이제 막 그 참혹한 난, 아니 전쟁이 끝난 판국에 어찌…….
광해 (말을 자르며) 마땅히 생각해야 할 일이다! (거침없이) 그러한즉!
다음 통제사는 능히 저 바다 너머까지 통제할 만한 자가 되어야 할 것이다!
권율 (할 말을 잃은 듯) …….
광해 말이 나왔으니, 다음 통제사로 누가 적임자일 거 같으냐.
모두 통제공의 휘하였으니 이중에 충분히 재목들이 있을 것 아니냐?

유형, 입부, 이운룡 등이 묵묵히 서 있다.
(추후 이들은 모두가 차례로 통제사가 된다.)

권율 …… 정리해 올리겠나이다.

광해 …….

광해, 문득 하늘 위에서 반짝 빛을 내는 무언가를 본다.

광해 다들 보았는가.

장수들 (모두가 쳐다보면) …….

광해 (엷은 미소) 북쪽의 대장별이다.

권율 대장별이라면…….

광해 그래. 별을 볼 줄 아는 사람들은 한결같이 얘기한다.
저 별이 아니었으면 조선은 진작에 명운을 다했을 거라고.

권율 근데 어찌 이런 대낮에 저렇게…….

푸른 하늘 위로 더욱 빛을 발하는 대장별.

광해 …… 둘 중 하나 아니겠느냐.

권율 …….

광해 전하지 못한 말이 아직 남았거나…….

장수들 …….

잠시 뜸을 들이며 하늘을 바라보는 광해…….

광해 행하지 못한 일이 아직 남았거나…….

권율 !

순간, 광해의 말을 듣기라도 한 듯,
더욱 휘황한 빛을 뿜어내는 대장별…… 눈부시게 찬란한.

노량
죽음의 바다

타이틀 다시 들어오고,

진중한 오케스트라 음악과 함께,

끝

KI신서 11662

**명량, 한산, 노량
각본집 & 스토리보드북 콜렉션 1**

1판 1쇄 인쇄 2024년 02월 06일
1판 1쇄 발행 2024년 03월 20일

지은이 김한민
펴낸이 김영곤
펴낸곳 (주)북이십일 21세기북스

인생명강팀장 윤서진 **인생명강팀** 최은아 강혜지 황보주향 심세미
디자인 정윤경
출판마케팅영업본부장 한충희
마케팅2팀 나은경 정유진 박보미 백다희 이민재
출판영업팀 최명열 김다운 김도연 권채영
제작팀 이영민 권경민

출판등록 2000년 5월 6일 제406-2003-061호
주소 (10881) 경기도 파주시 회동길 201(문발동)
대표전화 031-955-2100 **팩스** 031-955-2151 **이메일** book21@book21.co.kr

© 김한민, 2024
ISBN 979-11-7117-350-1 04680
979-11-7117-342-6 (세트)

(주)북이십일 경계를 허무는 콘텐츠 리더

21세기북스 채널에서 도서 정보와 다양한 영상자료, 이벤트를 만나세요!

페이스북 facebook.com/jiinpill21 **포스트** post.naver.com/21c_editors
인스타그램 instagram.com/jiinpill21 **홈페이지** www.book21.com
유튜브 youtube.com/book21pub

서울대 **가**지 않아도 들을 수 있는 **명강**의! 〈서가명강〉
'서가명강'에서는 〈서가명강〉과 〈인생명강〉을 함께 만날 수 있습니다.
유튜브, 네이버, 팟캐스트에서 '서가명강'을 검색해보세요!

책값은 뒤표지에 있습니다.
이 책 내용의 일부 또는 전부를 재사용하려면 반드시 (주)북이십일의 동의를 얻어야 합니다.
잘못 만들어진 책은 구입하신 서점에서 교환해드립니다.